Trude Ausfelder

Alles, was Jungen wissen wollen

Infos & mehr für die aufregendsten Jahre des Lebens

TRUDE AUSFELDER

Alles, was Jungen wissen wollen

Infos & mehr für die aufregendsten Jahre des Lebens

Ellermann Verlag

© 1998 Verlag Heinrich Ellermann, Hamburg
Umschlaggestaltung, Layout und Satz: Wolfram Siemons, Augsburg
Titelfoto: Mauritius, Pedro Coll
Fotos: Susanne Holzmann, Stadtbergen
Foto S. 202/203: Bilderberg, Hamburg: Hans-Jürgen Burkard
Illustrationen: Peter Wegner, München
Druck und Bindung: Offizin Andersen Nexö,
Graphischer Großbetrieb, Leipzig
Printed in Germany 1999

ISBN 3-7707-3061-5

nhalt

Warum es dieses Buch gibt

Wenn du jetzt zehn oder elf Jahre alt bist, wirst du merken, dass sich bei dir einiges verändert. Dein Körper reagiert auf einmal so, wie du es bisher nicht kanntest, er kommt dir fremd vor. Das liegt daran, dass deine Sexualität erwacht und du langsam zu einem Mann wirst. Etwa, wenn du 18 bist, wird diese Phase abgeschlossen sein. In den Jahren dazwischen will dich dieses Buch mit vielen Ratschlägen und Tipps begleiten.

Seit über zwanzig Jahren beschäftige ich mich mit Jugendlichen, ihrer Entwicklung, ihren Wünschen, Träumen und Problemen. In unzähligen Interviews vertrauten mir Jungen und Mädchen an, was sie zu Hause oft nicht anzusprechen wagten. Ulf (14) klagte: »Ich hole mir eigentlich alles, was man so wissen muss, aus Zeitschriften. Meine Mami hat so viel um die Ohren, dass sie mich immer nur vertröstet, wenn ich was wissen will. Und mein Papi sagt: Das geht alles von selbst, lass es einfach auf dich zukommen.«

Kevin (17) erinnerte sich: »Als ich vor zwei Jahren zum ersten Mal näher mit einem Mädchen zusammen war und mit ihr kuschelte, da war es mir ziemlich peinlich, dass ich mich so dumm anstellte. Sie war zwar erst 14, aber wusste mehr als ich. Ich war vielleicht froh, dass sie mich nicht auslachte, sondern mir noch sagte, dass es gar nicht so schlimm sei, wenn nicht alles auf Anhieb klappe, wir müssten halt üben. Mit ihr erlebte ich die ersten sexuellen Höhepunkte zu zweit, obwohl es gar nicht zum Geschlechtsverkehr kam, nur zum Petting. Auch wenn wir längst nicht mehr zusammen sind, dieses Mädchen werde ich wohl mein Leben lang nicht vergessen.«

Der Umgang mit Mädchen – und später mit Frauen – ist ein wichtiges Thema in diesem Buch. Die meisten Probleme in Liebesbeziehungen entstehen nämlich dadurch, dass die Partner zu wenig voneinander wissen. Je besser du Mädchen, ihren Körper, ihre Psyche, ihre Wünsche und Vorstellungen kennst, desto mehr Chancen auf eine dauerhafte, glückliche Beziehung hast du. Moderne junge Männer von heute gehen auf ihre Partnerinnen ein und sehen in ihnen nicht nur diejenige, die für sie wäscht, bügelt, kocht und Kinder zur Welt bringt und erzieht. Dies alles geht immer beide an, auch wenn dein Großvater (vielleicht noch dein Vater?!) dir das Gegenteil erzählen mag.

In der Pubertät, die du jetzt durchlebst, wirst du auch deine Eltern und Freunde aus einem anderen Blickwinkel sehen. Das liegt daran, dass du jetzt eine eigene Persönlichkeit mit eigener Meinung entwickelst. Die ersten, gegen die du dich behaupten musst, sind deine Eltern. Du wirst dich im Laufe der Jahre immer mehr von ihnen abnabeln und eigene Wege gehen. So ein Prozess kann für beide Seiten nicht ohne Konflikte ablaufen. Die Eltern fürchten, „ihr" Kind zu verlieren, und du spürst immer stärker, dass du deinen eigenen Weg einschlagen musst, um glücklich zu werden. Die Zeit, in der man dich als Kind total lenken konnte, ist endgültig vorbei.

Doch nicht nur geistig vollzieht sich ein Wandel. Auch dein Körper verändert sich. Das schafft zusätzlich Schwierigkeiten. Und all das sollst du möglichst problemlos hinter dich bringen, »wie ein richtiger Mann eben«. Doch so cool und souverän, wie es von dir erwartet wird, bist du ja noch längst nicht.

Während Mädchen in der Pubertät viel Verständnis, Unterstützung, Hilfe und Informationen bekommen, wird an Jungen in diesem schwierigen Alter nur selten gedacht. Auch deshalb gibt es dieses Buch für Jungen, über Jungen. Damit du nachschauen kannst, wenn dich etwas bewegt. Denn ein Mann wirst du nicht über Nacht, genauso wenig wie Mädchen plötzlich zur Frau werden.

Für jeden jungen Menschen läuft die Pubertät anders ab. Und für Jungen anders als für Mädchen. Auch wenn das Interesse für das andere Geschlecht gleichermaßen wächst, so geht das Erwachsenwerden in unterschiedlichem Tempo und mit anderer Intensität vor sich. Während manche Jungen sehr frühreif sind und schon mit zwölf oder dreizehn Jahren erste sexuelle Erfahrungen machen, dauert das bei anderen bis zum 18. oder 19. Lebensjahr. Es gibt keine Regel, wann es sein muss. Jeder junge Mensch sollte es dann tun, wenn er das Gefühl hat, innerlich dazu bereit und auch reif zu sein.

Wenn dir klar ist, was mit dir in diesen paar Jahren der Pubertät passiert, kannst du dieses erste große Abenteuer deines Lebens genießen. Es wird spannend, manchmal auch anstrengend, weil so viel Neues auf dich einstürmt.

Und wenn du einigermaßen Ahnung von Mädchen hast, wirst du dich über mangelndes Interesse nicht beklagen können. Ein Traum-Boy muss nicht immer der Schönste und der Stärkste sein, das Aussehen ist nur die halbe Miete. Der „King" bist du erst, wenn du weißt, wovon du sprichst. Wenn du dich selbst kennst und auch über Körper und Seele von Mädchen Bescheid weißt. Eine ganze Menge Wissenswertes und Wertvolles kannst du aus diesem Buch ziehen. Es will dich durch die aufregendsten Jahre deines Lebens begleiten.

München, im Januar 1998

Trude Ausfelder

Du und die anderen

1. »It's cool, man«
2. Eltern, Mädchen und Freunde

»Its cool, man«

Was ist auf einmal mit dir los? Wer bist du?

Siehe Abschnitt »Deine Eltern – nur nervig, lästig und uncool« auf S. 27

Jetzt ist die Zeit gekommen, in der du die entscheidendsten Schritte in deiner Persönlichkeitsentwicklung durchmachst. Natürlich ist das ganze Leben ein einziger Lern- und Entwicklungsprozess, aber in der Zeit zwischen deinem zehnten und achtzehnten Lebensjahr passiert am meisten. Du fühlst dich hin- und hergerissen, machst große Pläne, probierst viel aus, schwankst mit deinen Gefühlen zwischen »himmelhoch jauchzend und zu Tode betrübt«. Du fragst dich: Wer bin ich überhaupt? Was will ich? Was erwartet mich? Wie werde ich mal sein? Was wird wohl mal aus mir?

Wenn du dich im Spiegel betrachtest, kommst du dir vielleicht fremd vor. Nicht mehr so wie früher. Das hat auch damit zu tun, dass du dich äußerlich veränderst. Die Behaarung nimmt zu, dein Penis wächst, deine ganzen Körperformen werden männlicher. Gut möglich, dass du damit erst einmal gar nichts anfangen kannst. Aber mache dir bewusst: Das geht allen Jungen in der Pubertät so und auch Mädchen haben auf ihre Weise oft schwer mit dem Erwachsenwerden zu kämpfen.

Siehe auch Abschnitt »Was jetzt mit dir passiert« auf S. 79

Bisher hast du dich über deine Eltern identifiziert, als ein Kind von ihnen, nun merkst du auf einmal, dass du ein eigener Mensch bist, mit eigenen Vorstellungen und Wünschen. Was für ein Mensch du am Ende dieses Entwicklungsprozesses sein wirst, was du gut und schlecht finden und wie du dein Leben mal gestalten wirst, lässt sich kaum erahnen. Das macht auch deine Eltern nervös, sodass es jetzt vielleicht öfter als früher zu Auseinandersetzungen kommt.

Auch wenn du es nicht mehr hören kannst, denke daran: Sie wollen dich nicht ärgern, sondern sorgen sich nur um deine Zukunft und haben möglicherweise Angst, dass du auf die schiefe Bahn geraten oder die Schule nicht schaffen könntest. Aus eigener

Unsicherheit und Hilflosigkeit reagieren sie dann oft falsch, verbieten etwas und zeigen wenig Verständnis, wenn du z. B. nur noch in schwarzen Jogginghosen rumlaufen willst. Sprich offen und ehrlich mit ihnen, geheimnisse nicht herum und erkläre ihnen, wie wichtig es nun für dich ist, vieles auszuprobieren, um herauszufinden, was am besten für dich ist.

Schiebe dabei nicht die Meinung deiner Eltern oder anderer Erwachsener ganz beiseite! Aufgrund ihrer Lebenserfahrung wissen sie oft mehr und können dir auch wertvolle Tipps geben. Wenn du mit offenen Karten spielst und deinen Standpunkt erklärst, wirst du sicher weiter kommen als wenn du heimlich deine Ziele verfolgst und es am Ende deshalb Streit gibt.

Sprich offen mit deinen Eltern und erkläre ihnen, was für dich wichtig ist.

Warum du jetzt so oft denkst: »Mich versteht sowieso keiner«

Das Chaos der Gefühle und Empfindungen, das du in diesen Jahren der Pubertät in dir spürst, macht dich launisch und für deine Umwelt oft sehr schwierig. Du merkst auf einmal, wie eng nebeneinander gute und schlechte Gefühle liegen und schwankst anderen Menschen gegenüber oft zwischen Liebe und Hass, Wut und Zuneigung. Du willst selbstständig handeln und entscheiden, bist aber gleichzeitig beunruhigt, ob du am Ende auch wirklich alles hinkriegst, was du dir vorgenommen hast. Was Mädchen betrifft, würdest du am liebsten gleich richtig mit dem Sex einsteigen, andererseits hast du aber Angst, dabei zu versagen oder dich lächerlich zu machen. So stark du dich gestern noch gefühlt haben magst, so down bist du heute. Am liebsten würdest du nach deiner Mama rufen, weil du dich von der ganzen Welt unverstanden fühlst. Der Übergang von der Kindheit ins Erwachsenenleben ist eben hart, aber diese Phase muss jeder Mensch durchleben.

Du bist nicht allein: Jeder muss die schwierige Phase der Pubertät durchmachen.

Das alles kostet dich Kraft, und deshalb kommt es vor, dass du aus heiterem Himmel einen Streit anfängst, dich total zurückziehst und weinst oder so gut drauf bist, dass du aus vollem Herzen lachst und herumalberst. Diese krassen Stimmungsschwankun-

13

gen können dich von einer Minute auf die andere überfallen. Da reicht schon eine CD oder ein Film im Fernsehen aus, um dich in die entsprechende Stimmung zu versetzen.

Es ist wichtig, dass du lernst, mit deinen Gefühlen richtig umzugehen. Gerade wenn es sich um schlechte handelt, ist es von Vorteil, wenn du jemand hast, dem du dich anvertrauen kannst.

Es ist wichtig, dass du lernst, mit deinen Gefühlen richtig umzugehen. Mit den guten dürfte das ja kein Problem sein, mit den schlechten schon eher. Wenn Letztere dich plagen, ist es von Vorteil, wenn du jemand hast, mit dem du offen darüber sprechen kannst. Das kann deine Mutter sein, dein Vater, Geschwister, Lehrer oder Freunde. Leider haben viele Jungen niemand, dem sie sich anvertrauen möchten und haben es auch nie gelernt, über ihre Gefühle offen zu reden. In solchen Fällen helfen Hobbys, bei denen man sich abreagieren kann, wie z. B. beim Sport, bei der Musik oder beim Malen.

Manche Jungen, die mit ihren miesen Gefühlen nicht klarkommen, richten ihre Energien gegen sich selbst, essen und schlafen zu wenig oder zu viel, versuchen mit Hilfe von Drogen ihre Probleme loszuwerden oder powern sich beim Sport zu sehr aus. Wenn du deine Gefühle auf diese Weise unterdrückst, bist du mit Sicherheit auf dem falschen Weg. Versuche, mit einer Vertrauensperson im Gespräch zu bleiben, auch wenn diese dir den Eindruck vermittelt, dich erst einmal nicht zu verstehen. Nur wenn du bereit bist, dich mitzuteilen und auch Verständnis für die andere Seite aufzubringen, kann es zu einer sinnvollen Kommunikation kommen. Miteinander reden heißt immer, nicht nur seinen eigenen Standpunkt vertreten und durchsetzen wollen, sondern auch den des anderen zu akzeptieren und zu respektieren.

Wer seine Gefühle unterdrückt, wird sich ein Ventil dafür suchen.

Wer negative Gefühle wie Eifersucht, Hass, Wut, Angst oder Liebeskummer nicht rauslassen kann oder darf, den machen sie auf Dauer krank oder gewalttätig. Wenn du erwachsene Männer in deiner Umgebung kennst, die sich Frauen und Kindern gegenüber aggressiv verhalten, dann kannst du sicher sein: Sie haben nie gelernt, mit ihren Hochs und Tiefs auf natürliche Weise umzugehen. Dies sollte ein abschreckendes Beispiel für dich sein; denn Männer, die mit Gewalttätigkeiten auf sich aufmerksam machen, sind in Wirklichkeit arme, hilflose Würstchen. Ganz das Gegenteil von dem, was sie durch ihr dummes Auftrumpfen eigentlich darstellen wollen. Und die meisten Frauen und Mädchen wissen das heutzutage auch.

Lerne also jetzt, in kritischen Situationen offen auszusprechen und zuzugeben: »Mir geht's heute nicht gut!«, »Hilf mir, bitte!«, »Ich kann nicht mehr!« oder »Bitte, drück mich, ich brauche deine Nähe!« Das mag dir vielleicht doof und uncool vorkommen, aber es ist lebenswichtig für deine weitere Zukunft. Je ehrlicher und offener du dich verhältst, desto größer ist die Chance, dass du ernst genommen wirst. Wenn du dennoch keine offenen Ohren findest, lass dich nicht entmutigen! Gerade im Umgang mit anderen Menschen werden deine Bemühungen nicht immer von Erfolg gekrönt sein – jetzt nicht und später auch nicht. Schon deshalb ist es wichtig, dass du eine Familie hast, die dich auffängt und in die du zurückkehren kannst, wenn andere dich enttäuschen.

Mehr über »Hormone« kannst du in den Abschnitten »Pickel«, S. 72, »Stimme«, S. 81, »Wachstum«, S. 83 und »Behaarung«, S. 85, nachlesen.

Dass du nun öfter denkst, niemand würde dich verstehen, das liegt auch daran, dass in deinem Alter die Hormonbildung beginnt. Und die Hormone sind mitverantwortlich für dein Wohlbefinden. Solange dieser Prozess läuft (etwa zwischen dem 13. und 18. Lebensjahr), wirst du mit diesen Wechselbädern der Gefühle leben müssen.

Kicken können wie Mehmet Scholl und ein Body wie Schwarzenegger

Während Mädchen sich die Wände in ihrem Zimmer mit Postern von Boys-Bands tapezieren, hast du dir vielleicht Plakate von Fußball-Mannschaften oder so erfolgreichen Kickern wie Mehmet Scholl oder Jürgen Klinsmann an die Wand geklebt. Vielleicht bist du aber kein Sport-Freak, und Action-Helden wie Arnold Schwarzenegger, Sylvester Stallone oder Claude van Damme haben es dir mehr angetan. Diese Männer mit ihren durchtrainierten Bodys sind am Ende meistens die strahlenden Sieger – das wärst du auch ganz gerne.

Siehe Abschnitt »Bodybuilding, Tattoos, Piercing« auf S. 70

Wenn du erst zehn, elf oder zwölf bist und sportlich, dann träumst du vielleicht von einer Fußball-Karriere wie sie Mehmet Scholl vom FC Bayern München gemacht hat. Auch er hat einmal als kleiner Junge angefangen, kaum jemand wollte erst so recht an ihn glauben, aber er hat's geschafft. Nimm dir ruhig ein Beispiel

15

an ihm. Es zeigt, was man alles erreichen kann, wenn man an sich glaubt und sich nicht kleinkriegen lässt. Leider verstehen es Eltern und Erwachsene oft nicht, dir Mut zu machen, aber lass dich davon nicht beirren. Geh deinen eigenen Weg! Auch wenn du jetzt noch in deinem kleinen Ortsverein spielst: Wenn du wirklich Talent hast und dein Ziel konsequent verfolgst, hast auch du Chancen, einiges zu erreichen.

Einen muskulösen Body wie Arnold Schwarzenegger oder Sylvester Stallone kannst du durch ständiges Training erreichen. Allerdings solltest du wissen, wo die Grenze für dich ist; denn es ist nicht ungefährlich, seinen Körper überzustrapazieren. Außerdem stehen viele Frauen überhaupt nicht auf Muskelprotze, was du natürlich auch bedenken solltest, bevor du dich einem intensiven Training zuwendest.

Es ist ganz typisch für dein Alter, dass du in Sportlern, Filmhelden oder Rockstars Vorbilder siehst, denen du nacheiferst. Viele Jungs kleiden sich sogar wie ihre Idole und lassen sich die Haare ähnlich schneiden. So inspiriert z. B. der unvergessene Elvis Presley, der bereits 1977 starb, immer noch viele Jungen und auch erwachsene Männer, dem Rock'n'Roll zu frönen und eine Tolle zu tragen, wie er es damals tat. Aber auch der Filmstar James Dean, der noch lange vor Elvis als junger Mann bei einem Verkehrsunfall ums Leben kam, ist zu einer Kultfigur geworden, an der sich viele Jungen bis heute orientieren. Jimmy, der Held aus dem Film »Jenseits von Eden«, mit seinem melancholischen, fragenden Blick, immer noch Traum vieler Mädchen, ist einer, der wohl Erfolg beim anderen Geschlecht garantiert.

Siehe Abschnitt »Rauchen, Saufen, Drogen«, S. 44

Doch nicht nur Kultstars, auch bestimmte aktuelle Szenen sind für viele Jugendliche richtungsweisend, wie z. B. die wegen Designerdrogen wie Ecstasy (XTC) oder Speed in Verruf gekommene Techno- oder Raver-Szene mit prominenten DJs wie Marusha, Sven Väth oder Hooligan. Größtes Glück der Techno-Fans ist es, nach den schlagenden und lauten Klängen der Musik nächtelang durchzutanzen. Wenn du Raver bist, dann tanz lieber nur so lange, wie dein Körper es auf natürliche Weise erträgt. Stopf dich nicht mit Pillen voll, die man dir anbietet. Eines der wichtigsten

Techno-Events ist die jährlich im Sommer stattfindende »Love Parade« in Berlin.

Vielleicht magst du aber die Rap- und Hip-Hop-Szene lieber und läufst deshalb lässig wie die schwarzen Ghetto-Kids aus den USA herum, wo diese Musikrichtung, ein rhythmischer Sprechgesang, auch ihren Ursprung hat. So cool wie die in ihrem T-Shirt, den Jogginghosen und mit dem umgedrehten Baseball-Cap fühlst du dich am besten. Rap und Hip-Hop leben vor allem von den Texten, die politischer Natur sein können, aber leider oftmals auch Frauen verachtende Inhalte haben. Die pro-minentesten Vertreter dieser Art Musik sind LL Cool J und Public Enemy.

Wenn du Irokesenschnitt und grüne, gelbe, blaue oder feu-erwehrrote Haare liebst, dann bist du ein Anhänger des Punk. Anfang der 90er Jahre schwappte die Grunge-Bewegung, eine Weiterentwicklung des Punkrock, von den USA nach Europa über. Dadurch wurden Nasenstecker und Doc Martens-Stiefel salonfähig. Punk- und Grunge-Musik ist laut, wild und unkompliziert. Zu den wichtigsten Vertretern gehört die Band Nirvana, die nach dem Selbstmord von Sänger Kurt Cobain sogar Kultstatus erlangte. Grunger sehen sich als Konsum- und Leistungsverweigerer und fragen schon mal Passanten: »Haste mal 'ne Mark?«

Aufgrund ihrer gefährlichen und in höchstem Maß Menschen ver-achtenden Tendenz dürfen rechtsextreme CDs hier nicht ausge-spart werden. Sie überbieten sich gegenseitig in nichts weiter als in ekelhaftem Nazi-Kampfgebrüll. Über 300 Skin-Bands soll es in Deutschland geben, ein Trend, der sehr Besorgnis erregend ist und von der Polizei aufmerksam verfolgt und streng geahndet wird. Zu Skin-Musik gehören in der Regel Alkoholexzesse. Damit werden Aggressionen geschürt, die oft in direktem Zusammenhang mit Überfällen auf die stehen, in denen Skins ihre »Feinde« sehen. Das sind ausländische Mitbürger, Behinderte, Homosexuelle, Juden, Punker und Obdachlose. Mit dumpfem Hass kommt man aber keinen Schritt voran. Eher schon mit Aufgeschlossenheit und Interesse für andere, auch für Minderheiten.

Kampfgebrüll auf rechtsex-tremen CDs ist Menschen verachtend und gefährlich.

17

Wer etwas so radikal aburteilt wie Skins, hat in der Regel keine Ahnung von der Sache, ist nicht bereit, sich damit auseinander zu setzen und hat selbst große Minderwertigkeitskomplexe. Du solltest einen anderen Weg gehen, auch wenn dir so manches stinkt und du ebenfalls gerne einen Buhmann hättest, auf dem du deine Wut abladen kannst. Letztlich tust du dir auch selbst sehr weh, wenn du Groll schiebst. Versuche, die Dinge positiv anzugehen, gewinne auch den schlechteren Tagen etwas Positives ab, und wenn du dich nur darüber freust, dass die Sonne scheint.

Der Traum von heißen Öfen und flotten Flitzern

Autofahren erfordert eine ganze Menge Verantwortungsgefühl, was viel zu oft vergessen wird. Deshalb kommt es auch immer wieder zu schrecklichen Unfällen.

Selbst wenn du noch gar keinen Führerschein hast und dieser auch noch in weiter Ferne sein mag, faszinieren Autos und Motorräder die meisten Jungen von Kind auf. Sehnsüchtig wartest du darauf, endlich einen heißen Ofen oder flotten Flitzer lenken zu dürfen. Das ist für dich der Inbegriff von Freiheit, Abenteuer und Weite. Wenn du auf der Maschine den Fahrtwind spürst, dann glaubst du vielleicht, die Welt gehöre dir, nur dir allein.

Wenn Michael »Schumi« Schumacher, sein Bruder Ralf oder Harald Frentzen im Formel-1-Zirkus über die Pisten brettern, dann sitzt du, vielleicht mit Papa, gespannt vor dem Fernseher. Und fachmännisch fiebert ihr mit während des Rennens. Seit Michael den Weltmeistertitel für Deutschland holte, brach eine regelrechte »Schumi-Mania« hier aus. Selten zuvor stand der Autorennsport so hoch in der Gunst des Publikums. Und leider meinen viele verkannte »Schumis« nun, es ihm gleichtun und sich auf unseren Straßen austoben zu müssen. Die sind aber für Rennen nicht geeignet, außerdem gefährden solche Raser das Leben anderer Verkehrsteilnehmer.

Ob du später nun mal ein Mofa, einen Roller, ein Motorrad oder ein Auto fährst, mache dir bewusst, dass du auf oder in einem hochexplosiven Gefährt sitzt, mit dem du entsprechend vorsichtig und vernünftig umgehen solltest. Wer voll auf die Tube drückt, hat im Ernstfall immer weniger Chancen als einer, der von Haus aus die defensive Fahrweise bevorzugt. Klar, du siehst die große Freiheit und das Abenteuer, wenn du losfährst, doch beides kann mit einem Schlag für immer ein Ende haben. Gerade junge Leute glauben oft, sie hätten ihr Fahrzeug im Griff und überschätzen sich maßlos. Zu gerne spielen sie auch vor anderen den Helden und führen vor, wie gut ihr Wagen auf der Strasse liegt und in die Kurven geht. Solche Showeinlagen können schrecklich ins Auge gehen. Oder möchtest du schuld sein, wenn aufgrund deines Übermuts Freunde ihr Leben lassen müssen oder für immer an den Rollstuhl gefesselt sind?

Steige nie zu einem Angetrunkenen ins Auto oder aufs Motorrad!

Wenn du nach der Disco zu einem Kumpel, der schon einen Führerschein hat, ins Auto steigst, dann sieh zu, dass dieser möglichst keinen Alkohol getrunken hat. Wer sich ans Steuer setzt, für den sollte jeder Tropfen Bier, Wein oder Schnaps tabu sein. Auch wenn 0,8 Promille erlaubt sind, wer weiß in guter Stimmung und Laune schon so genau, wann die erreicht sind? Außerdem reagiert jeder Körper anders auf bestimmte Mengen. Rufe lieber deine Eltern an, dass sie dich abholen kommen, nimm Bus oder Bahn anstatt zu einem Angetrunkenen ins Auto oder aufs Motorrad zu steigen. Solltest du selbst schon fahren können, dann gilt natürlich auch für dich: Wer sich ans Steuer (auch aufs Fahrrad!) setzt: Null Promille! Bist du mit einem heißen Ofen auf Tour, egal ob als Fahrer oder Beifahrer, dann bitte niemals ohne Helm!

Und fahre auch selbst nie alkoholisiert! Wer sich ans Steuer setzt, für den gilt: Null Promille!

Wie werde ich ein »richtiger Mann«, was ist »Männlichkeit«?

Was ein so genannter »richtiger Mann« ist, vermag wohl niemand so genau zu sagen. Sind es die Muskeln? Ist es die Länge und Dicke des Glieds? Ist es das Talent, beim Fußball immer ein Tor zu schießen? Ist es die Anzahl von Mädchen oder Frauen, die einer erobert? Ist der am männlichsten, der die coolsten Sprüche klopft

und die größte Klappe hat? Oder der, der sich täglich im Fitnessstudio abstrampelt?

Männlich sein heißt, sich selbst zu akzeptieren.

Generell ist jeder ein Junge oder Mann, der als solcher geboren wurde. Es sind die Medien, die das jeweilige Männerbild machen, nach dem man als männlich oder unmännlich bewertet wird. In Filmen zeigen Helden wie James Bond, Rambo oder der Terminator, dass einer, der mutig ist, besonders männlich erscheint. Nach Auffassung der Werbeleute ist der ein echter Mann, der gut aussieht, blendend gebaut ist, Charme hat, cool und erfolgreich ist.

Wirklich männlich zu sein bedeutet ganz einfach, sich so zu akzeptieren, wie man ist und den Hobbys nachzugehen, die einem Spaß machen. Egal, ob andere das männlich oder weiblich finden. Das klingt sehr simpel, ist aber oft schwierig, weil tausend Vorbilder in deinem Kopf herumschwirren.

Merke dir:

- Auch wenn du nicht vor Muskeln strotzt, bist du ein ganzer Junge. Ob andere sich darüber mokieren oder nicht.

Gewalt erzeugt immer nur Gegengewalt.

- Auch wenn du nicht sofort zuschlägst und bei jeder Rauferei mitmachst, bist du ein ganzer Junge. Selbst dann, wenn andere dich belächeln oder als Memme hinstellen.

- Wenn du angegriffen wirst, versuche erst, dich mit Worten zu wehren. Nur, wenn es für dich zu gefährlich wird oder du keine andere Chance mehr siehst, dann gebrauche auch deine Fäuste, niemals eine Waffe. Gewalt erzeugt nur Gegengewalt! Versuche, beruhigend, aber nicht besserwisserisch auf deine Gegner einzuwirken! Gib ihnen lieber nach, anstatt fertig gemacht zu werden.

- Auch wenn du keine Sportskanone bist, sondern lieber Musik hörst, machst oder bastelst, bist du ein ganzer Junge. Egal, wie andere das finden. Du hast eben deine eigenen Qualitäten, basta! Gut möglich, dass du deswegen sogar heimlich beneidet wirst!

- Lerne, zu dir selbst zu stehen, dich mit all deinen Stärken und Schwächen anzunehmen. Du bist besser als du vielleicht selbst glauben willst!

- Höre auf, dich ständig mit anderen zu vergleichen. Nur dann wird es dir gelingen, dich selbst zu akzeptieren. Du kannst dich an Vorbildern orientieren, aber verpasse ihnen deinen ganz eigenen Stempel!

Jeder Mensch hat seine eigenen Qualitäten.

Es sagt sich leicht, dass du lernen sollst, zu dir selbst zu stehen und nicht auf die Sprüche anderer zu hören. Wenn du genau einer von denen bist, den andere »Schwuler« oder »Mädchen« nennen, dann bist du wahrscheinlich oft so down, dass es dir schwer fällt, dich davon nicht beeindrucken zu lassen. Sag ihnen, dass jeder Junge ein »richtiger Mann« ist und dass das jeder auf seine eigene Weise ist. Die Schreihälse sollen erst einmal sagen, was ein »richtiger Mann« ist. Vermutlich wissen sie keine Antwort darauf.

Leider existiert auch in unserer Gesellschaft immer noch die Vorstellung, dass Jungen überlegen sein und die Dinge im Griff haben müssen. Man meint, sie müssten sich körperlich auseinander setzen können und letztlich als Sieger hervorgehen. Vor allem Mädchen und Frauen gegenüber sollten sie immer die Coolen und Souveränen sein, die ihnen sagen, wo es langgeht. Dies wissen Mädchen und Frauen heutzutage aber längst selbst. Moderne Männer haben auch keine Schwierigkeiten damit, das Management des Alltags mit der Partnerin zu teilen. Der Vergleich, der Mann sei eben das starke Geschlecht und die Frau das schwache, stimmte noch nie, hält sich aber dennoch krampfhaft. Letztlich kann man die Geschlechter nicht vergleichen. Jedes ist für sich eigenständig. Was nicht heißt, dass sich ein Junge nicht freuen darf, wenn er Stärke bewiesen oder einen Sieg errungen hat. Aber er muss nicht stark und überlegen sein.

Jeder Junge ist auf seine eigene Weise ein Mann.

21

Um keine Missverständnisse aufkommen zu lassen: Stark zu sein ist nichts Schlechtes, lässt aber in der Regel keine Schwächen zu. Doch diese beiden Eigenschaften gehören immer zusammen. Was geht nun in einem Jungen vor, der glaubt, als »richtiger Mann« dürfe er keine Schwächen und Ängste zeigen, das sei unmännlich? Wer so tut, als sei er immer nur stark und habe nie vor etwas Angst, der gaukelt sich selbst und anderen etwas vor.

Mädchen schätzen und wünschen es, dass ihr Freund sich wie ein Partner benimmt.

Durch diese permanente Schauspielerei fühlen sich Jungen innerlich oft sehr einsam und allein. Wenn du schon eine Freundin hast, dann findest du vielleicht bei ihr ein Ventil. Mädchen haben meistens Verständnis dafür, wenn Jungen mit ihrem herkömmlichen Rollenbild Probleme haben und es nicht für sich annehmen möchten. Ja, viele Mädchen schätzen und wünschen es sich sogar, dass ihr Freund nicht ausschließlich seine Männlichkeit betont, sondern sich partnerschaftlich verhält.

Zum Männer-Hormon Testosteron siehe auch S. 107

Das Gefühl, sich körperlich beweisen zu müssen und der Starke zu sein, liegt nach dem neuesten Stand der Wissenschaft vor allem am Männer-Hormon Testosteron. Es reizt bei Anspannungen das Gehirn, sich auf Kampf oder Flucht einzustellen. Aber auch die Erziehung spielt eine Rolle, da Jungen immer wieder gesagt wird: »Weine nicht, jammere nicht, reiß dich zusammen, wenn dir etwas wehtut.« Auch die unterschiedlich angelegten Gehirne von Männern und Frauen könnten hier entscheidenden Einfluss ausüben. Forscher meinen, dass der Jagd- und Kampftrieb des Mannes aus alten Zeiten stammen könnte, als Jungen noch darauf getrimmt wurden, das Überleben ihrer Familie zu sichern. Wahrscheinlich ist es eine Mischung aus allem, die Jungen so kampfbereit und wachsam macht.

Natürlich darfst du dich stark machen und hervortun, wenn dir wirklich danach ist. Worum es hier eigentlich geht, ist nur die Tatsache, dass du dich nicht von einem Rollenbild unter Druck setzen lassen solltest. Lass dich nicht von Trends mitreißen, stehe zu deinen Ängsten, und sei einfach nur du, dann bist du der stärkste Typ! Wenn du bei vernünftigen und klugen Mädchen Eindruck machen willst, dann besinne dich auf so männliche Eigenschaften wie Zivilcourage, Offenheit, Weitsicht, Bescheidenheit und Toleranz. Jungs, die mit Fäusten oder gar Waffen »glänzen« wollen, stoßen Mädchen eher ab.

Was haben Mutproben mit Mut zu tun?

Moritz (14):

Neulich haben mich welche aus meiner Klasse eingekreist, weil ich bei einer Schlägerei dazwischengegangen bin. Drei Jungs haben einen farbigen Mitschüler, dessen Vater Afrikaner ist, so vermöbelt, dass er mir echt leid tat. Ich konnte einfach nicht mehr zuschauen und mischte mich ein. Meine Mama sagte mir immer, das solle ich tun, wenn ich mal so was erlebe. Danach sind sie auf mich los und beschimpften mich: »Du Weichei, du Milchbubi, du wirst nie ein Mann! Wahrscheinlich bist du auch noch schwul!« Ich war total fertig danach, obwohl sie mir selbst zum Glück gar nichts taten. Aber ich hatte Angst. Die Eltern des farbigen Jungen haben mich danach eingeladen und sich bedankt. Aber das wäre gar nicht nötig gewesen; für mich war das eine Selbstverständlichkeit, dass ich ihm geholfen habe.

Was Moritz hier beschreibt, zeigt, dass er ein sehr mutiger Junge ist, der sich im richtigen Moment sinnvoll einmischt. Mut ist nichts Typisches für Männer, auch Frauen sind oft sehr mutig. Mut bedeutet letztlich, dass jemand in der Lage ist, eine Entscheidung zu fällen. Auch eine unpopuläre, die vielleicht den gängigen Gebräuchen nicht entspricht. Wenn z. B. alle rauchen, und du sagst: Nein, ich tue das nicht. Wer klar Stellung bezieht und sich für etwas engagiert (wie Moritz, der gegen die rassistischen Angriffe seiner Mitschüler vorging), der zeigt Stärke und Mut.

Siehe Abschnitt »Wie werde ich ein richtiger ›Mann‹, was ist ›Männlichkeit‹?« auf S. 19

Wenn du also von anderen zu einer meist dummen Mutprobe aufgefordert wirst, dann kannst du davon ausgehen, dass das mit echtem Mut in der Regel überhaupt nichts zu tun hat. Die, die am lautesten danach rufen, haben oft die größte Angst davor, am Ende die Unterlegenen zu sein. Zudem sind solche Mutproben auch gefährlich und fast immer zweifelhafter Natur. In den meisten Fällen geht es nur darum, wer am schlagkräftigsten draufhauen kann.

Wenn du dich sehr einsam fühlst:
Wie soll das alles bloß weitergehen?

Michael (15):

Mir macht
das alles keinen Spaß mehr.
In der Schule komme ich kaum noch mit,
vor meinem Zeugnis graut mir. Ich höre schon
wieder, wie meine Eltern dann wettern, vor allem
mein Vater. Er meint, er könne sich in alles einmi-
schen und über mich bestimmen. Er will mir verbieten,
dass ich in meinem Zimmer Poster an die Wand klebe, dass
ich abends weggehe, und meine Freunde passen ihm auch
nicht. Dabei sind das noch die einzigen Leute, die mich verstehen. Meine Mutter lässt sich alles gefallen von ihm, sie hält
überhaupt nicht zu mir. Im Gegenteil: Wenn er herumstänkert,
pflichtet sie ihm noch bei. Wieso lassen sie mich nicht einfach in
Ruhe? Sie haben keine Ahnung von mir, überhaupt niemand versteht
mich. Manchmal weiß ich nicht, wie das noch werden soll und möchte lieber tot sein als lebendig.

Nun hat mir meine Freundin Nina auch noch den Laufpass gegeben, weil
sie einen älteren Jungen gefunden hat, der mehr Geld hat und ihr mehr
bieten kann. Das hat mir noch gefehlt. Ich mag dieses Leben nicht mehr
... am liebsten würde ich mich umbringen. Neulich ist ein Junge aus
unserer Schule vom 20. Stock eines Hochhauses gesprungen. Er hat
es geschafft und braucht sich nicht mehr aufzuregen. Ich habe mir
das Hochhaus auch schon angesehen, aber ich habe Angst, dass ich
mich nicht traue runterzuspringen. Ob ich mir lieber einen goldenen Schuss setze? Wenn man noch nie vorher Heroin genommen hat, kann man mit einer Überdosis angeblich sofort
hinüber sein, sagen welche aus meiner Clique. Aber ich
will nicht, dass es dann heißt, ich wäre ein Junkie
gewesen. Auf jeden Fall will ich so nicht
mehr weiterleben. Es ist alles so schrecklich, ich fühle mich total einsam
und allein und weine jeden
Abend.

Immer wieder kommt es vor, dass junge Menschen am Leben so verzweifeln, dass ihnen der Tod lieber wäre als das Dasein auf Erden. Doch der Tod löst die Probleme nicht, er beendet sie nur. Viele Jugendliche, die über Selbstmord nachdenken, wollen vermutlich gar nicht sterben, sondern nur so nicht mehr weiterleben. Sie haben Sehnsucht nach Liebe, Geborgenheit, Ruhe, Vergessen und einem langen Schlaf. Wenn du dich so todtraurig fühlst und keinen Ausweg aus deiner Situation mehr siehst, steckst du in einer tiefen Krise. Jeder Gedanke und Versuch, sich selbst das Leben zu nehmen, ist ein Hilfeschrei nach Verständnis und Liebe.

Meistens ist so eine Krise nur die Summe von vielen Leiden, die du auch schon in der Kindheit erfahren hast. Sie kommen nur jetzt erst zum Ausbruch, weil du in der Pubertät dabei bist, dich zum ersten Mal als eigene Person wahrzunehmen. Du fühlst dich nicht akzeptiert, nicht verstanden, nicht geliebt. Du bist in deine Gefühle und Ängste so verstrickt, dass du aus diesem Wirrwarr alleine nicht mehr herausfindest. Aber es gibt Mittel und Wege, um in dieses Dickicht wieder Licht zu bringen. Schäme dich nicht, dich an fremde Menschen zu wenden und sie um Hilfe zu bitten. Wenn du das schaffst, hast du schon den ersten, wichtigen Schritt getan, um auf den richtigen Weg zu gelangen.

Wenn du Probleme hast, mit denen du nicht fertig wirst, brauchst du professionelle Hilfe. Entsprechende Adressen findest du im Anhang, ab S. 242

Das sind Alarmsignale, die Lebensmüde aussenden und die sehr ernst genommen werden sollten:

- Die Freundin oder der Freund kapselt sich ab, interessiert sich für nichts mehr richtig.

- Sie nehmen extrem viel ab oder zu, haben ständig Kopfschmerzen, leiden unter Müdigkeit und Schlaflosigkeit.

- Sie teilen verdeckt bereits mit, wer mal ihre ganze Habe bekommen soll. Beispiel: »Die Videos und CDs soll Nicki kriegen!«

- Sie interessieren sich auffallend für Tabletten und anderes Zeug, das einen Selbstmordversuch möglich machen könnte.

Menschen, die am Leben verzweifeln, können diese Alarmsignale aussenden.

25

Wenn dir einer dieser Punkte auffällt oder gleich mehrere zusammen, dann solltest du dich ebenfalls an psychologisch geschulte Fachkräfte oder eine(n) Lehrer/in deines Vertrauens wenden. Selbst wenn der Betroffene noch weit von der Ausführung seiner Gedanken entfernt ist, so sind seine Probleme groß genug, um behandelt werden zu müssen.

Das Leben mit all seinen Chancen richtig einzuschätzen, will gelernt sein. Nimm dir genug Zeit dafür!

Wenn du zu den vielen anderen Jungen gehörst, die gar nicht daran denken, sich das Leben zu nehmen, sondern große Zukunftspläne schmieden, dann brauchst du eine Menge Mut und Willenskraft, um diese auch durchzusetzen. Oft ist alles ganz anders als du es erwartet hast, mit Rückschlägen musst du rechnen und auch lernen, sie wegstecken zu können. Je mehr du in die Welt hinausstrebst, desto öfter wirst du Enttäuschungen erleben. Es kann aber auch sein, dass du skeptisch und mit mäßigem Selbstvertrauen an etwas rangehst und plötzlich vom Erfolg und der Gewissheit, es zu schaffen, vorangetrieben wirst. Das sind Gefühle des Glücks, die du auskosten solltest.

Langsam stellst du dir auch immer mehr Fragen wie: Was will ich im Leben erreichen? Will ich eine Familie oder nicht? Möchte ich mal im Beruf erfolgreich sein, und vor allem in welchem? Darauf musst du jetzt noch keine Antwort finden. Nach der Pubertät wirst du wissen, welcher Weg zunächst der beste für dich sein wird. Doch denke bloß nicht, das wäre dann etwas Endgültiges! Das Leben bietet dir immer neue Möglichkeiten.

Wie kann ich helfen, wenn andere Probleme haben?

Adressen findest du im Anhang, ab S. 242

Wenn du eine Freundin oder einen Freund besonders gerne magst, dann interessierst du dich auch für ihre oder seine Sorgen. Du kannst ihnen einen großen Gefallen tun, wenn du ihnen zuhörst und Verständnis zeigst. Sehen sie allerdings keinen Ausweg mehr und fangen an, zu viel zu rauchen, zu trinken, Drogen zu nehmen oder sich in düsteren Kreisen zu bewegen, könntest du dich an einen Vertrauenslehrer oder eine Beratungsstelle wenden. Das solltest du im Übrigen auch tun, wenn in deiner Familie jemand Alkohol im Übermaß oder Drogen konsumiert. Dann brauchst nämlich auch du selbst Hilfe.

Eltern, Mädchen und Freunde

Deine Eltern – nur nervig, lästig und uncool

Jacob (15):

Ich möchte so gerne für ein Jahr in die USA und dort auf die High School gehen. Sechs andere Jungen aus meiner Klasse haben sich schon gemeldet und ich hätte auch riesige Lust darauf! Endlich mal ganz allein für alles verantwortlich sein! Aber leider ist es genau das, was mir meine Eltern wohl nicht zutrauen. Meine Mutter meint, mich könne man noch nicht alleine lassen, ich sei viel zu unselbstständig, und mein Vater sagt: »Wir müssen nicht jeden Quatsch mitmachen, du gehst hier zur Schule, das kostet schon genug Geld.« Dabei habe ich mir durch Nebenjobs schon einiges verdient, das ich dann natürlich in Dollars umtauschen würde. Aber da lacht mein Vater nur. »Mit deinen paar Mäusen kommst du nicht weit,« sagt er dann. Ich finde es total uncool von ihnen und noch dazu gemein, dass sie mir das vermiesen wollen. Und was mich am meisten ärgert: Dass sie kein Vertrauen zu mir haben. Ich bin doch kein kleines Kind mehr!

Jacobs Schwierigkeiten und Frust kannst du sicher nachvollziehen. Aber wenn du ehrlich bist und mal genauer nachdenkst, wirst du auch die Position seiner Eltern ein bisschen verstehen können. Sie wollen das Beste für ihren Sohn, aber haben Angst vor dem Gedanken, ihr Kind allein in die Welt hinauszulassen. Es

27

Die Tatsache, dass du auf eigenen Beinen stehen willst, möchten viele Eltern so weit wie möglich hinausschieben.

wäre dann ganz alleine auf sich gestellt und sie könnten nicht mehr eingreifen, wenn es sie braucht. Außerdem sind sie verantwortlich für Jacob und würden ihm Niederlagen und Enttäuschungen am liebsten ersparen. Den Zeitpunkt, da der Sohn auf eigenen Beinen stehen will, möchten sie so weit wie möglich hinausschieben, während Jacob, so schnell es geht, davonpreschen und sein eigenes Ding durchziehen will.

Deine Eltern haben bisher für dich entschieden und geplant. Jetzt möchtest du das nicht mehr. Eine komplizierte Situation für deine Eltern. Denn einerseits agierst du schon sehr erwachsen, andererseits aber noch wie ein Kind. Du bist zwar dabei, dich abzunabeln, aber musst nun erst lernen, die Dinge ganz selbstständig hinzukriegen. Sei froh, dass deine Eltern ihr wachsames Auge über dem halten, was du tust. Das sollte dir Sicherheit und Rückhalt geben, immer mehr auf eigenen Beinen zu stehen. Aber bitte hab Geduld, so ein Prozess dauert oft sehr lang.

Siehe Abschnitt »Wieso wollen Erwachsene immer Recht haben?« auf S. 32

Kinder brauchen ihre Eltern länger und stärker als sie oft zugeben wollen. Sogar als Erwachsener ist man oft noch froh, wenn man in sein »Nest« zurückkehren kann und dort Verständnis und Geborgenheit findet. Eine gute Familie ist auch wichtig, um Krisen im Leben zu meistern. Auch wenn sie dir im Moment total auf die Nerven gehen mag – im Laufe der Jahre wirst du sie wieder schätzen lernen.

Was haben sie bloß gegen deine Freunde?

Der Umgang mit Freunden ist häufig Grund heftiger Auseinandersetzungen zwischen Eltern und Kindern. Oft mögen Mutter und Vater die Leute nicht, mit denen du deine Freizeit verbringst. Sie haben Angst, dass sie dich in schlechte und gefährliche Kreise reinziehen könnten oder eben nicht »gut« genug für dich sind. Nicht selten verbieten Eltern ihren Kindern dann den Kontakt zu bestimmten Freunden. Das hat oft zur Folge, dass Jugendliche diese Beziehungen heimlich pflegen und deshalb den Eltern gegenüber Schuldgefühle und ein schlechtes Gewissen haben. Auf jeden Fall willst du deine Vorstellungen ausleben, auch wenn sie noch so anders sind als die deiner Eltern.

Du musst jetzt Erfahrungen sammeln und bist neugierig auf viele Dinge. Wenn du aus einem behüteten Elternhaus kommst, bist du vielleicht besonders gierig darauf, etwas Spannendes, Aufregendes zu erleben. Vorsicht! Deine Lust auf Leben spüren auch zwielichtige Personen und könnten sie sich zunutze machen. Du bist noch zu jung und zu gutgläubig, um hinter die Fassaden mancher Menschen zu blicken. Ein gesundes Misstrauen kann dich im Zweifelsfalle vor einigem bewahren.

Für Eltern ist es schwierig, jetzt zu erkennen, wann sie einschreiten sollen und wann nicht. Sie werden von Fragen gequält, die immer wieder Zündstoff für einen Familienstreit bieten: Wie lange darf mein Sohn abends weggehen? Wie klar kann er zwischen guten und schlechten Freunden unterscheiden? Sollen wir ihn allein mit der Clique in Urlaub fahren lassen? Deine Eltern würden nie mehr glücklich, wenn dir etwas geschähe, nur weil sie etwas falsch eingeschätzt haben.

Versuche, dich in ihre Lage zu versetzen: Bislang waren sie die wichtigsten Menschen in deinem Leben. Nun willst du nicht mehr so viel mit ihnen zusammen sein, sondern suchst den Kontakt zu Gleichaltrigen, die ähnliche Interessen und Probleme haben wie du. Von ihnen fühlst du dich besser verstanden als von deinen Eltern. Diese Freunde sind also eine große Konkurrenz für Mutter und Vater. Unterschwellig werden sie nämlich von der Eifersucht geplagt, ihr Kind wende sich von ihnen ab und fremden Menschen zu. Sie müssen jetzt lernen, dich langsam loszulassen, was vor allem für Mütter oftmals sehr schwer ist.

Wenn deine Eltern sehr große Vorbehalte gegen deine Freunde haben, dann biete doch an, sie ihnen vorzustellen. Dann können sie sich selbst davon überzeugen, mit wem du dich so gut verstehst und dass dahinter nichts Beunruhigendes steckt. Versuche, nichts zu verheimlichen. Je offener du von dir und deinen Freunden erzählst, desto mehr Verständnis können sie vielleicht für dich aufbringen. Sind deine Eltern sehr autoritär, dann gehe so diplomatisch wie möglich vor. Du kannst sicher sein, dass sich deine Eltern mit dir verstehen wollen. Aber sie möchten auch anerkannt und nicht brüskiert werden. Wenn du freundlich und ehrlich um ihre Hilfe bittest, werden sie sicher lieber für dich da sein als wenn du einen Streit provozierst.

Vorsicht! Deine Lust auf Leben spüren auch zwielichtige Personen und könnten sie sich zunutze machen.

Wenn deine Eltern Vorbehalte haben, stelle ihnen deine Freunde einfach vor!

29

Warum geht dir deine Mutter mit ihren Gängeleien so auf den Geist?

Das Abnabeln von der Mutter ist nicht einfach.

Für Jungen ist es im Allgemeinen etwas schwieriger, sich von ihrer Mutter abzunabeln als für Mädchen. Schon in der Schule und im Kindergarten toben sie oft wilder herum (Ausnahmen bestätigen natürlich die Regel!) und bereiten sich so instinktiv auf den Männeralltag vor. Daheim aber sind sie Muttis Liebling und nicht selten auch noch der »einzige Herr im Haus«, wenn der Papa tagsüber weg ist oder gar woanders lebt. So ausgelassen sich Jungen häufig unter ihresgleichen geben, so lammfromm sind sie bei Mutti zu Hause. Sie selbst kann sich oft gar nicht vorstellen, wie wild er draußen ist und sieht nur den lieben Sohn an ihrer Seite.

In der Pubertät aber willst du dich befreien aus Mamas festem Griff und deine eigenen Erfahrungen machen. Das führt zu Problemen; denn sie möchte dich vor Enttäuschungen bewahren und hat Angst davor, dich zu verlieren. Gut möglich, dass du dich hin- und hergerissen fühlst zwischen dem Bedürfnis, sie heldenhaft zu beschützen und gleichzeitig wegen ihrer nervigen, besorgten Tour vor den Kopf zu stoßen. Obwohl deine Mutter natürlich weiß, dass sie deine Entwicklung zum eigenständigen Mann nicht aufhalten kann, tut sie sich damit schwer und muss erst lernen, damit umzugehen.

Auch deine Mutter muss jetzt erst lernen, dass sie nicht mehr die wichtigste Person in deinem Leben ist und an ihre Stelle nun Mädchen treten.

Du merkst, dass du anders bist als sie, Mädchen dagegen stellen bei ihrer Mutter nun immer mehr Gemeinsamkeiten fest. Während du dich als werdender Mann praktisch »davonmachst«, raus ins Leben, bleibt sie mit der Vorstellung zurück, dass du ein Mädchen kennen lernen wirst, das dir vielleicht wichtiger sein wird als sie. Viele Mütter, vielleicht auch deine, haben Angst, abgeschoben zu werden. Dass sie auf einmal in den Hintergrund rückt, das macht ihr schwer zu schaffen. Auf einmal lieben so viele Mädchen und Frauen ihren Jungen und glauben vielleicht noch, ein Recht auf ihn zu haben. Und sie, wo bleibt sie? Eigentlich bist du doch nur *ihr* Junge, *ihr* Kind. Dein Erwachsenwerden bedeutet für deine Mutter also auch Abschiednehmen und Verzicht. Wundere dich nicht, wenn sie sich nun vielleicht besonders um einen kumpelhaften Kontakt zu dir bemüht, aber dich trotzdem immer wieder gängelt. Vor Freunden ist dir das voll peinlich, wenn sie sich auf der einen Seite sehr verständnisvoll gibt, aber dir gleichzeitig hinterherruft: »Komm aber nicht wieder so spät nach Hause!« Du

30

spürst innerlich immer deutlicher, dass du dich von ihr lösen musst, um eine eigenständige Persönlichkeit zu werden.

Der Lösungsprozess muss aber nicht zum Stress ausarten, wenn beide Teile sich fair entgegenkommen. Du solltest dich bemühen, nicht den ganzen Druck der Pubertät und der Schule an deiner Mutter auszulassen. Nörgle sie nicht in Grund und Boden, früher hattest du an ihrer Figur, an ihrem Verhalten und ihrem Essen auch nichts auszusetzen. Denke daran: Sie hat auch Gefühle, auf denen du nicht herumtrampeln solltest. Kränke sie also nicht, sondern versuche, mit ihr im Gespräch zu bleiben. Reden ist auf jeden Fall besser, als wenn sich die Aggressionen auf beiden Seiten immer mehr zuspitzen.

Trample nicht auf den Gefühlen deiner Mutter herum, sondern versuche, mit ihr im Gespräch zu bleiben!

Dein Vater wird jetzt immer interessanter für dich

So sehr du dich nun von deiner Mutter löst, so sehr suchst du nun auch den Kontakt zu deinem Vater. Er ist die Person, an der du dich orientieren möchtest. Oft ist das leider nicht möglich, wenn du z. B. mit deiner Mutter und Geschwistern alleine lebst, dein Vater nur selten zu Hause ist oder er alles andere als ein Vorbild ist, sondern eher jemand, der der ganzen Familie Angst einflößt. Freue dich also, wenn du einen Vater hast, der sich Zeit für dich nimmt und dem es ein Anliegen ist, seinem Sohn ein paar »Männerdinge« zu vermitteln, die ihm im späteren Leben helfen werden. Dein Vater kann dir auch vorleben, wie du deiner Mutter nahe sein kannst, ohne von ihr in Beschlag genommen zu werden. Und er kann dir demonstrieren, wie man sich als Mann im Haushalt nützlich macht. Lässt er sich allerdings von vorne bis hinten bedienen, so ist das ein schlechtes Beispiel, an dem du dich nicht orientieren solltest. Anderenfalls wirst du in der Partnerschaft später immer wieder Probleme bekommen. Wenn er deine Mutter insgeheim verachtet, anbrüllt oder erniedrigt, dann übernimm das nicht, sondern steuere dagegen. Ist dein Vater aber ein Mann, der seine Frau als gleichberechtigte Partnerin sieht, ihr hilft und zur Seite steht, dann wirst du das fast wie automatisch auch übernehmen. Kurzum: Orientiere dich nur an den positiven Eigenschaften und die

Du suchst immer mehr den Kontakt zu deinem Vater.

Orientiere dich
nur an den
guten Eigen-
schaften
deines Vaters
und übernimm
keinesfalls die
schlechten!
Steuere sofort
kräftig dagegen!

schlechten und unsympathischen, die du an ihm beobachtest, solltest du möglichst überhaupt nicht an dich ranlassen oder gar übernehmen, sondern gleich kräftig dagegensteuern.

Väter sind in der Pubertät wichtige Partner für ihre Söhne. Manchmal ist ihnen das leider nicht bewusst und sie tun sich schwer damit, ihrer Familie die gefühlsmäßige Zuwendung zukommen zu lassen, die ihr zusteht. Wenn dein Vater nicht ahnt, wie wichtig es dir besonders jetzt ist, mit ihm zusammen zu sein, dann geh du auf ihn zu und nimm ihm damit seine Unsicherheit. Viele Väter haben auch nur Angst, dass ihre Kinder etwas fragen, was sie nicht beantworten können. Wenn du ihm zeigst, dass du in ihm einen Freund siehst, mit dem du über manche Männerdinge reden und mit dem du etwas unternehmen kannst, was Mädchen und Frauen weniger Spaß macht, dann wird er es vermutlich bald genießen, einen solchen Sohn wie dich zu haben.

Wieso wollen Erwachsene immer Recht haben?

Es ist ganz natürlich, dass du dich jetzt gegen die Zwänge von Eltern und Schule auflehnst. Bestimmungen und Verbote findest du blöd, die Welt und die Werte Erwachsener kommen dir wie eine Zumutung vor. Diese Phase des Protests und der Auflehnung ist wichtig; denn sie ist dazu da, dass du lernst, dir eine eigene Meinung zu bilden. Später legt sich dieser innere Aufruhr wieder und du bist bereit, Zugeständnisse zu machen und alles gelassener zu sehen.

Siehe
Abschnitt
»Deine Eltern:
nur nervig,
lästig und
uncool«
auf S. 27

Besonders zu Hause wirst du jetzt merken, dass man dir Grenzen setzen will, die du aber nicht mehr akzeptierst.
Leider haben viele

Eltern schon vergessen, was sie selbst in ihrer Pubertät durch-machten, welche Streitereien sie mit ihren Eltern hatten, nur um eine halbe Stunde länger ausgehen zu dürfen. Aus ihrer Sorge heraus, reagieren sie oft ein bisschen übervorsichtig und beharren stur auf ihrem Recht, weil sie dir nicht erklären können, warum sie dir etwas verbieten.

Manche Eltern wollen auch die Zeichen der Zeit nicht erkennen, vor allem, wenn es um Fragen des Geschmacks geht. Sie regen sich über deine Frisur, deine Klamotten, deine Musik, deine erste Liebe und darüber auf, dass du in der Schule nicht so toll bist, wie sie es gerne hätten. In fast allen Familien, in denen Jugendliche leben, gibt es solche Diskussionen und Streitereien. Und das ist nichts Neues, das war schon früher so, als deine Eltern in deinem Alter waren. Nur die Zeiten und die Gefahren haben sich geändert, aber die Streitpunkte sind überwiegend gleich geblieben.

Frag deine Eltern ruhig und interessiert, wie es denn früher bei ihnen war. Ob sie nie Probleme in der Schule hatten? Wann sie sich zum ersten Mal verliebt haben? Was sie alles durften und was nicht? Guten Eindruck machen und mehr Freiheiten erkämpfen kannst du dir, indem du zu Hause Aufgaben und Pflichten über-nimmst und diese zuverlässig ausführst. Wenn du deine kleine Schwester regelmäßig vom Kindergarten abholst oder die Ge-tränkekästen mit deinem Vater wegbringst, dann werden deine Eltern bald sehen, dass auf dich Verlass ist und dich beim nächs-ten Mal vielleicht länger weggehen lassen.

Als Junge hast du es in diesem Punkt jedenfalls besser als Mäd-chen. Denn da es für letztere auch tatsächlich gefährlicher sein kann, allein in Urlaub zu fahren oder auswärts zu übernachten, müssen sie auch bei ihren Eltern härter darum kämpfen.

Wenn du eine Schwester oder eine Freundin hast, dann rede ihr ruhig auch zu, sich nicht mutwillig in Gefahr zu bringen. Und begleite sie, wenn du selbst Bammel hast, zusammen mit einem Freund nach Hause, wenn es mal später wird. Viele Mädchen trauen sich nicht zuzugeben, dass sie Angst haben, nachts alleine zu gehen, weil sie denken, das wäre uncool. Zeig also, dass du Verantwortung empfindest, und bringe die Mädchen nach Hause. Warte noch, bis sie wirklich die Tür hinter sich zugemacht haben.

In fast allen Familien, in denen Jugend-liche leben, gibt es Diskussionen und Streite-reien. Das ist nichts Neues, doch leider haben viele Eltern verges-sen, worum sie selbst in ihrer Pubertät kämpften.

33

Auch wenn sie dir sagen, das sei nicht nötig. Du selbst solltest deine Eltern immer wissen lassen, wohin du gehst und auch eine Telefonnummer hinterlassen. Versuche, pünktlich wieder zurück zu sein, dann werden sie auf Dauer ihre Spielregeln für dich auch etwas lockern.

Für deine Familie und deine Lehrer ist es nicht leicht, in dieser Phase mit dir umzugehen.

Auch wenn du die ganze Familie total ätzend findest, denke daran: Es ist auch für sie nicht leicht, in dieser Phase mit dir umzugehen. Deine Eltern, deine Geschwister, deine Lehrer – ihnen allen gehst auch du mit Sicherheit öfter mal auf die Nerven. Wenn die Situation so eskaliert, dass es zu einem handfesten Streit kommt, dann entschuldige dich dafür. Dadurch vergibt man sich nichts, sondern hat die Chance, wieder Frieden und eine entspannte Atmosphäre zu schaffen. Sowenig also Erwachsene immer Recht haben, sowenig solltest auch du stur auf deinen Standpunkten beharren. Wie sooft im Leben heißt auch hier das Motto: Nur miteinander geht's, aber nicht gegeneinander!

Wenn sich deine Eltern streiten, trennen und scheiden lassen wollen

Du solltest dir genau überlegen, wann du von zu Hause ausziehst.

Haben Eltern zu viele Sorgen und sind zu intensiv mit sich selbst beschäftigt, bringen sie oft wenig Zeit, Verständnis oder Interesse für die Probleme ihrer Kinder auf. Dass du den Kinderschuhen entwächst und jetzt eigentlich ihre besondere Aufmerksamkeit bräuchtest, geht in ihren Geld- oder Eheproblemen manchmal leider unter. Das kränkt dich, nagt an deinem Selbstwertgefühl oder macht dich wütend und aggressiv. Folge: Du willst so schnell wie möglich von zu Hause weg und keine Streitereien mehr hören.

Doch damit ist das Problem nicht gelöst. Zum einen musst du auf deinem Weg zum Erwachsenen auch lernen, mit Streit und den unterschiedlichsten Menschen umzugehen, und zum anderen wird die Last auf deiner Seele durch eine Flucht nicht leichter. Im Gegenteil – es kommen noch andere, materielle Probleme dazu. Solange du zu Hause dein Auskommen hast, wirst du Schule oder

34

Lehre besser bewältigen können, weil du dich ausschließlich auf deine Ausbildung konzentrieren kannst und dir nicht auch noch die nächste fällige Miete wie ein Stein im Magen liegt. Total auf eigenen Füßen zu stehen, bedeutet auch große Verantwortung: Du musst deinen Alltag alleine organisieren, für Ordnung, Essen und saubere Wäsche sorgen und noch vieles mehr. Deshalb solltest du es dir gut überlegen, wann du daheim ausziehst.

Wenn die Ehe deiner Eltern zerbricht, dann trägt nie nur ein Teil die Schuld daran. Manchmal haben sich Mutter und Vater einfach auseinander gelebt; oft sind es auch die Lebensumstände, die sich verändert haben und ein weiteres Zusammenleben unmöglich machen. Wie schwierig es ist, mit einem Menschen auf Dauer auf einer Welle zu schwimmen, kannst du selbst feststellen, wenn du mit einem Freund plötzlich nicht mehr so gut klarkommst. Menschen sind sehr unterschiedlich und müssen immer wieder aufs Neue versuchen, einander zu verstehen.

Auch wenn eine Scheidung überwiegend Sache der Eltern ist, so geht sie an den Kindern nie spurlos vorüber. Ja, sie ist sogar eine sehr große Belastung für dich. Das hängt damit zusammen, dass einer Trennung fast immer eine Zeit vorausgeht, in der Spannungen, Streit und Hass den Alltag bestimmen und alle Beteiligten schwer strapazieren. Oft schlafen die Eltern schon eine ganze Weile getrennt, Zärtlichkeiten und liebe Worte gibt es nicht mehr. Das kriegst du sehr genau mit und leidest darunter. Du weißt nicht, ob sich deine Eltern nur vorübergehend nicht mögen, oder ob sie sich letztendlich doch trennen werden. "Was wird dann aus mir?", spukt es dir durch den Kopf. "Ich mag doch beide!" Diese Ungewissheit und die quälenden Fragen machen dir schwer zu schaffen. Manche Kinder haben auch das Gefühl, mitschuldig zu sein an der Misere ihrer Eltern. Das stimmt in keinem Fall, Kinder können nichts für den Streit der Erwachsenen. Wenn dir solche Gedanken kommen, dann schiebe sie sofort wieder weg, lasse sie gar nicht an dich ran: Du kannst nichts dafür!

Wenn sich Eltern scheiden lassen, heißt das nicht, dass sie ihre Kinder nicht mehr lieben oder nichts mehr von ihnen wissen wollen. Das gilt auch für den Elternteil, der die Familie verlässt. Auch wenn du dich von ihr oder ihm allein gelassen fühlst, verletzt oder wütend bist, so kannst du sicher sein, dass dies alles der Mutter

Manche Kinder haben das Gefühl, mitschuldig zu sein an der Misere ihrer Eltern. Das stimmt in keinem Fall. Kinder können nichts für den Streit der Erwachsenen.

35

oder dem Vater, der geht, meistens genauso schwer fällt wie dir. Auch dann, wenn der Elternteil, bei dem du lebst, das Gegenteil behauptet. Deshalb solltest du dich auch nicht weigern, den »abhanden gekommenen« Elternteil zu sehen. Es ist wichtig für dich zu wissen, dass du durch eine Scheidung deine Eltern nicht verlierst. Meistens handelt es sich nur um eine zeitliche oder räumliche Trennung von Mutter oder Vater.

Sehr belastend ist es auch, wenn du dich entscheiden sollst, bei welchem Elternteil du leben möchtest. Manchmal hast du auch keine Wahl und musst dort hin, wo die Räumlichkeiten am geeignetsten sind und zu dem Elternteil, der mehr Zeit und das Sorgerecht für dich hat. Viele Dinge müssen dabei berücksichtigt werden, auch deine Wünsche spielen eine wichtige Rolle. Dass du natürlich am liebsten zu dem Elternteil willst, mit dem du dich besser verstehst und bei dem du es bequemer und freizügiger hast, ist ganz normal.

Sehr belastend ist es, wenn du dich entscheiden sollst, bei welchem Elternteil du leben möchtest.

»Scheidungswaisen« werden meist schneller erwachsen und sind in der Regel selbstständiger als andere Kinder. Sie tragen schon sehr früh Verantwortung, weil sich von heute auf morgen ihr Leben komplett ändert und umorganisiert werden muss. Oft ist mit der Trennung der Eltern auch ein Schul- oder gar Ortswechsel verbunden, was für dich nicht leicht zu verkraften ist. In so einem Fall musst du auf jeden Fall gefragt werden, denn schließlich wird hier über deine Zukunft entschieden. Wenn du mit deinen Eltern darüber nicht reden kannst, dann vertraue dich außenstehenden Erwachsenen, z. B. einem Lehrer, an. Auch mit deinen Freunden und Freundinnen kannst du dich austauschen. Vielleicht sind ja sogar welche darunter, deren Eltern sich auch getrennt haben und die damit schon gut umgehen können. Wenn du bereits eine feste Freundin hast, wirst du bei ihr sicher die Geborgenheit und Nähe finden, die dir im Moment innerhalb der Familie fehlt. Auf diese Weise kannst du dir auch außerhalb der Familie Ersatz-Bezugspartner schaffen, die im Laufe der Zeit jetzt immer wichtiger für dich werden.

Das Mädchen aus der Schule –
es geht dir nicht mehr aus dem Kopf

Timmy (14):

Es ist voll krass, die Nina aus unserer Klasse geht mir einfach nicht mehr aus dem Kopf. Ich liege abends wach im Bett und kann nicht einschlafen, weil ich dauernd nur an sie denken muss. Ich finde es toll, wie sie sich bewegt in ihren Miniröcken. Und ihre langen, schlanken Beine dazu und die schönen Haare, die ihr fast bis zum Po gehen! Fast alle Jungs in der Schule stehen auf Nina, weil sie nicht nur gut aussieht, sondern auch noch total nett ist. Einen festen Freund hat sie nicht, sie versteht sich mit allen. Manchmal denke ich: Warum soll sie auch ausgerechnet mich wollen? Da gibt es andere, die ihr bestimmt besser gefallen als ich. Obwohl ich bestimmt alles für sie tun und sie total verwöhnen würde. Ob ich sie mal ansprechen soll? Wenn sie mir dann eine Abfuhr gibt, verkrafte ich das sicher nicht so leicht. Ich weiß gar nicht, was ich tun soll.

Oft verknallen sich Jugendliche innerhalb der Schule oder der Clique in Gleichaltrige, weil die oder der irgendeinem Ideal nahe kommt. Doch schon bald zeigt die Erfahrung, dass es nicht reicht, allein auf das Aussehen zu achten. Auch du selbst willst nicht nur deines Aussehens wegen geliebt oder abgelehnt werden. Solange du jemand wegen Äußerlichkeiten anhimmelst oder dich in ihn verknallst, sind Enttäuschungen unvermeidlich. Denn wenn die Charaktereigenschaften nicht übereinstimmen, gibt es Probleme.

Wenn du dich auf engere Freundschaften mit Mädchen deiner Altersklasse einlässt, kannst du mit der Zeit die richtige Liebe kennen lernen. Dafür, dass du das hinkriegst, dass sie voll auf dich abfährt, gibt es leider kein Patentrezept. Es gehören immer zwei dazu, damit es funkt. Es muss nichts mit dir zu tun haben, wenn sie auf deinen Flirt nicht einsteigt. Vielleicht ist sie einfach nicht in der richtigen Stimmung? Deshalb solltest du jedenfalls nicht gleich die Flinte ins Korn werfen. Nur »Übung macht den Meister«!

Siehe Abschnitt »So ziehst du ein Mädchen am besten in ›deinen Bann‹ oder: Wer macht wen an?« auf S. 120

37

Verknallt, verliebt: Wo liegt der Unterschied?

Wie das ist, wenn du verknallt bist, erfährst du schon bei der ersten Schwärmerei für ein Mädchen. Dieses Verknalltsein hat bereits etwas mit Liebe zu tun. Du empfindest ein warmes Gefühl für deinen Schwarm und hast den festen Willen, dich für sie einzusetzen und zu ihr zu halten. Du kannst Stunden damit zubringen, dir auszumalen, wie es sein könnte, wenn du nun wirklich mit ihr zusammen wärst. Und du phantasierst dich in Situationen hinein, in denen du sie wie eine Prinzessin auf Händen trägst. Du träumst davon, dass ihr euch küsst, streichelt und vielleicht sogar miteinander schlaft. In Gedanken spielst du im Stadium des Verknalltseins den »Ernstfall« durch. Gut möglich, dass solche Filme auch später noch, wenn du schon längst voll drinsteckst, vor dir ablaufen. Das ist normal und auch sehr schön. Wer verknallt ist, meint auf jeden Fall ein bisschen etwas Verrücktes damit: nichts anderes mehr im Kopf haben und nicht mehr schlafen können, weil man so auf den anderen steht. Doch wer verknallt ist, hat sich auch in jemand verliebt.

> Im Alltag zeigt sich, ob aus der Verliebtheit eine echte Liebe wird. In deinem Alter ist es normal, wenn nach großer Verliebtheit plötzlich die Ernüchterung kommt und du merkst, dass das Mädchen doch nicht so toll für dich ist.

In jemand verliebt zu sein, bedeutet im Gegensatz dazu aber nicht immer dasselbe wie verknallt zu sein. Wer sich über beide Ohren verliebt, der spürt »Flugzeuge im Bauch« und steht im Überschwang seiner Gefühle oft völlig neben sich. Wenn zwei Menschen voneinander verzaubert sind, wird aus jeder noch so winzigen Berührung ein inneres Erdbeben. Sie sehen nur noch sich selbst und ihre tiefen Gefühle und vergessen alles andere rund um sich.

Klar, das dauert nicht ewig. Irgendwann kehrt der Alltag ein. Und dann zeigt sich, ob aus dem Verliebtsein eine echte Liebe wird oder ob nun der Anfang vom Ende beginnt. In deinem Alter ist es normal, wenn nach einer hitzigen verliebten Phase die große Ernüchterung kommt und du merkst, dass das Mädchen doch nicht so toll für dich ist, wie du anfangs dachtest. Auch wenn es wehtut, so ist es gut, wenn du erst einige Erfahrungen mit dem anderen Geschlecht sammelst. Lieben will schließlich gelernt sein, und Menschen, die wirklich perfekt zueinander passen, sind ohnehin selten. Man muss fast immer Kompromisse schließen. Frag mal deine Eltern, sicher können auch sie ein Lied davon singen.

Oft kommt es auch vor, dass einer mehr verliebt ist als der ande-re. Es schmerzt einen immer, wenn die eigene Liebe nicht in gleichem Maß erwidert wird. Es kann also auch sein, dass ein Mädchen mehr in dich verliebt ist als du in sie. Dann ist es wichtig, dass du nicht mit ihren Gefühlen spielst oder sie gar verletzt. Auch dann nicht, wenn du mit dem weiblichen Geschlecht schon schlechte Erfahrungen gemacht hast und dich rächen möchtest. Sei lieber ehrlich zu ihr und sag ihr, dass es dir nicht so geht wie ihr. Gleiches mit Gleichem zu vergelten, ist niemals gut und schadet auch dir selbst.

In einer Beziehung muss man fast immer Kompromisse eingehen.

Liebeskummer gehört zum Verknalltsein – Zeit heilt Wunden

Die viel zitierte »Liebe auf den ersten Blick« ist nur ganz selten auch die »fürs Leben«. Eine Trennung von jemand, den man liebt, ist immer schmerzlich, nicht nur in der Jugend. Für dich allerdings ist dieser Schmerz eine ganz neue Erfahrung, und du musst erst lernen, ihn zu ertragen und damit fertig zu werden. Mit Liebeskummer kommst du am leichtesten zurecht, wenn du dir bewusst machst, dass du dich im Leben noch sehr oft verlieben kannst und dass noch viel liebere Mädchen auf dich warten als die, mit der es nun nicht sein sollte.

Siehe Abschnitt »Wie kommst du darüber hinweg, wenn sie dich verlässt?« auf S. 128

Es ist gefährlicher Unsinn, zu glauben, es gebe für jeden Menschen nur »den einen« oder »die eine« im Leben. Diese Vorstellung ist weit verbreitet, aber völlig lebensfremd. Aufgrund dieses veralteten und überholten Anspruchs kommt es immer wieder vor, dass Jugendliche Selbstmord begehen, wenn ihre Beziehung scheitert. Sie haben verinnerlicht, dass eine Liebe »für immer und ewig« andauern müsse und kommen nicht damit zurecht, wenn dieses Prinzip in Wirklichkeit nicht funktioniert. Deshalb solltest du lernen zu akzeptieren, dass häufiges Verliebtsein und häufige Trennungen in deinem Alter einfach dazugehören.

Scheitert eine Liebesbeziehung, ist man am Boden zerstört und fühlt sich unglücklich. Aber auch dieser Schmerz lässt mit der Zeit nach – selbst dann, wenn du anfangs meinst, es nie überwinden zu können. Viele Erwachsene erinnern sich mit Schmunzeln an

39

Liebeskummer lässt mit der Zeit nach – selbst dann, wenn du anfangs meinst, ihn nie überwinden zu können. Später wirst du dich mit Schmunzeln an deine Jugendlieben erinnern.

ihre Jugendlieben und sagen: »Mein Gott, wie habe ich gelitten, als diese Liebe zerbrach! Heute weiß ich gar nicht mehr, was ich an dieser Frau eigentlich so toll fand.« So ändern sich die Gefühle im Laufe der Jahre. Und je früher du dich offen zeigst für neue Beziehungen und dich nicht daheim in deinem Zimmer einschließt und trauerst, desto schneller lässt auch der Schmerz über das Vergangene nach.

Wer bereits mehrere große Enttäuschungen erlebt hat, verknallt sich nicht mehr so schnell und geht vorsichtiger an eine neue Beziehung. Schließlich will er so eine Pleite, die auch am Selbstbewusstsein nagt, nicht gleich wieder erleben. Mit der Zeit erkennst du auch, dass Liebe sehr viel mit gegenseitigem Verstehen und Vertrauen zu tun hat. Du wirst merken, dass du zunehmend auf andere Dinge achtest als früher, wenn du ein Mädchen kennen lernst und dich in sie verliebst. Liebeskummer ist also auch wichtig, um die nötige Reife für eine echte Partnerschaft zu bekommen.

Gemeinsam stark, alleine total jämmerlich? Die Clique und der beste Freund

Sieh zu, dass die Ziele deiner Clique so sind, dass du selbst voll dahinter stehen kannst.

Deine Freunde werden jetzt immer wichtiger für dich. Sie lassen dich für kurze Zeit den Stress mit deinen Eltern, der Schule und den Mädchen vergessen. In deiner Clique fühlst du dich rundherum wohl. Dort spricht man deine Sprache, in der Gemeinschaft fühlst du dich geborgen. Du versuchst, so oft wie möglich mit deinen Kumpels zusammen zu sein. Im Schutz der Clique fühlst du dich stark, da kann dir keiner dumm kommen. Bist du aber allein, dann ist da wieder dieses Gefühl, doch noch ein hilfloser, kleiner Junge zu sein. Das ist normal und nichts Außergewöhnliches.

Wenn du aber ehrlich bist, schleicht sich dieses Gefühl, doch nicht so toll zu sein, auch manchmal in der Clique ein. Nämlich dann, wenn ihr gerade mal wieder großkotzige Sprüche klopft und eure Schaukämpfe vorführt. Da stachelt man sich gegenseitig zu Dingen auf, die einer alleine sich nie trauen würde. Das kann schnell in Gruppenzwang ausarten und daher ist es wichtig, dass die Ziele deiner Clique so sind, dass du sie auch für dich allein, in deinem Innersten, vertreten kannst. Wenn du Zweifel hast, ob du hinter irgendwelchen Ideen stehst, die in der Clique verwirklicht werden sollen, dann klinke dich lieber aus anstatt dich aus Feigheit mitreißen zu lassen. Es gibt auch noch andere Gruppierungen, in denen du dich wohler fühlst und die mehr deinen Vorstellungen entsprechen.

Wenn du jetzt einen echten Freund hast, mit dem du dich austauschen kannst, dann kann er dir sicher durch manche Untiefen des Erwachsenwerdens hindurchhelfen – und du ihm. Solche Beziehungen entstehen oft in der Pubertät, können ein Leben lang halten und sogar eine Clique ersetzen. Mit deinem besten Freund solltest du über alles reden, aber auch streiten können. Wenn euer Verhältnis stimmt, wird so ein Ärger eurer Freundschaft nicht schaden. Zwei, die sich streiten und wieder vertragen können, sind sich oft sehr nahe. Auch in Bezug auf deine Eltern, deine Sexualität und Mädchen solltet ihr miteinander reden können. Gemeinsam lässt sich so manches Problem leichter in Griff kriegen als ganz alleine. Hat einer z. B. Stress oder Schwierigkeiten mit Mädchen, sollte der andere ganz selbstverständlich für ihn da sein. Häufig überdauern solche Männerfreundschaften jede Beziehung zu einer Frau.

Solltest du keinen besten Freund haben und auch zu keiner Clique gehören, weil du eher schüchtern bist, dann solltest du dir einen Ruck geben und lernen, auf andere zuzugehen. Signalisiere, was dich interessiert, und dass du gerne dazugehören möchtest. Denke ja nicht, dass dich ohnehin keiner will! Meistens sind die anderen nur so gedankenlos, dass sie gar nicht auf die Idee kommen, dir ihre Freundschaft anzubieten. Oder sie sind genauso schüchtern wie du. Du hast es also in der Hand. Auch in Sportvereinen oder anderen Interessengruppen ist es einfach, Kontakte zu knüpfen und jemand zu finden, der mit dir auf einer Welle schwimmt. Du musst also nicht alleine bleiben, wenn du dich nicht scheust, auf andere zuzugehen und dich ein bisschen zu öffnen. Mit einer Portion Freundlichkeit und Aufgeschlossenheit sollte das kein Problem für dich sein.

Dein bester Freund sollte einer sein, mit dem du über alles reden, aber auch streiten kannst. Männerfreundschaften überdauern oft jede Beziehung zu einer Frau.

Zeit der Veränderung

Freizeit, Fitness und Hygiene

Rauchen, Saufen, Drogen – wie gefährlich ist das wirklich?

Hier und auf den nächsten Seiten geht es um Süchte aller Art, die Menschen, auch junge wie dich, zerstören können. Wer informiert und aufgeklärt ist, kann sich besser gegen die vielen Verführungen wehren. Deshalb gehen wir hier sehr ausführlich auf die einzelnen Rauschmittel ein. Niemand will dich bevormunden und dir mit dem erhobenen Zeigefinger kommen. Lies es einfach als vorbeugende Hilfe!

Alex (13):

Bei uns in der Schule ist totales Rauchverbot. Ich finde das unmöglich. Mit so 'ner Zigarette würde einem der ganze Stress gleich viel mehr Spaß machen. Wir haben schon versucht, mit unserem Vertrauenslehrer zu handeln, dass wir wenigstens in der Pause eine rauchen können, aber nicht mal der lässt sich darauf ein. Meine Eltern rauchen beide, schon immer. Und sie leben noch. So schädlich kann es dann doch gar nicht sein. Außerdem kann man ja jederzeit wieder aufhören, bevor es gefährlich wird.

Das *Rauchen* ist nach dem Gesetz erst für Jugendliche ab 16 Jahren offiziell und »uneingeschränkt erlaubt«. Dass in Schulen, wo sich zudem häufig auch noch ABC-Schützen, also Kinder, aufhalten, nicht geraucht werden darf, versteht sich da von selbst. So viel zu Alex' Beschwerde.

Außerhalb der Schule kannst du rauchen, auch wenn du noch nicht 16 bist. Untersuchungen haben ergeben, dass mehr als ein Drittel aller Jugendlichen schon unter 16 zur Zigarette greift. Tabak ist neben Alkohol die am weitesten verbreitete legale Droge unserer Gesellschaft. Das bedeutet aber noch lange nicht, dass es eine gute Sache ist, nur weil es so viele tun. Im Übrigen rauchen weltweit immer weniger Menschen, weil eindeutig bewiesen ist, dass es gesundheitsschädlich ist. Raucher werden oft nur noch milde belächelt, es ist im Grunde längst nicht mehr trendy und schon gar nicht cool, sich von Zigaretten abhängig zu machen.

Heutzutage ist es längst nicht mehr trendy und schon gar nicht cool, sich von Zigaretten abhängig zu machen.

In den USA gibt es schon lange Raucher- und Nichtraucherecken in Restaurants. In Schulen und vielen Büros ist das Qualmen ganz verboten. Nichtraucher sind nicht mehr länger bereit, sich von ihrem Gegenüber das Nikotin ins Gesicht blasen zu lassen. Denn das Einatmen des Gifts ist noch zweimal gefährlicher als selbst rauchen. Wer raucht, sollte auf jeden Fall einem Nichtraucher nicht die Wohnung voll qualmen und ihn auch sonst nicht mit dem blauen Dunst belästigen. Auch wenn Raucher immer meinen, die Nichtraucher seien die Intoleranten, so ist es natürlich oft auch der Raucher, dem es egal ist, ob die anderen am Tisch es ertragen können, im Qualm zu sitzen und das Gift einzuatmen. Man sollte sich jedenfalls abstimmen, wenn einige rauchen und die anderen nicht. Viele Nichtraucher sagen auch nur aus Höflichkeit nicht, dass es sie stört. Also, sei ein Kavalier und nimm darauf Rücksicht. Rauche notfalls außerhalb des geschlossenen Raumes, z. B. auf dem Balkon oder im Garten.

Viele Jugendliche meinen trotzdem, Rauchen sei cool, weil es die Werbung so verspricht. Der Duft der großen weiten Welt, meilenweit für eine Zigarette, der Geschmack von Freiheit und Abenteuer und bekennende Gern-Raucher – das alles gaukelt eine Welt vor, in die man angeblich per Zigarette eintauchen kann. Auch durch das ganze Ritual rund ums Rauchen, wie z. B. eine Zigarette anbieten, Feuer geben, den ersten genüsslichen Zug machen, wird eine gewisse Unsicherheit anderen Menschen gegenüber übertüncht, man kommt leichter in Kontakt miteinander. Gerade in deinem Alter ist kaum jemand schon so gewandt im Umgang mit Menschen, dass er damit keine Probleme hat. Der Glimmstängel hilft dabei aber nur scheinbar. Rauchen wird schnell zur Gewohnheit, der Übergang zur körperlichen und seelischen Abhängigkeit ist fließend.

45

Siehe
Abschnitt
»Wie werde ich
ein richtiger
›Mann‹,
was ist
›Männlich-
keit‹?«
auf S. 19

Für dich als Junge hat Rauchen vielleicht auch etwas Männliches. Dieses Bild kommt daher, dass Cowboys, Detektive und andere starke Typen in Filmen oft eine Zigarette im Mundwinkel hängen haben, die ihnen dieses besondere Flair eines »starken Mannes« zu geben scheint. Doch eine Zigarette macht wahrlich noch keinen Mann.

Mit dem Rauchen wieder aufzuhören, ist lange nicht so einfach, wie du dir das vielleicht vorstellen magst. Wenn du Stress hast oder nervös bist, erhöht sich der Zigarettenkonsum eher noch. Auch auf Feten oder in Verbindung mit Alkohol zündet man sich schneller die nächste an. Es gibt jedoch einige Mittel, mit denen man der Nikotinsucht wenigstens ein bisschen beikommen kann. Kaugummis und Pflaster, aber auch Raucherentwöhnungskurse können helfen. Sprich mit deinem Arzt oder Apotheker darüber. Wenn du es nicht von heute auf morgen schaffst, versuche erst einmal, den Konsum zu reduzieren und keine Lungenzüge mehr zu machen. Das könnte ein erster Schritt sein. Letztlich ist aber dein fester Wille, mit dem Rauchen aufhören zu wollen, ausschlaggebend. Wie jede Sucht, kann man auch diese nur bewältigen, wenn einem der Entschluss im Kopf wirklich klar ist. Dann wird man auch bei der nächsten Gelegenheit nicht gleich wieder rückfällig. Es ist sicher hart, aber viele ehemalige Raucher können zeigen, dass es funktionieren kann.

Deshalb ist Rauchen so schädlich

- Die gefährlichsten Inhaltsstoffe einer Zigarette sind Nikotin und Teer. Nikotin wirkt beruhigend, nach Genuss mehrerer Glimmstängel auch anregend. Raucher empfinden dies als sehr angenehm, was die seelische und körperliche Abhängigkeit verursachen kann.

- Die großen Gefahren von Nikotin: Es wirkt gefäßverengend, was zu lebensbedrohlichen Durchblutungsstörungen führen kann. Die Folgen können Raucherbein und Herzinfarkt sein. Dabei muss der Betroffene kein alter Mann oder keine alte Frau sein, auch in jungen Jahren kann dies schon passieren.

- Nikotin reizt außerdem die Magenschleimhaut, was sehr schmerzhaft sein kann. Starke Raucher haben auch während der Entwöhnung oft noch große Probleme mit Magen und Herz.

- Die Teerstoffe sind hauptverantwortlich für die bekannteste und wohl schlimmste Spätfolge des Rauchens, den Lungenkrebs. Jedes Mal wenn ein Raucher inhaliert, gelangen diese Teerstoffe tief in die Atemwege.

- Auch wenn es nicht gleich so böse kommt, die Lunge leidet in jedem Fall und wird in ihrer Elastizität geschwächt. Deshalb geht Rauchern oft schon bei der kleinsten körperlichen Anstrengung, wie z. B. Treppensteigen, buchstäblich die Luft aus.

Der *Alkohol* ist die gängigste und beliebteste Droge und weitgehend auch als solche von der Gesellschaft akzeptiert. Die Deutschen sind sogar trauriger Weltmeister darin, sich zulaufen zu lassen. Keine Feier findet ohne einen guten Tropfen statt. Wer nicht mittrinkt, fällt auf und wird oft schnell als Spielverderber oder »trockener Alkoholiker« verdächtigt, der früher zu viel trank und nun gar nicht mehr darf. Doch es soll tatsächlich noch ein paar Leute geben, denen die bitteren, sauren und scharfen Getränke einfach nicht schmecken und die mit einem Glas Wasser, Milch oder Saft glücklicher sind. Lass dir bei einer Fete oder in der Disco also nichts aufzwingen, wenn dir nicht danach zumute ist.

Eigentlich darfst du offiziell, nach dem Gesetz, in öffentlichen Lokalen erst ab 16 alkoholische Getränke konsumieren. Dennoch weiß jeder, dass die meisten dies viel früher tun. Wahrscheinlich hast du dein erstes Glas Wein oder Sekt bei einer Familienfeier getrunken oder zusammen mit Freunden. Möglicherweise spielt Alkohol bei dir zu Hause auch eine sehr üble Rolle, wenn einer deiner Eltern Probleme damit hat. Du musst dann alles tun, um nicht ins gleiche Fahrwasser zu geraten. Alkohol kann einen Menschen zerstören, wenn er damit nicht umgehen kann. Kritisch ist es für dich dann, wenn du trinkst, weil du dich nicht gut fühlst, und wenn du nicht einschätzen kannst, wie viel du verträgst.

Um herauszufinden, was du dir an Alkohol zumuten kannst, musst du sehr vorsichtig sein. Es kommt immer darauf an, wie dein Gesamtzustand ist. So bist du sicher schneller betrunken, wenn du schon einen Infekt (z. B. eine Erkältung) in dir hast oder ohnehin schlecht drauf bist. Geht es dir gerade blendend, kannst

Lass dir bei Feten keinen Alkohol aufzwingen!

47

Die Wirkung des Alkohols hängt von verschiedenen Faktoren ab, z. B. von deiner momentanen Verfassung.

du dir wahrscheinlich ein Gläschen mehr leisten und bist immer noch halbwegs okay. Auch auf das Körpergewicht kommt es an. Wenn du kräftiger gebaut bist, haut dich Alkohol nicht so leicht um wie jemand, der von zierlicher, schmaler Gestalt ist. Eine feste Richtlinie gibt es nicht, sodass es gut möglich ist, dass jemand nach vier Bieren immer noch fit erscheint, während ein anderer schon nach einem Glas zu torkeln beginnt.

In geringen Mengen wirkt Alkohol entspannend und auch beruhigend. Ein Schwips beginnt etwa bei 0,5 Promille. Welche Alkoholmenge das nun ist, lässt sich schwer sagen, da jeder Mensch sie anders aufnimmt (siehe letzter Absatz!). Von einem richtigen Rausch kann man ab 1,0 Promille sprechen. Ab diesem Punkt fängt der Trinker in der Regel zu lallen und zu torkeln an. Trinkt er dann noch weiter, kann er bewusstlos werden. Atemstillstand und Herz-Kreislauf-Versagen drohen und können tödlich enden.

Ebenso wie Rauchen scheint auch Trinkfestigkeit noch immer ein Symbol von »Männlichkeit« zu sein. Dies ist ebenso ein Vorurteil wie das, dass Jungen nicht weinen und weich sein dürfen. Wenn du irgendwann in ein so genanntes »Wettsaufen« gerätst, bei dem du beweisen sollst, wie stark und toll du bist und wie viel du als »richtiger Mann« verträgst, dann sei wirklich so mutig und kneife lieber. Erkläre deinen Freunden, dass man sich auf diese Weise nicht als Held beweisen kann. So ein Quatsch hat nichts mit Mut und nichts mit Männlichkeit zu tun.

Wer glaubt, Kaffee würde die Wirkung von Alkohol aufheben, der irrt sich. Das ist falsch!

Da Alkohol die körperliche Verfassung und die Wahrnehmung beeinträchtigt, sollte sich niemand mehr nach Genuss von solchen Getränken ans Steuer eines Autos oder Zweirads setzen. Schon kleinste Mengen, auch unter der erlaubten Grenze von 0,8 Promille, können das Reaktions- und Sehvermögen sowie den Gleichgewichtssinn ins Wanken bringen. Wer glaubt, Kaffee würde die Wirkung von Alkohol aufheben, der irrt. Das tut er nicht. Auch bei Übermüdung hilft Kaffee nur sehr, sehr kurzfristig. Wenn du eigentlich k. o. bist, auch wenn du nichts Alkoholisches getrunken hast, dann vergiss dein Mofa, Motorrad oder Auto lieber für diesen Abend, denn wenn der schnell aufputschende Effekt des Kaffees nachlässt, sackt deine Konzentration rapide ab und du bist für den Straßenverkehr nicht mehr geeignet.

Wenn sich so mancher nach ein paar Bieren, Weinen und/oder Schnäpsen besonders stark vorkommt und meint, wenn er am Steuer sitze, dann wäre der Alkohol wie weggeblasen und er könne sich viel besser als im nüchternen Zustand konzentrieren, dann überschätzt er sich maßlos. So jemandem solltest du dich keinesfalls anvertrauen. Rede lieber auf ihn ein, den Wagen oder das Motorrad stehen zu lassen. Seine Fahrt könnte in einem Horrortrip enden und gefährdet nicht nur ihn, sondern auch alle anderen Verkehrsteilnehmer. Wer auf der Straße mitmischen will, sollte das grundsätzlich nur mit null Promille tun.

Alkohol am Steuer ist ein absolutes Tabu.

In deinem Alter haben zum Glück nur sehr, sehr wenige Jungen das Problem, schon total alkoholabhängig zu sein. Dennoch »üben« sehr viele schon so intensiv, dass es ins Auge gehen könnte. Alkohol ist im Übrigen immer noch die Einstiegsdroge Nummer eins für härtere Drogen wie Heroin und Kokain. Gefährdet ist vor allem, wer sich voll säuft, weil er Ängste, Sorgen oder Komplexe hat. Wer versucht, mit irgendeiner Droge vor etwas zu fliehen, wird sehen, dass sich die Dinge so nicht klären lassen, sondern dadurch nur noch schlimmer werden. Mit dem Trinken von Alkohol schaffst du dir noch ein zusätzliches Problem. Wenn du meinst, dass du bereits zu viel trinkst und es genau aus soeben erwähnten Gründen tust, dann brauchst du dringend fachliche Hilfe. Wende dich an eine Drogenberatungsstelle oder an die Anonymen Alkoholiker in deiner Nähe.

Hilfreiche Adressen findest du im Anhang ab S. 242

Während Nikotin und Alkohol erlaubte und gesellschaftsfähige **Drogen** sind, gibt es noch die vielen illegalen Stoffe, deren Besitz und Handel unter das **Betäubungsmittelgesetz** fällt und damit verboten ist. Dazu gehören: Haschisch und Marihuana, Heroin und Kokain und die synthetischen Drogen Crack, LSD, Speed und Ecstasy. Letztere sind als Designer- oder Partydrogen trotz ihrer großen Gefahren kräftig auf dem Vormarsch. Aber auch sehr starke Medikamente mit zum Teil einschläfernder Wirkung, wie z. B. Rohypnol, werden auf dem Drogen-Schwarzmarkt als begehrte Rauschmittel gehandelt.

Drogen sind grundsätzlich gefährlich.

Haschisch und **Marihuana** (lat. Cannabis) werden aus der Hanfpflanze gewonnen, die vor allem in Indien, Afrika (Marokko) und Südamerika wächst. Während Haschisch, im Szene-Jargon »Shit« genannt, ein Harz ist, das an den Spitzen der Hanfblätter

49

Die Gefahr von Cannabis-Produkten darf nicht unterschätzt werden. Gewissenlose Dealer könnten den Konsumenten zum Probieren harter Drogen verführen!

abgesondert wird, handelt es sich bei Marihuana, »Gras« genannt, um ein Gemisch aus getrockneten Blüten und Blättern, das aussieht wie Tabak. Marihuana ist in seiner Wirkung schwächer als Haschisch. Der Konsument vermischt sowohl das eine als auch das andere mit Tabak, raucht (»kifft«) es entweder in Pfeifen oder dreht es zu einer Zigarette. Da diese Droge meistens in einer Gruppe konsumiert wird und die Pfeife oder Zigarette herumgereicht wird, nennt man das auch einen »Joint«, was so viel bedeutet wie »sich anschließen, zusammentun«. Marihuana wird von Konsumenten auch oft in Tee aufgelöst oder in Kuchen und Plätzchen eingebacken.

Mit dem Konsum eines Cannabis-Produkts tritt meist ein Gefühl von Heiterkeit und Sorglosigkeit ein. Das muss nicht unbedingt nur vom Stoff allein kommen, sondern kann auch eine Folge der guten Stimmung sein, die gerade in der Gruppe herrscht. Manche verlieren kurzfristig das Zeitgefühl und hören plötzlich bestimmte Musik mit ganz anderen Ohren. Wer allerdings schon vor dem Genuss der Rauschmittel down und schlecht drauf ist, der kann danach in echte Depressionen stürzen. Es versteht sich von selbst, dass jemand in diesem Zustand für den Straßenverkehr untauglich ist.

Ob Haschisch und Marihuana abhängig machen, ist ziemlich umstritten. Nach letzten Erkenntnissen scheint es eine körperliche Abhängigkeit nicht zu geben. Allerdings wurden Langzeitschäden wie Impotenz und Haarausfall festgestellt. Ansonsten muss der »Kiffer« mit den gleichen Schäden rechnen wie ein Raucher, da Joints ja in der Regel auch Tabak enthalten, also Nikotin und Teer. Eine seelische Abhängigkeit ist dagegen schon eher möglich, vor allem dann, wenn jemand über längere Zeit höhere Dosen Haschisch und/oder Marihuana zu sich nimmt.

Siehe auch vorangegangener Abschnitt über Alkohol, S. 47

Experten streiten sich seit Jahren darum, ob Haschisch als »weiche Droge« eine Einstiegsdroge für härtere Mittel ist und ob man den Besitz kleiner Mengen (bis zwanzig Gramm) für den Privatgebrauch legalisieren soll. Inzwischen ist man sich einig, dass Haschisch nicht direkt zu Heroin führen muss. Die meisten Drogenabhängigen steigen über den Alkohol ein. Dennoch darf die Gefahr von Cannabis nicht unterschätzt werden; denn wer sich »Shit« oder »Gras« vom Schwarzmarkt besorgt, könnte von gewissenlosen Dealern zum Probieren harter Drogen verführt werden.

Noch ist nichts entschieden; und deshalb fällt der Besitz von Haschisch und Marihuana nach wie vor unter das Betäubungsmittelgesetz, was heißt, dass du strafrechtlich belangt werden kannst, wenn du damit erwischt wirst. Es lohnt sich nicht, dieses Risiko einzugehen. Vielen Konsumenten wird ohnehin nur speiübel nach einem Joint und sonst passiert nichts.

Heroin und *Kokain* zählen zu den »harten Drogen«, und wer ihnen einmal verfallen ist, kommt nur sehr schwer oder gar nicht mehr davon los. Die Abhängigkeit tritt häufig schon mit der ersten Dosis ein. Heroin wird aus dem Saft des Schlafmohns gewonnen, der auch Grundlage für das Betäubungsmittel Morphium ist. Es gelangt aus dem »Goldenen Dreieck« (Laos, Birma, Thailand) oder aus Pakistan, Afghanistan oder dem Iran nach Europa. Hin und wieder kommt es auch aus Südamerika.

Während Heroin in der Regel über eine Vene in die Blutbahn gespritzt (»gefixt«, »gedrückt«) wird und seine Opfer in die rasche Verelendung führt, sniefen »Kokser« ihren »Schnee«, so der Szene-Ausdruck für Kokain, über die Nase in den Körper. Besonders in der so genannten »feinen Gesellschaft« ist Kokain eine weit verbreitete Party-Droge. Es ist in der Regel teurer als Heroin. Da Leute, die »koksen«, im Allgemeinen über mehr Geld verfügen und sich daher einfach Nachschub besorgen können, stürzen sie sozial nicht so schnell ab wie Heroin-Konsumenten aus normalen und einfachen Verhältnissen, die oft ihr ganzes Hab und Gut und am Ende sich selbst verkaufen.

Wenn sie nichts mehr haben, prostituieren sich vor allem abhängige Mädchen oft auf dem *Drogenstrich*, um sich bei Freiern fünfzig, manchmal nur dreißig Mark für den nächsten Schuss zu verdienen. Durch den mehrfachen und unsauberen Gebrauch von Injektionsnadeln sind viele Heroin-Abhängige HIV-positiv. Leider gibt es Männer, die einem Drogen-Mädchen noch zwanzig Mark extra bezahlen, um Verkehr ohne Kondom zu haben und infizieren sich auf diese Weise mit AIDS. Da Geschlechtsverkehr mit Prostituierten in der Regel zu Hause ein Tabu-Thema ist und nicht darüber geredet wird, stecken diese Freier beim nächsten intimen Zusammensein oftmals auch ihre unwissenden Frauen mit der tödlichen Immunschwäche-Krankheit an. Du siehst, es ist für alle Beteiligten eine unwürdige und höchst gefährliche Angelegenheit.

Wenn du selbst schon in den Teufelsstrudel geraten bist oder jemand in deiner Umgebung, wende dich sofort an eine Drogen-Beratungsstelle. Adressen findest du im Anhang, ab S. 244

51

Dealer und Drogenmafia bereichern sich und nehmen den Tod ihrer süchtigen Kunden in Kauf.

»Fixer« oder »Junkies«, wie Heroinsüchtige in der Umgangssprache heißen, handeln in ihrer Verzweiflung, das Geld für den nächsten Schuss aufzutreiben, auch oft kriminell. So klauen sie Handtaschen, überfallen Banken oder brechen irgendwo ein. Manche knacken auch Arztpraxen oder Apotheken, um gleich direkt an Stoff zu kommen. Die meisten Abhängigen sind »Misch-Konsumenten«, das heißt, dass sie sich nicht nur Heroin zuführen, sondern meistens noch sehr starke Medikamente (Morphine). Außerdem weiß ein Junkie nie, wie »rein« der Stoff ist, den er von seinem Dealer erwirbt. Ein »Päckchen« mit etwa zwei Gramm, der durchschnittliche Tagesbedarf eines Abhängigen, kostet zwischen 100 und 150 Mark und enthält vielleicht fünf Prozent reines Heroin. Der Rest ist mit gefährlichen und bisweilen tödlichen Substanzen »gestreckt«. Das Geld für den Stoff können sich die schwer Suchtkranken nur über Prostitution oder Diebstahl besorgen. Das bedeutet, sie werden straffällig.

Über eine ärztlich kontrollierte Abgabe von Heroin an Schwerstabhängige wird bei uns immer noch diskutiert.

Um die uferlose Drogen-Beschaffungskriminalität und die HIV-Ansteckungsgefahr einzudämmen, diskutieren Politiker seit langem darüber, Heroin kontrolliert auf Rezept auszugeben. Damit würde auch die skrupellose Drogen-Mafia ihr Monopol verlieren. Seit 1992 (!) wird in Bonn über die Hamburger Gesetzesinitiative zur Änderung des Betäubungsmittelgesetzes gestritten. In Zürich, wo die ärztlich kontrollierte Heroin-Abgabe an Schwerstabhängige bereits erprobt wird, haben sich Prostitution und Kriminalität von Drogenabhängigen drastisch reduziert. Nach offiziellen Angaben beschaffen sich nur noch zehn statt 69 Prozent ihr Einkommen auf illegale Art. Zudem kostet der Versuch die öffentlichen Kassen wesentlich weniger als Polizeimaßnahmen, Strafuntersuchungen und Gefängnisaufenthalte, bei denen gerade Junkies oft nur noch mehr kriminalisiert werden. Denn allein durch den Besitz von Heroin begehen sie ja nach dem Gesetz schon eine Straftat.

Einzelne, kranke Abhängige einzusperren ist kein großes Kunststück und bringt den Kampf gegen die Drogenseuche kaum voran. Viel wichtiger wäre es, Dealern und der Drogenmafia weltweit noch viel entschiedener und konsequenter zu begegnen. Sie bereichern sich durch die Abhängigkeit der Süchtigen und deren Notlage. Sie nehmen dabei ohne Gewissensbisse den Tod ihrer süchtigen Kunden bewusst in Kauf.

In einigen Städten, wie z. B. Frankfurt/Main und Bremen, gibt es auch »Fixerstuben« oder »Drogenhilfebusse«, wo kostenlos neue Einwegspritzen an Fixer ausgegeben werden. Damit kann sowohl die Gefahr einer Hepatitis-Infektion (Gelbsucht) wie die von AIDS etwas eingeschränkt werden.

Das macht Heroin so gefährlich

- Es vermittelt dem Konsumenten sofort beim ersten Versuch ein sehr überschwängliches Glücksgefühl, das gleich nach dem Herausziehen der Nadel einsetzt. Dieser »Kick« oder »Flash« ist es, der so reizvoll ist, aber die Sache auch höchst verhängnisvoll macht.

- Die Wirkung ist meist schon beim ersten Mal so intensiv, dass man bereits mit der ersten Spritze abhängig wird.

- Heroin ist also keine Droge, die man »nur mal, just for fun, probieren« kann, da sie den »Probierer« sofort in tiefe seelische Abhängigkeit stürzt. Du solltest auf diesen Versuch von vornherein verzichten und die Finger von dem Teufelszeug lassen!

- Da sich die Droge ziemlich schnell in den Stoffwechsel eingliedert, funktioniert dieser in der gewohnten Weise nicht mehr ohne das Heroin.

- Wenn die Wirkung des Stoffs nachlässt, treten sehr heftige Entzugserscheinungen auf: Schüttelfrost, Schlaflosigkeit und Schmerzen aller Art. Das alles sind untrügliche Zeichen von körperlicher Abhängigkeit. Das Leiden ist so groß, dass Abhängige auf Entzug sogar in Teppiche beißen, um die Qualen zu ertragen.

- Um diese schlimmen Entzugserscheinungen zu mildern und zu verhindern, müssen die Konsumenten ihre Dosis steigern, was in einem elenden Teufelskreislauf endet, aus dem sie ohne Hilfe nicht mehr herausfinden.

- Der Süchtige lebt fortan nur noch von einem »Druck« oder »Schuss« bis zum nächsten, verliert alle sozialen Bindungen zu Familie und Freunden und vernachlässigt sich außerdem selbst.

53

Viele
Abhängige
rutschen auch
sozial ab.

- Wer abhängig ist, ernährt sich häufig nur noch von Heroin, Medikamenten, eventuell Eiscreme und süßen Sachen. Die Körperpflege lässt meist zu wünschen übrig, da viele Abhängige wohnungslos sind, in Bauwagen hausen oder auf Abstellgleisen in S-Bahnen übernachten.

- Junkies müssen immer auf der Hut vor der Polizei sein, da Heroinbesitz grundsätzlich illegal und verboten ist.

- Drogenmädchen sind auch immer der Gefahr ausgesetzt, von Freiern, die einen Hass auf »diesen Abschaum« haben oder sich mit AIDS infiziert haben, misshandelt oder gar ermordet zu werden.

Immer mehr auf dem Vormarsch und auf andere Weise gefährlich sind die **Designerdrogen** oder **synthetischen Drogen** wie z. B. LSD, Speed, Crack und Ecstasy. Im Gegensatz zu Cannabis-Produkten, Heroin und Kokain basieren diese Rauschmittel nicht auf der Grundlage eines bestimmten pflanzlichen Wirkstoffs, sondern werden aus verschiedenen Zutaten im Chemielabor »designt« bzw. entworfen. Oft sind die Zutaten selbst legale, unverdächtige Stoffe, die sich problemlos beschaffen lassen. Experten glauben, dass die Designer-Drogen das große Problem des kommenden Jahrtausends sein werden. Die meisten synthetischen Drogen werden in Tabletten- oder Kapselform geschluckt (»eingeworfen«).

Die seelische
Abhängigkeit
von LSD ist
enorm. Viele,
die es nehmen,
landen in der
Psychiatrie.

LSD ist die älteste dieser Drogen. Sein berauschender Wirkstoff wurde eher zufällig entdeckt. Der Schweizer Chemiker, der 1943 auf ihn aufmerksam wurde, suchte eigentlich nach einem blutdrucksteigernden Mittel. In den 60er und 70er Jahren galt die Droge als besonders »in«, so wie heute Ecstasy. LSD wird meist als Pille geschluckt. Bereits die winzige Menge von 0,1 Milligramm reicht aus, um einen mehrstündigen Rausch zu erzeugen. Bald nach der Einnahme der Droge erweitern sich die Pupillen des Konsumenten, er hat dadurch Schwierigkeiten mit hellem Licht und der Sonne. Manche sperren sich im Dunkel ein, um in ihrer Trance vom Licht nicht gestört zu werden. Sie meinen, vieles intensiver wahrzunehmen, was aber oft nur Sinnestäuschungen sind. Häufig kommt es auch zu Halluzinationen.

Je nach Stimmung kann LSD-Konsum ein freudiges Erlebnis, aber auch ein Horrortrip sein. Stundenlange panische Angstzustände können einen dann plagen. Eine weitere sehr große Gefahr dieser Psychodroge ist es, dass sich viele damit maßlos überschätzen und keinen Bezug mehr zur Realität haben. Es kam schon vor, dass sich LSD-Schlucker aus dem Fenster stürzten, weil sie im Rausch ernsthaft glaubten, fliegen zu können.

Der Organismus gewöhnt sich sehr schnell an LSD, sodass die Dosis schon bald erhöht werden muss. Wer die Droge absetzt, hat zunächst keine körperlichen Entzugserscheinungen. Es kann jedoch passieren, dass es noch Wochen nach der letzten Einnahme plötzlich zu Halluzinationen und anderen Nachwirkungen des Rauschmittels kommt. Zudem ist es möglich, dass durch LSD die schwere Nervenkrankheit Schizophrenie ausgelöst wird. Die seelische Abhängigkeit von LSD ist enorm. Nicht wenige, die es nehmen, landen über kurz oder lang in der Psychiatrie. Fast überflüssig zu bemerken, dass es sich auch nicht lohnt, diese illegale Droge zu testen. Sie lässt dich ebenso wenig wieder los wie andere Gifte und zerstört Geist und Körper.

Die Psychodroge LSD lässt dich nicht mehr los und zerstört über kurz oder lang Körper und Geist.

Speed oder **Amphetamin** gehört heute zu den am meisten konsumierten illegalen Drogen. Es kann hierzulande in jedem Labor aus herkömmlichen Stoffen problemlos hergestellt werden. Früher gab es Amphetamin als aufputschendes Arzneimittel in Apotheken zu kaufen. Da aber immer mehr Menschen davon süchtig wurden und Missbrauch damit betrieben wurde, nahm man es vom Markt. Kurz danach tauchte es unter dem Begriff »Speed« in der illegalen Drogenszene wieder auf und wird mit LSD, Heroin oder Kokain vermischt, um die Wirkung zu heben und den Konsumenten möglichst schnell abhängig zu machen.

Du siehst also, auch hier wird der Interessierte schon wieder getäuscht und gelinkt. Du kannst davon ausgehen, dass dies in der Drogenszene grundsätzlich der Fall ist. Man interessiert sich nur für die Scheine, die du für den Stoff ablieferst und will dich deshalb als langjährigen Kunden gewinnen. Dies gelingt am besten, wenn man der gewünschten Droge gleich die nächsthärtere beimischt. Denn bist du erst einmal drauf, kommst du kaum noch weg von dem Teufelszeug und musst ständig Neues kaufen. Ob du zugrunde daran gehst, ist den Dealern völlig egal.

Drogenhändler interessieren sich nur für dein Geld. Ob du an ihrem Teufelszeug zugrunde gehst, ist ihnen piepegal.

Speed ist nach wie vor ein Aufputschmittel und wird als Tablette konsumiert. Es bewirkt eine künstliche Ausschüttung des Stresshormons Adrenalin, unterdrückt Müdigkeit, kratzt auf, macht kontaktfreudig und versetzt den »Schlucker« in einen Zustand der Euphorie. Er glaubt dann gern, unbegrenzte Kräfte zu haben, fühlt sich stark und unbesiegbar.

Speed wird häufig noch LSD, Heroin oder Kokain beigemischt. Dadurch kann es zu einem »toxischen Schock« mit Todesfolge kommen.

Eine zu hohe Dosis Speed kann zu gefährlichem Herzrasen und starken Durchblutungsstörungen führen. Der Konsument wird dann blass im Gesicht und wiederholt möglicherweise stundenlang dieselben Worte oder Bewegungen. Im Übrigen kann bei jeder Dosierung der »toxische Schock« eintreten. Das sind plötzlich auftretende Vergiftungserscheinungen, die zum Tod führen können. Mit dieser ersthaften Gefahr muss im Grunde immer gerechnet werden, da kaum ein Konsument weiß, was seiner Dosis alles beigemengt wurde. Wer über längere Zeit, ohne zu essen und ohne zu schlafen, Speed einwirft, riskiert bewusst den totalen körperlichen Zusammenbruch, möglicherweise mit Todesfolge. Die Aufputschdroge macht sehr schnell seelisch abhängig, das sollte man nicht unterschätzen. Bei Konsumenten, die sie über einen längeren Zeitraum schlucken, konnten gravierende Persönlichkeitsveränderungen und Geisteskrankheiten beobachtet werden.

Ecstasy, im Szene-Jargon »XTC«, werden alle Drogen genannt, die die aufputschenden Eigenschaften von Speed mit den halluzinationserregenden Wirkungen von LSD verbinden. Ecstasy wird auf dem illegalen Markt in Form von Kapseln oder Tabletten vertrieben. Vor allem auf Techno-Partys und leider auch in Schulen ist die Droge verbreitet. Glaube kein Wort, wenn dir irgendjemand weismachen will, dass du damit deine Probleme lösen könntest!

Ecstasy-Konsumenten fühlen sich besonders gut drauf und fit, und weil der Rauschzustand eine Weile anhält, können sie so Nächte durchtanzen. Sie riskieren aber, wie bei Speed, einen »toxischen Schock« und allmähliche schwere Persönlichkeitsveränderungen, begleitet von schrecklichen und unvorstellbaren Wahnvorstellungen.

Der 17jährige Simon K. aus Berlin probierte zum ersten Mal in seinem Leben Ecstasy, ein paar Stunden später war er tot. Ursache: »toxischer Schock.« Vermutlich waren seiner Dosis andere

Substanzen beigemengt und Simons Körper wurde mit dem Gift nicht fertig. Er wollte es einfach »nur mal probieren«, wie so viele andere und musste mit seinem Leben bezahlen.

Da hatte Christoph (16), der durch die Ecstasy-Hölle ging und seit sieben Monaten in der Psychiatrie ist, noch Glück im Unglück. Er kämpft jetzt mit aller Kraft darum, sein Drogenproblem zu bewältigen:

Eines Morgens nach der Party saß ich in der U-Bahn und spürte auf einmal, wie mich lauter grüne Mäuse überfielen. Ich rastete total aus und brüllte wie am Spieß. Es war furchtbar, ich dachte, sie fressen mich auf. Ich schlug um mich, geriet in Panik. Andere Fahrgäste müssen den Notarzt gerufen haben. Ich wachte erst in der Klinik wieder auf. Aber ich habe immer noch ähnliche Vorstellungen. Und dann würde ich am liebsten gleich wieder einen Trip einschmeißen, aber ich weiß, dass ich mich damit voll ruinieren würde. Der Sonnenschein, den dir die Pille verspricht, dauert einfach nicht lange genug. Am Ende stürzt du dann wieder total ins Leere.

Obwohl die Gefahr sehr groß ist, durch den Gebrauch von Speed und Ecstasy voll wegzutreten bzw. durchzuknallen, sind die Gifte als Partydrogen schwer auf dem Vormarsch. Während Heroin-Junkies vor allem körperlich verelenden, gehen Leute, die sich mit Designerdrogen voll pumpen, psychisch und geistig vor die Hunde. Die Frage, welches nun das »bessere Schicksal« ist, dürfte sich da wirklich nicht stellen. Darum: Hände weg von sämtlichen Drogen!

Crack ist die einzige Designer-Droge, die ausschließlich geraucht wird. In Pfeifen oder selbst gedrehten Zigaretten. Dabei wird dem Tabak Crack untergemischt, oft zusätzlich noch Marihuana. Schon nach dem ersten Zug kommt es zu einem Glücksgefühl, das etwa fünf Minuten anhält. Dann lässt die Hochstimmung nach, der rasante Absturz folgt etwa eine halbe Stunde später. Kenner nennen das »Crash«. Dieser kann so schlimm sein, dass er den Crack-Raucher in tiefe Depressionen und Angstzustände stürzt. Um diesem Horror zu entgehen, wird meist versucht, gleich die nächste Zigarette zu rauchen. Die seelische Abhängigkeit tritt also sofort

Crack ist eine äußerst suchtträchtige Droge, die dich schon beim ersten Mal sofort seelisch abhängig macht.

57

ein. Crack ist eine äußerst suchtträchtige Droge, die man keinesfalls »nur mal ausprobieren« kann. Zu schnell zieht sie den Konsumenten in ihren fürchterlichen Bann.

Neben der seelischen Abhängigkeit entstehen, wie auch bei anderen Psycho- und Designerdrogen, schwere Persönlichkeitsveränderungen, unheilbare Depressionen und Verfolgungswahn (ähnlich wie Christoph sie beim Gebrauch von Ecstasy schilderte). Über die körperliche Abhängigkeit weiß man noch zu wenig. Crack wird aus Kokain hergestellt, welches mit Backpulver vermischt wird. Danach wird es erhitzt und es entstehen kleine gelbe Klümpchen, die dann beim Rauchen das typische, knackende Crack-Geräusch von sich geben.

Sucht muss nichts damit zu tun haben, dass jemand irgendwelche Rauschmittel oder Drogen trinkt, einwirft, raucht oder spritzt. Man kann auch von bestimmten Verhaltensweisen abhängig sein, was zumeist psychische Gründe hat. Manche Leute sind kaufsüchtig, weil sie ständig daran denken, etwas kaufen zu müssen und es dann auch tun. Magersüchtige sind permanent damit beschäftigt, ja nichts zu essen, obwohl sie dauernd daran denken müssen. Und solche, die an keinem Automaten vorbeigehen können, ohne zu spielen, sind spielsüchtig.

Wer süchtig ist, muss nicht unbedingt irgendwelche Rauschmittel oder Drogen nehmen. Auch von einer Verhaltensweise kann man abhängig sein.

Wer dem *Zocken* oder der *Spielsucht* verfallen ist, kann sich nicht mehr kontrollieren, wenn er in einer Gaststätte einen Flipper oder andere Spielautomaten sieht. Er steckt sein ganzes Taschengeld in die Maschine, und wenn er dann später (ab 18) Zutritt hat, verliert er vielleicht sein Gehalt und noch viel mehr im Spielcasino am Roulettetisch. Aber auch wenn du keine freie Minute auslässt, um Computerspiele zu machen, ist dein Verhalten schon auffällig. Achte darauf, dass nicht der Spieltrieb dich beherrscht, sondern du ihn! Statt immer nur am Computer zu sitzen, kannst du ganz bewusst mal zum Sport gehen oder in ein Konzert. Spielsucht ist eine Krankheit. In den USA ist sie schon seit mehreren Jahren als solche anerkannt und wird ähnlich wie Alkoholismus behandelt und therapiert.

Es ist nicht leicht zu entscheiden, wo die Grenze zwischen normalem Genuss von legalen Rauschmitteln aufhört und die Sucht anfängt. Wenn du bei einer Fete mal einen über den Durst trinkst, bist du nicht gleich ein Alkoholiker, genauso wenig macht eine gepaffte Zigarette nach dem Essen oder auf einer Fete schon einen Raucher aus dir. Und nicht jeder, der mal Haschisch probiert, steigt gleich auf Heroin um. Ein Risiko aber bleibt immer.

Weggehen und alleine verreisen: Das musst du darüber wissen

Du hast jetzt immer öfter den Wunsch, die Wochenenden und Abende mit deinen Freunden zu verbringen. Ihr habt vielleicht einen festen Treffpunkt, feiert miteinander oder zieht einfach durch die Gegend. Dazu putzt du dich entweder besonders heraus oder du gehst ganz lässig – je nachdem, wie es in deiner Clique so üblich ist. Tatsache ist, dass auch für Jungen heute das Aussehen eine große Rolle spielt. Die Optik ist auch für dich schon »die halbe Miete«. Wer etwas aus sich macht, hat mehr Chancen. Bei seinen Kumpels und bei Mädchen.

Siehe auch Abschnitt »Gutes Aussehen: Warum innere Werte allein nicht mehr genügen«, S. 67

Auch wenn du deine Freiheit am liebsten grenzenlos genießen würdest, so darfst du unter 18 nicht überall rein. Rigoroses Zutrittsverbot hast du als Minderjähriger in Spielhallen und Casinos, egal ob verrucht oder elegant. Der Gesetzgeber erlaubt es nicht, dass du in deinem Alter öffentlich um Geld spielst.

In *Kneipen* oder *Discos* darfst du offiziell erst ab 16. Wenn du darunter bist, kannst du nur in Begleitung eines Elternteils hingehen, darfst weder rauchen noch alkoholische Getränke zu dir nehmen, selbst wenn die Eltern dir dies erlauben. Dies sagt das »Gesetz zum Schutze der Jugend in der Öffentlichkeit«. Wenn dich ein Kneipenbesitzer oder Disco-Türsteher also nicht reinlässt, dann ist das oft nicht die reine Gemeinheit, sondern der Druck des Gesetzes. Wenn der verantwortliche Gaststättenbetreiber bei einer Kontrolle ertappt wird, dass er Minderjährige unter 16 in seinem Lokal hat und diesen Alkohol ausschenkt, muss er mit empfindlichen Strafen rechnen. Die Geldgier jedoch lässt viele Wirte jede Vernunft vergessen. Jeder weiß, dass die Wirklichkeit anders aussieht als das Gesetz es vorschreibt.

Der Gesetzgeber schreibt die Altersgrenzen vor, an die sich auch Lokalbesitzer halten müssen. Leider sieht es in der Realität anders aus.

Zwischen 16 und 18 darfst du dich bis Mitternacht ohne elterliche Begleitung in Discos und Kneipen aufhalten. Du darfst öffentlich rauchen und Bier oder Wein trinken, aber keine hochprozentigen Alkoholika wie Whiskey, Gin oder Wodka. Die dürfen dir nach dem Gesetz erst ab 18 ausgeschenkt werden.

Was für Disco und Kneipe gilt, hat in ähnlicher Form auch für *Kinos* Gültigkeit. Die Altersangaben auf Filmplakaten »Frei ab 6, 12 oder 16« oder »Nur für Erwachsene« müssen laut Gesetz angebracht sein. Auch wenn du in Begleitung eines Erwachsenen bist, darfst du einen brutalen Action-, Sex- oder Horrorfilm nicht sehen. Jugendliche unter 14 müssen das Kino spätestens um 20 Uhr, Jugendliche unter 16 bis 22 Uhr und Jugendliche unter 18 bis Mitternacht verlassen haben.

Diese Regelung wirkt fast ein bisschen lächerlich angesichts der vielen *Gewalt- und Horrorvideos*, die im Umlauf sind und womöglich jederzeit frei zugänglich daheim oder bei Freunden herumliegen. Je verbotener ein Video, desto spannender ist es natürlich, es doch anzuschauen. Deshalb sind auch die entsprechenden Raubkopien so begehrt. Wenn du selbst schon einmal eines gesehen hast, wirst du sicher geschockt, zumindest irritiert gewesen sein. So etwas lässt sich nicht so leicht verarbeiten. Das Beispiel eines 13jährigen, der sich als Jason aus dem Film »Freitag, der 13.« verkleidete und dann seine kleine Cousine und deren Oma mit einer Axt lebensgefährlich verletzte, sollte dir Warnung genug sein. Er war in seinem Alter nicht in der Lage, Film und Realität zu unterscheiden. Wenn dir deine Eltern also nicht erlauben, so etwas anzusehen, dann haben sie Recht und handeln verantwortungsvoll. Auch wenn dich das ärgert, so kannst du sicher sein, dass du nichts versäumst, wenn du es nicht gesehen hast.

Zu den Begriffen »Pornographie, Hardcore und Softcore«, kannst du auf S. 228 nachlesen

Es hat gute Gründe, wenn ein Video verboten wird und ist weder »uncool« noch »spießig«. Wer sich regelmäßig Horror und Gewalt verherrlichende Filme reinzieht, der verliert langsam immer mehr den Bezug zur Menschlichkeit.

Meist sind in diesen Filmen auch Frauen und Kinder die Opfer männlicher Gewalt und Macht. Wer dies zu oft sieht, denkt am Ende, es sei normal, sich Schwächere gefügig und untergeben zu machen. Doch Frauen und Kinder sind nicht die willigen Werkzeuge machtbesessener und gewaltgieriger Männer. Wenn du übernimmst, was du in solchen Videos siehst, wirst du nie eine glückliche Beziehung mit einer Frau haben können. Dieses Beziehungsmuster, das dir hier aus reiner Geschäftemacherei vorgegaukelt wird, funktioniert im wirklichen Leben nicht. Frauen sind nicht zuständig für die automatische sexuelle Befriedigung von Männern. So etwas kannst du nur erreichen, wenn du zärtlich, einfühlsam und menschlich bist. Alles, was du in Horror-, Sex- und Gewaltvideos siehst, kannst du also gleich vergessen. Es ist nichts als perverse Phantasie.

Zum Thema **alleine verreisen**: Wenn du etwa 15 oder 16 bist, hast du wahrscheinlich das Bedürfnis, die nächsten Ferien mit deinen Freunden, deiner Freundin oder alleine im Zelt zu verbringen. Alles, bloß nicht die Familie und die kleinen Geschwister! heißt dein Motto. Allerdings liegt es ganz in der Entscheidung deiner Eltern, ob sie dich ziehen lassen. Bis zum Tag deiner Volljährigkeit können sie darauf bestehen, dass du mit ihnen fährst und nicht alleine verreist. Es kommt also sicher darauf an, welches Verhältnis du zu ihnen hast.

Wenn sie dir die Freiheit geben, ohne sie wegzufahren, dann kommt es darauf an, wie du verreist. Ob du trampst, mit dem Zug oder dem Rad fährst, mit anderen im Auto mitkommst, oder ob du gar fliegst. Trampen ist die billigste, aber auch für Jungen eine nicht ganz ungefährliche Angelegenheit. Sexuelle Belästigung kommt nicht nur bei trampenden Mädchen vor. Außerdem weißt du nie, wie lange du warten musst, bis dich einer mitnimmt. Autobahnraststätten sind gute Orte, wo man einen Kontakt finden kann. Einfahrten sind sehr ungünstig, da kaum jemand anhalten kann, wenn er sein Fahrzeug gerade beschleunigt, um sich im fließenden Verkehr einzufädeln.

Trampen ist auch für Jungen nicht ungefährlich.

Falls du mit der Bahn auf Reisen gehen willst, erkundige dich nach der Bahncard, die für Jugendliche zwischen 12 und 22 Jahren besonders günstig (zwischen 50 und 110 Mark) zu haben ist. Damit kannst du in ganz Deutschland ein Jahr lang zum halben Preis Zug fahren. Willst du in Europa unterwegs sein, frage nach dem Interrail-Ticket, das du bis zum 25. Lebensjahr bekommst und das 28 europäische Länder umfasst, einschließlich Marokko und der Türkei. Das Ticket ist in Zonen aufgeteilt und kostet zwischen ca. 400 und 650 Mark.

Eine günstige Art zu verreisen: Das Interrail-Ticket der Bahn und die Übernachtungsmöglichkeit in einer Jugendherberge!

Im Notfall unter 18 immer hilfreich: Eine schriftliche Einständnis-erklärung deiner Eltern, dass du alleine unterwegs bist.

Möchtest du im Zelt oder mit Freunden im Wohnmobil verreisen, dann erkundige dich rechtzeitig nach Campingplätzen. Zum einen ist Campen in manchen europäischen Ländern ganz verboten, in anderen in der freien Natur auch nur sehr eingeschränkt möglich. Auf einem Zeltplatz bist du außerdem sicherer vor Überfällen und hast sanitäre Anlagen wie Toilette und Dusche. Kannst du es dir leisten, eine Flugreise zu unternehmen, dann besorge dir auf jeden Fall entsprechende Reiseführer, damit du ein bisschen Bescheid weißt über die Gepflogenheiten in deinem Urlaubsland. Es ist zweckmäßig, wenn du eine schriftliche Bestätigung deiner Eltern dabei hast, dass sie damit einverstanden sind, dass du alleine unterwegs bist. Dies kann dir im Notfall, sowohl im Inland als auch im Ausland, sehr hilfreich sein.

Wenn du noch eine preiswerte Übernachtungsmöglichkeit suchst: Die Jugendherbergen sind weltweit eine gute Adresse. Dazu musst du allerdings Mitglied in deinem Heimatland sein und einen Jugendherbergsausweis haben. Das kostet bis zum 26. Lebensjahr zwanzig Mark im Jahr. Anmeldeformulare und Verzeichnisse von Jugendherbergen bekommst du über:
Deutsches Jugendherbergswerk, Bismarckstr. 8, 32756 Detmold, Tel. 05231 / 74010.

Andere Länder, andere Sitten. Ein paar Worte in der Landes-sprache können oft Wunder wirken.

Oft gelten im Ausland andere Spielregeln als bei uns. Passe dich ihnen an, du bist der Gast! Wenn du noch ein paar Worte der Landessprache kannst, bist du von vornherein lieber gesehen als jemand, der penetrant und geradezu selbstverständlich in seinem heimischen Dialekt versucht zu erklären, dass er nun gerne dies oder jenes möchte. Das Personal am Urlaubsort ist nicht deine persönliche Dienerschaft, also benimm dich normal und bescheiden, nicht großkotzig und widerlich wie viele dumme Touristen. Reisen will eben auch gelernt sein.

Fit sein: Die richtige Ernährung bringt's

Die wichtigste Basis für gutes Aussehen und Fitness ist die richtige Ernährung. Wer sich körperlich gut fühlt, hat schöne Haut, keine Gewichtsprobleme, ist gut trainiert und meistens bester Laune! Gerade jetzt, wo du in der Wachstumsphase bist, solltest du dich gezielt gut ernähren. Leider ist vieles, worauf du vielleicht am meisten Appetit hast, nicht gerade gesund. Schokolade, Hamburger, Popcorn oder Chips enthalten z. B. wenig wertvolle Inhaltsstoffe. Diese Art Essen legt nur den Organismus samt Gehirn lahm, schaltet den Körperkreislauf auf Sparflamme – und du nimmst zu. Weitere Folge: Du wirst träge, denkfaul und müde.

Obst, Gemüse und Getreideprodukte wie frisches Brot, Vollkorn-Nudeln oder Müsli dagegen enthalten alles, was du zum Leben brauchst: Eiweiß, Stärke, Fett, Wasser, Mineral- und Ballaststoffe und viele, viele Vitamine. Lecker zubereitet kann das alles eine Delikatesse sein. Auch Hülsenfrüchte, Salat und andere Rohkost mit frischen Kräutern, Gewürzen, Pflanzenöl oder Sahne schmecken oft besser als man denkt. Nicht umsonst sind Vegetarier-Restaurants der große Renner. Lass dich von deinen Eltern mal in eines einladen, damit auch sie sehen, wie raffiniert man Gemüse zubereiten kann. Vielleicht inspiriert das auch deine Mutter, öfter so etwas zu kochen. Wenn du dich überwiegend von Obst und Gemüse ernährst, wirst du nie Mangelerscheinungen haben. Auch die Verdauung funktioniert damit besser. Natürlich kannst du dir dann zwischendurch auch mal ein Stück Kuchen, Kekse, Erdnüsse oder einen dicken Hamburger leisten. Wichtig ist, dass das Verhältnis stimmt – und du dich nicht ausschließlich von Fast Food (schnellem Essen) bzw. Junk-Food (Schrottessen) ernährst.

Apropos »Fast Food« und »Junk-Food«: Die beiden Begriffe, unter denen man das schnelle und fertige Essen im Vorbeigehen versteht, stammen aus den USA. Zu Junk-Food zählen nicht nur Hamburger aller Art, sondern auch Konserven mit Fertiggerichten oder Hot Dog und Pizza aus der Wurstbude von nebenan. All dies kann man zur Not oder aus einem besonderen Appetit heraus auch mal futtern, aber in der Regel sollte Nahrung frisch sein. Am besten ist es, man besorgt sich die Ware auf dem Markt und verzehrt sie so schnell wie möglich. Roh oder leicht gedünstet. Verkochtes und matschiges Gemüse enthält kaum noch Vitamine. Solltest du dich mittags selbst versorgen müssen, nimm lieber tiefgekühltes Gemüse als Dosenkost. Mit der Zeit wird es dir großen Spaß machen, immer neue Rezepte zu probieren.

Schokolade, Hamburger, Chips oder Popcorn enthalten wenig wertvolle Inhaltsstoffe. Versuch's doch zwischendurch mal mit Obst, Gemüse, Getreideprodukten und Salaten!

Auch du brauchst nicht jeden Tag Fleisch, um »groß und stark« zu werden. Fleisch ist viel weniger gesund als früher angenommen wurde.

Bei Fleisch und Wurst stellt sich nach Rinderwahnsinn und Schweinepest ohnehin die Frage: Welches kann man überhaupt noch essen? Wild? Gänse, Enten, Puten, Hühner? Am besten hält man sich dabei generell zurück. Nicht nur, um selbst keine gesundheitliche Gefahr einzugehen, sondern auch der schrecklichen Massentierhaltung wegen, durch die auch unsere Ackerböden ruiniert werden. Mit Getreideanbau könnte man vergleichsweise sehr viel mehr Menschen ernähren als mit Böden, die als Weideland für Schlachtvieh dienen. Auch du brauchst nicht jeden Tag Fleisch, um »groß und stark« zu werden. Diese Meinung stammt noch aus einer Zeit, in der sich die Menschen nur selten Steaks oder Braten leisten konnten. Fleisch ist viel weniger gesund als früher angenommen wurde. Es enthält viel verstecktes Fett, aber keine Ballaststoffe. Bist du an täglichen Fleisch- und Wurstkonsum gewöhnt, bemühe dich umzudenken! Betrachte in Zukunft »Beilagen« wie Kartoffeln, Gemüse und Salat als dein Hauptgericht und Fleisch als die eigentliche Beilage. Irgendwann kommt dann auch der Moment, in dem du merkst, dass du das Stück Fleisch dazu vielleicht gar nicht mehr brauchst und willst.

Der Heißhunger auf etwas Süßes ist oft stärker als alle guten Vorsätze.

Ändern wir hier die Geschmacksrichtung und kommen zu einem anderen, für dich vielleicht wesentlichen Bestandteil deiner Nahrung. Hand aufs Herz: Hast du auch Probleme mit der Nascherei? Kennst du diesen Heißhunger auf Schokolade oder Eis? Gönnst du dir das nachmittägliche Ritual mit einem süßen Teilchen? Jetzt, in der Pubertät, beginnst du, an deine Figur zu denken, und deshalb hast du oft gleich nach dem Naschen ein richtig schlechtes Gewissen. Doch manchmal ist der Drang nach Süßem stärker als die guten Vorsätze und dann futterst du wieder irgendwas Leckeres.

Christian (16) sagt, was du vielleicht auch empfindest:

Wenn ich mit meiner Freundin ins Kino gehe, dann haben wir immer unseren Vorrat an Gummibärchen oder Popcorn dabei. Wenn der Film zu Ende ist, dann ist uns oft schlecht, weil wir natürlich alles radikal verputzt haben. Oft genehmige ich mir auch während der Schularbeiten einen Schokoladenriegel oder manchmal auch zwei. Das brauche ich einfach, dann geht es mir wieder besser. Was natürlich furchtbar ist: Ich gehe deswegen immer mehr aus dem Leim. Ich traue mich schon gar nicht mehr, mich im Spiegel anzusehen. Meine neuen Jeans kneifen auch schon wieder.

Wer nascht, nährt nicht nur seinen Körper, sondern vor allem auch die Seele. Zucker wird neben Alkohol am häufigsten dazu ge- oder missbraucht, eine seelische Anspannung zu lindern. Wie sehr jemand dazu neigt, seine Bedürfnisse mit Essen oder Naschen zu stillen, wird häufig schon in der Kindheit geprägt. Vielleicht wurdest du oft mit Süßigkeiten beruhigt oder belohnt, hast dich nicht genug geliebt gefühlt und Nahrung als Trostspender erlebt. Wenn du dir diese Verhaltensmuster mal bewusst machst, kannst du schon einiges ändern. Ein Fall für den Psychiater bist du deshalb nicht. Beobachte auch mal die Essgewohnheiten in der Familie, und pass auf, wann du zu Süßigkeiten greifst. Wenn du dies realisierst, kannst du nach anderen Möglichkeiten suchen, dieses Gefühl, was dich treibt, zu befriedigen.

Fest steht: Zucker, Fett und Fleisch sind die drei Dinge, auf die du in deiner Ernährung möglichst verzichten solltest. Wenn du dann noch auf ausreichend Schlaf (zirka acht Stunden) achtest und versuchst, abends früh zu Bett zu gehen, müsstest du topfit sein. Solltest du unter Schlafstörungen leiden oder Probleme beim Einschlafen haben, gönne dir vielleicht ein Entspannungsbad mit ätherischen Ölen oder trink heiße Milch oder einen Heiltee aus Baldrian, Hopfen, Arnika oder Lavendel.

Noch ein paar Takte zum Thema »Trinken«: Zweieinhalb bis drei Liter Flüssigkeit sollte der Mensch pro Tag zu sich nehmen. Im Sommer, wenn du schwitzt oder sportlich aktiv bist, sollte es noch mehr sein. Am besten ist es, wenn du Mineralwasser (drei bis vier Flaschen à 0,7 Liter wären ein Tagesquantum!), Kräutertee oder verdünnte Fruchtsäfte trinkst. Auch fettarme Milch ist gut. Alkoholische Getränke oder stark zuckerhaltige Limonaden dagegen helfen nicht, den Flüssigkeitsbedarf des Körpers zu stillen, sondern trocknen ihn sogar noch mehr aus.

Mindestens drei Liter Wasser oder Tee sollte man täglich trinken. Im Sommer, wenn man schwitzt, noch mehr.

Ess-Störungen:
Nicht mehr reine Mädchensache

Zum guten Aussehen unserer Tage gehört, das impfen einem Werbung und Fernsehen täglich ein, eine gute Figur. Je schlanker und dünner der Mensch, heißt es da, desto besser. Sehr viele Leute eifern diesem Ideal nach und glauben, ihm um jeden Preis entsprechen zu müssen.

Dennoch hat auch jeder sein ganz individuelles Idealgewicht. Es gibt Menschen, die mit 60 Kilo schlank und fast hager aussehen, andere dagegen wirken mit dem gleichen Gewicht pummelig. Es kommt immer auch auf Knochenbau und Statur eines Einzelnen an. Natürlich gibt es Grenzwerte, die nicht über- oder unterschritten werden sollten, um gesundheitliche Schäden auszuschließen.

Auch immer mehr Jungen sind mit ihrem Körper und ihren Pfunden nicht mehr zufrieden und hungern sich regelrecht krank.

Vor allem Mädchen leiden darunter, nicht die Idealfigur zu haben, aber auch die Anzahl von Jungs, die mit ihrem Körper und ihren Pfunden nicht zufrieden sind, wächst bedrohlich. Viele von ihnen sind von der Idee, dünn zu sein, so besessen, dass sie sich regelrecht krank hungern. Sie sind ständig auf Diät, empfinden sich immer als zu dick und treiben regelmäßig Sport. Dieses extreme Verhalten nennt man Magersucht (Anorexie). Auch wenn die Betroffenen nur mehr 45 oder 50 Kilo wiegen, werden sie sich nie richtig schlank finden. Im Verlauf dieser Krankheit kann es zu drastischen Gewichtsverlusten kommen, schließlich zu Magen-Darm-Blutungen und Nieren- und Zahnproblemen. Es ist sogar möglich, dass dieser Schlankheitswahn zum Tod führt.

Oftmals ist der Übergang von der Magersucht zur Ess-Brech-Sucht (Bulimie) fließend. Es kommt aber auch vor, dass Betroffene von vornherein ein bulimisches Verhalten an den Tag legen, das heißt alles, was sie essen, gleich wieder erbrechen. Sie meinen, das »Rezept« gefunden zu haben, indem sie alles – oftmals Unmengen – in sich hineinstopfen, keine Kalorien mehr zählen müssen und sich anschließend wieder erbrechen. Dadurch behalten sie ihr normales Gewicht bei oder nehmen ab – trotz Fress-Orgien.

Dicke werden oft gehänselt, was immer ein Zeichen von Intoleranz und Dummheit ist.

Andere Ess-Gestörte behalten die Nahrung bei sich und werden immer dicker. Sie leiden unter Fettsucht (Adipositas) und finden im Essen Trost und Hilfe. Oft fühlen sie sich ungeliebt und mögen sich selbst nicht. Oder sie schaffen sich deshalb ein Polster rund um sich an, um nicht so schnell verletzt werden zu können. In der Regel sind alle Ess-Gestörten sehr sensible Menschen. Zu viel Übergewicht tut der Gesundheit nicht gut und kann langfristig

Herz- und Kreislauferkrankungen begünstigen und den Gelenken schaden. Viele Übergewichtige leiden unter ihrer Rundlichkeit und werden in unserer »schlanken Gesellschaft« oft gehänselt. Die Intoleranz und Vorurteile Dicken gegenüber sind weit verbreitet und mit Sicherheit falsch und nicht gerechtfertigt. So sind viele Dicke nicht träger und fauler als Schlanke, ebenso wenig wie sie den ganzen Tag nur Torten und fette Braten in sich hineinschaufeln. Sie essen mit Sicherheit gern, falsch und zu viel, aber entsprechen auch nicht dem gängigen Klischee. Bei Dicken ist nur am einfachsten und sofort sichtbar, unter welcher Sucht oder Veranlagung sie leiden. Bulimiker, Alkoholiker, Spieler, Drogen- oder Tablettensüchtige sind für die Gesellschaft nicht auf den ersten Blick als solche erkennbar und daher vor Angriffen geschützter als Dicke.

Menschen mit Ess-Störungen sind schwer krank und müssen unbedingt in psychotherapeutische Behandlung. In der Regel haben Ess-Störungen seelische Ursachen, die behoben werden müssen. Du lernst in einer Therapie aber auch, zu einer normalen und gesünderen Ernährung zurückzufinden. Wenn du Schule, Ausbildung und dein gewohntes Leben dafür nicht unterbrechen kannst oder willst, wäre die neue Therapieform von »pathways« vielleicht die richtige für dich. Die Kosten übernehmen weitgehend die Krankenkassen.

Die Anschrift von »pathways« findest du im Anhang ab S. 243

Gutes Aussehen:
Warum innere Werte allein nicht mehr genügen

Frank (15): Neulich wurden mein Freund und ich von einem Fotografen angesprochen, ob wir nicht Lust zu Werbeaufnahmen hätten. Wir überlegten nicht lange, es winkte auch gut Knete. Ich wurde dann allerdings bei den Probeaufnahmen aussortiert, weil denen mein Oberkörper nicht männlich genug war. Der Fotograf meinte, ich hätte zu schmale Schultern und eine Hühnerbrust, das würde nicht gut aussehen. Mich hat das total getroffen. Meine Mutter tröstete mich und meinte: »Aussehen ist doch nicht alles auf der Welt, es kommt auf den Charakter an!« Aber den sieht doch leider keiner! Nur, dass ich einen schlechten Körper habe, das fällt sofort jedem auf!

67

Siehe auch
nächster
Abschnitt
»Bodybuilding,
Tattoos,
Piercing:
Der Kult um
den Körper«,
S. 70

Auch wenn du nicht, wie Frank, von einem Fotografen gesagt bekommst, dass du einen zu schmalen Oberkörper hast, so siehst du auf Plakatwänden, im Fernsehen und in Zeitschriften die knackigen Jungen, die die Frauen verrückt machen. Sie mit ihren breiten Schultern, den schmalen Taillen, den muskulösen Oberkörpern und dem sonnigen Siegerlächeln in teuren Markenklamotten verkörpern Schönheit, Reichtum, Jugend und eine Welt ohne Sorgen und Nöte. Seit die Werbung den Mann entdeckt hat, ist es nicht mehr piepegal, wie einer aussieht. Und nicht nur Frauen brauchen im Bad ihre Zeit, auch jüngere Männer halten sich heute darin länger auf als noch ihre Väter.

Ein Blick in den Spiegel genügt dir wahrscheinlich, um zu wissen, dass du nicht zu den ganz wenigen auf dieser Welt gehörst, die die Natur mit einem Traum-Body beglückt hat. Das Leben der Jungen aus der Werbung ist nicht deines, du plagst dich mit der Schule, dem Job, deinen Eltern und dem Alltag herum. Und manchmal findest du dich vielleicht richtig hässlich, wenn du dich so anschaust. Du fühlst dich nicht wohl in deiner Haut, weil du nicht den Body hast, den du so gerne hättest. Du wärst viel lieber schlanker, muskulöser, größer, nicht so lang, dünn oder schlaksig, oder nicht so klein, dick und pummelig. Auch die Haare sind nicht das, was du gut findest. Und ein paar Pickel hast du vielleicht auch, die haben als Krönung gerade noch gefehlt.

Siehe auch
vorangegange-
ner Abschnitt
»Ess-
Störungen:
Nicht mehr
reine Mädchen-
sache«,
S. 65

Gut, so empfindet sich wahrscheinlich jeder Junge in der Pubertät öfter mal. Auch Mädchen geht es so. Doch du solltest aufhören, immer nur deine negativen Seiten zu sehen und sie zu hoch zu bewerten. Es gibt doch sicher auch sehr viel an dir, was dir gefällt. Das geht in deinem Kummer dann völlig unter. Verkrieche dich auf keinen Fall, weil du glaubst, nicht toll genug auszusehen! Am Ende hockst du nämlich alleine in deiner Bude und kriegst so deine negativen Gefühle noch bestätigt. Wer sich selbst nicht mag, den mögen auch andere nicht. Also, kämpfe gegen diese Empfindungen!

Das geht so: Überprüfe, was du an deinem Körper magst und was du nicht magst. Stell dich dabei vor den Spiegel. Sind es mehr Dinge, die du magst als solche, die du nicht magst? Das wäre ein gutes Zeichen, denn dann hast du ein positives Bild von dir. Findest du jedoch das meiste an dir nicht so toll, hast du ein eher negatives Bild von dir, was dir mit Sicherheit nicht gut tut. Schreib auf, welche Mängel du festgestellt hast. Du siehst dann, dass es einzelne Dinge sind und kannst nicht mehr insgesamt sagen: »Wie hässlich ich doch bin!«

Gegen einzelne Mankos lässt sich leicht etwas unternehmen. Du kannst mit Sport (Fitness-Club), einer vernünftigen Ernährung und Diät, mit peppigen Klamotten, Salben und Cremes einiges bewirken. Auch Hobbys sind wichtig, um sich wohl zu fühlen, ebenso Freunde, Mädchen und Sex. Sogar die Bodys eines Schwarzeneggers und van Dammes werden stundenlang geschminkt, bevor die Kameras angehen. Schönheit fällt eben nicht vom Himmel, man muss was dafür tun.

Erwarte jedoch keine Wunder in kurzer Zeit! Muskeln zu kriegen dauert eine Weile. Bei all deinen Bemühungen, äußerlich top auszusehen, solltest du aber deine inneren Werte nicht verkümmern lassen. Mädchen legen darauf größten Wert, und der Charakter ist es letztlich auch, auf den es in einer Beziehung ankommt. Das ist es, was Franks Mutter ihm vermitteln wollte, doch in einer Zeit, wo die Optik eines Menschen eine solch wichtige Rolle spielt, sind diese wohl gemeinten Sprüche von Eltern, Lehrern und Verwandten nicht sehr hilfreich. Das Mädchen aus der Parallelklasse fährt erst einmal auf deine breiten Schultern oder dein tolles Aussehen ab, bevor du sie mit deinen inneren Werten beeindrucken kannst.

Da kannst du noch so großzügig, liebevoll, sensibel, charmant und treu sein: Solange Mädchen diese hervorragenden Eigenschaften, die sie durchaus schätzen, nicht sehen, werden sie vermutlich erst einmal deinen Konkurrenten mit dem guten Body nehmen. Erst wenn du lernst, deinen Körper so zu akzeptieren, wie er ist, bekommst du auch eine positive Ausstrahlung, die sich wiederum auf dein Äußeres auswirkt. Und dann stichst du den anderen mit dem perfekten Body meilenweit aus.

Siehe auch Abschnitt »Fit sein: Die richtige Ernährung bringt's!«, S. 62

Wer lernt, seinen eigenen Körper zu akzeptieren, hat eine positive Ausstrahlung.

Bodybuilding, Tattoos, Piercing:
Der Kult um den Körper

Muskeln sind für viele junge Männer von heute eines der wichtigsten Schönheitssymbole. Schlank und muskulös, das ist das Ideal, das Werbung und Medien propagieren und dem vielleicht auch du nacheiferst. Kein Junge wird als Muskelpaket geboren, da muss man schon ein bisschen nachhelfen.

Bodybuilding ist eine Methode, um Muskeln aufzubauen. Dies geschieht durch Gymnastik und Übungen mit Gewichten und Geräten. Man geht dabei langsam vor, steigert sich z. B. beim Stemmen von Gewichten erst, wenn man mit den ursprünglichen keinerlei Mühe mehr hat. Wenn es dir nur um durchtrainierte Arme und Schultern und eine insgesamt gute Kondition geht, reicht es, zu Hause mit ein paar Hanteln zu trainieren. Dazu ein gutes Lehrbuch – das funktioniert. Willst du aber richtiges Bodybuilding für den ganzen Körper betreiben, solltest du in ein Fitness-Studio gehen.

Um insgesamt eine gute Kondition, durchtrainierte Arme und Schultern zu bekommen, genügt es, wenn du zu Hause mit ein paar Hanteln aktiv bist.

Ein Training in einem professionellen Studio ist nicht billig, du musst etwa zwischen 60 und 100 Mark im Monat einkalkulieren. Dabei spielt es keine Rolle, wie oft du hingehst und welche Einrichtungen du nutzt. Erkundige dich genau nach Sondertarifen und Vertragsbedingungen. Absolviere in jedem Fall erst einmal ein Probetraining, um zu sehen, ob dir das Studio, die Geräte und die Trainer dort überhaupt zusagen.

Bei allem Ehrgeiz solltest du das Training nicht übertreiben und keine Gewichte stemmen, die viel zu schwer für dich sind. Davon kriegst du nur Gelenkschäden, aber keine Muskeln. Um Verletzungen wie Zerrungen und Prellungen zu verhindern, solltest du

70

dich immer erst langsam mit Gymnastik aufwärmen. Sie ist also nicht überflüssig, sondern sollte fester Bestandteil deines Trainings sein.

Wird dir an der Theke des Fitness-Studios »Aufbaunahrung« angeboten, dann sei vorsichtig. Sie enthält neben Proteinen meist nur überflüssige und sogar gesundheitsschädliche Stoffe. Von Anabolika, also Dopingmitteln, solltest du erst recht die Finger lassen. Sie versprechen dir zwar einen schnellen Muskelaufbau, sind aber extrem gefährlich für deine Gesundheit. Wenn du dich ausgewogen ernährst und regelmäßig, aber ohne Leistungsdruck Sport treibst, kommst du mit Sicherheit viel billiger und gesünder an dein Ziel.

Willst du deinen Body mit *Tattoos* schmücken oder dich *piercen* lassen, dann achte unbedingt darauf, dass dies fachgerecht gemacht wird. Ansonsten kann das Anbringen des Körperschmucks sehr schmerzhaft und auch sehr gefährlich sein und Infektionen hervorrufen. Die Hygiene in einem Tattoo- und Piercing-Studio sollte sehr groß geschrieben sein. Sämtliche Instrumente, die der Tätowierer oder Piercer benutzt, sowie der Schmuck selbst, müssen steril sein. Er sollte Handschuhe tragen und auch auf sterilen Flächen arbeiten. Liefere dich keinem Anfänger aus, dessen »Lern-Objekt« du bist, sondern wende dich an einen Profi, der nicht neu im Geschäft ist. Vereinzelt durchstechen auch Ärzte die gewünschten Körperstellen. Aufgrund der großen Risiken und Gefahren von Tätowierungen und Piercings verlangen viele Studios von Minderjährigen eine Einverständniserklärung der Eltern.

Aufgrund der großen Risiken und Gefahren von Tätowierungen und Piercings verlangen viele Studios von Minderjährigen eine Einverständniserklärung der Eltern.

Unter *Tattoos* versteht man nichts anderes als eine Tätowierung, bei der eine Zeichnung in die Haut eingeritzt und dauerhaft mit Farben fixiert wird. Die Kosten eines Tattoos richten sich nach dem Motiv, je nachdem, wie groß und umfangreich es ist. Es gibt keine festen Preise, jeder Tätowierer und Piercer hat seine eigenen. Du musst dich also genau umhören, bevor du so etwas machen lässt. Lass dir vorher erklären, wie eine solche Behandlung aussieht. Vielleicht kannst du schon mal zuschauen, wenn jemand tätowiert wird. Um dich an so ein Tattoo zu gewöhnen und zu testen, ob du damit auf Dauer überhaupt leben kannst, solltest du erst einmal »Abzieh-Tattoos« probieren, die leicht wieder zu entfernen sind.

Beim *Piercing* werden kleine Ringe z. B. durch die Nasenflügel, Augenbrauen oder durch die Haut um den Nabel gezogen. Manche Piercing-Fans lassen sich die Ringe auch im Genitalbereich oder an den Brustwarzen anbringen. Die Stich-kanäle beim Bodypiercing entzünden sich sehr leicht und verheilen je nach Körperstelle oft erst nach Jahren. Dafür wachsen sie schnell wieder zu, wenn man das Schmuckstück entfernt. Vertraue dich auf jeden Fall einem Experten an, denn beim Durch-stechen von Körperteilen können üble Fehler gemacht werden, die möglicher-weise schmerzhafte und weitreichende Konsequenzen haben. Sterilität ist oberstes Gebot in jedem Piercing-Shop! Ein weiteres Risiko, das du nicht unterschätzen solltest: Dass du aller-gisch auf den Schmuck reagierst. Dies ist vor allem dann häufig der Fall, wenn er nicht aus chirurgischem Stahl ist. Metallgegenstände können grundsätzlich zu Reizungen und Allergien führen. Wer eine besonders empfindliche Haut hat, sollte sich vorher von einem Arzt beraten lassen.

Ein Risiko, das du nicht unterschätzen solltest: Dass du allergisch auf den Schmuck reagierst.

Ähnlich wichtig wie beim Anbringen ist auch die Hygiene danach. Es stimmt oft nicht, dass ein Piercing nach spätestens sechs Wochen verheilt ist, auch wenn Piercer dies versprechen. Es ist nur oberflächlich verheilt, aber der sogenannte »Keimein-trittskanal«, der für die Abwehrmechanismen zuständig ist, heilt viel langsamer, manchmal erst nach einem Jahr.

Der Kampf gegen die Pickel

Zum Thema »Hormone« siehe auch S. 83 und 107

Nur ganz wenige Jugendliche – Jungen ebenso wie Mädchen – kriegen die Pubertät ohne Pickel hinter sich. Das ist eine Sache der Hormone, und sobald diese ins Gleichgewicht gekommen sind, verschwinden die meisten Pickel auch von alleine wieder.

Bis es jedoch so weit ist, spielt die Haut, ein Stoffwechselorgan, oft verrückt. Da Jugendliche in der Regel fette Haut haben, können sich leichter Talgknötchen bilden, die die Poren verstopfen. Und wenn diese Knötchen sich verhärten, entsteht ein *Mitesser*. Siedeln sich um diese Pore herum noch Bakterien an, entzündet sich die Haut – ein *Pickel* kommt. Oft passiert das nur gelegentlich, dann spricht man von »unreiner Haut«. Ist dein Gesicht aber dauernd großflächig entzündet, nennt man das *Akne*. Hautschwierigkeiten sind häufig ererbt. Durch richtige Pflege können sie eingedämmt, durch falsche Behandlung aber erheblich verschlimmert werden. Gesunde, ausgewogene Ernährung, ausreichend Schlaf und viel Bewegung können dir helfen, leichtere Hautprobleme selbst gut in Griff kriegen.

Wenn du gerade wieder vor Pickeln »blühst«, was gerade bei Jungen in deinem Alter sehr häufig der Fall ist, solltest du abends vor dem Schlafengehen und morgens nach dem Aufstehen dein Gesicht gründlich reinigen. Lauwarmes Wasser genügt im Prinzip dafür. Du kannst dich aber auch erst mit Reinigungscreme oder -milch einschmieren und wäschst diese mit viel lauwarmem Wasser nach ein paar Minuten wieder weg. Dann tupfst du die Haut mit Gesichtswasser ab. Vielleicht hast du dies auch schon mal bei deiner Mutter beobachtet. Wenn du magst, kannst du dir auch von ihr zeigen lassen, wie sie das macht. Fettige, glänzende Stellen solltest du eventuell mit alkoholhaltigem Gesichtswasser abtupfen. Danach eine pflegende Creme auftragen, aber keinesfalls eine fetthaltige!

Du kannst auch versuchen, etwas mit Wasser angerührte Heilerde (aus der Apotheke) auf die entzündeten Stellen zu geben, damit sie ausgetrocknet werden. Danach mit kaltem Wasser die Durchblutung anregen! Wichtig ist in jedem Fall, dass du möglichst nicht an deinen Pickeln herumdrückst, da dies die Entzündungen nur noch verschlimmert. Gehörst du nun aber zu den vielen Jungen, die es partout nicht lassen können, an ihren Pickeln herumzudrücken, solltest du die folgenden Regeln beherzigen. Sie helfen dir dabei, wenigstens schlimmere Entzündungen oder gar lebenslange Narben zu vermeiden:

Hautprobleme können durch richtige Pflege eingedämmt, durch falsche Behandlung aber erheblich verschlimmert werden.

73

Ein paar wichtige Regeln, wenn du es partout nicht lassen kannst, an deinen Pickeln herumzudrücken.

- Vor dem Drücken die Haut mit einem Kamillendampfbad aufweichen! Das heißt: Kamillenextrakt und kochendes Wasser in eine Schüssel geben und das Gesicht unter einem Handtuch darüber halten.

- Nur an der Oberfläche sichtbare, gelbe Eiterstellen dürfen kurz nach außen entleert werden.

- Nie mit den bloßen Fingern rangehen, sondern sie grundsätzlich mit einem sauberen Papiertaschentuch umwickeln und dann erst drücken!

- Die behandelte Stelle sofort mit etwas Alkohol aus der Apotheke oder einem keimtötenden Mittel vom Arzt desinfizieren. Hautfarbener Abdeckstift hilft, die roten Stellen zu überdecken.

- Unreife Pickel ohne Eiterauge in Ruhe lassen! Wenn du daran herumdrückst, entzünden sie sich erst recht.

Auch Jungen lassen sich immer öfter von einer Kosmetikerin beraten und behandeln.

Wenn du unter einer leichteren Akne leidest, kannst du ausprobieren, ob sich deine Haut durch eine regelmäßige Porenbehandlung (alle vier bis sechs Wochen) bei der Kosmetikerin bessert. Das hat mit Schminken nichts zu tun, muss nicht sehr teuer sein und ist auch für Jungen gut geeignet. Kosmetikerinnen sind dazu ausgebildet, die Haut auf schonende und nachhaltige Weise zu säubern und Pickel und Akne zu beheben. Viele Kosmetikerinnen arbeiten heute auch mit Naturprodukten. In besonders hartnäckigen Fällen ist es jedoch angebracht, einen Hautarzt aufzusuchen. Es gibt gute Medikamente und Mittel gegen Akne, die sehr wirksam sind, aber nur unter Aufsicht eines Arztes angewendet werden sollten.

Wie gefährlich ist die Sonne?

Leider ist die Sonne wegen der immer dünner werdenden Ozonschicht zum Risiko für den Menschen geworden. Ihre Strahlen können sogar Hautkrebs erzeugen, bei jungen Leuten ebenso wie bei älteren. So schwer es dir auch fallen mag, aber in der prallen Sonne zu liegen und sich zu bräunen, ist deshalb unverantwortlich. Nicht nur deiner Gesundheit, auch dem guten Aussehen schadet die Sonne langfristig. Sie trocknet Haut und Haare aus und macht vorschnell alt und faltig, was sich allerdings erst ab dem 40. Lebensjahr richtig zeigt. Um solche lebenslangen Sonnenschäden zu verhindern, kannst du aber jetzt schon die richtigen Weichen stellen. Wenn die Sonne vom Himmel brennt, dann zieh dir lieber ein luftiges Hemd über, als mit bloßem Oberkörper herumzulaufen.

Es ist kein Problem und sogar sehr gesund, sich bei schönem Wetter viel draußen an der frischen Luft zu bewegen und im Schatten zu relaxen. Sonnenlicht sorgt nicht nur für gute Laune, sondern aktiviert Kreislauf und Stoffwechsel, regt die Hormontätigkeit der Drüsen an und stärkt das Immunsystem. Trotzdem solltest du das Risiko von Schäden, die durch direkte Sonneneinstrahlung entstehen können, nicht unterschätzen.

Wenn du aber nun zu denen gehörst, die auf das Sonnenbad am Strand, auf der Terrasse oder im Garten trotzdem nicht verzichten wollen, solltest du jedes Risiko durch bestimmte Vorsichtsmaßnahmen zu vermindern versuchen:

- **Nur Sonnenschutzmittel mit sehr hohem Lichtschutzfaktor verwenden! Nicht zu sparsam damit umgehen, häufig einschmieren und schon eine halbe Stunde vor dem Sonnenbad damit anfangen. So lange dauert es nämlich, bis der Lichtschutz voll wirksam wird.**

- **Die Lippen sind besonders empfindlich, deshalb immer wieder Lichtschutzstift auf die Lippen auftragen!**

- **Wer Wassersport betreibt, sollte darauf achten, dass er wasserfeste Sonnenschutzmittel verwendet.**

- **Bei Wintersonne (Skifahrer und Snowboarder!) ein Sonnenschutzpräparat mit höherem Fettgehalt nehmen, es bietet der Haut gleichzeitig einen Kälteschutz.**

Wenn die Sonne vom Himmel brennt, zieh dir lieber ein luftiges Hemd über, als mit bloßem Oberkörper herumzulaufen!

Ein paar wichtige Tipps für das Sonnenbad am Strand, auf der Terrasse oder im Garten.

75

Je empfind-
licher die Haut
ist, desto
weniger direkte
Sonnenstrah-
lung verträgt
sie.

- Auch mit Sonnenschutzmittel und hohem Lichtschutzfaktor höchstens 15 bis 20 Minuten in der prallen Sonne liegen!

- Solarien sind sehr umstritten. Inzwischen hat man herausgefunden, dass sie für junge Leute eher nicht mehr zu empfehlen sind; denn die Haut trägt dir einen Sonnenschaden ein Leben lang nach.

- Hautärzte empfehlen nicht mehr als dreißig Sonnenbäder im Jahr, keinesfalls sollte man sich ganztägig »grillen«.

Körperpflege:
So werden dich alle gut riechen können

Siehe auch
folgenden
Abschnitt
»Die richtige
Pflege von
Penis, Hoden
und Scham-
haaren«,
S. 77

Jeder Mensch schwitzt, wenn er aufgeregt, nervös ist oder sich anstrengt. Mancher mehr, mancher weniger. Frischer Schweiß hat keinen Eigengeruch, dieser entwickelt sich erst nach ein paar Stunden. Mit etwa 12 Jahren beginnen die Schweißdrüsen mit ihrer Arbeit in den Achselhöhlen. Daher ist es nun sehr wichtig, sich täglich gründlich zu waschen, zu duschen oder zu baden. Auch ein geruchshemmendes Deodorant erweist gute Dienste. Wenn du ein hautempfindlicher Typ bist, sind alkoholfreie Produkte besser als stark duftende, die fast immer Alkohol enthalten und starkes Brennen und Rötungen verursachen können. Es geht ja hauptsächlich darum, dass du nicht nach Schweiß riechst.

Wer sich nicht wäscht und meint, mit Hilfe von Parfüm könne er den Geruch wegkriegen, der irrt. Diese »Duftmischung« riecht in der Regel so unangenehm, dass andere Menschen mindestens einen Schritt zurückweichen, wenn sie mit dir reden. Auch wenn Jungen oft die Körperpflege nicht so nachdrücklich beigebracht wird wie Mädchen, riechen sie ungewaschen keinesfalls besser als Frauen.

Die tägliche
Dusche oder
ein Bad sollte
Pflichtpro-
gramm sein,
auch für
Jungen.

Viele Männer ziehen auch ewig die gleichen Klamotten an und waschen sich nicht täglich. Daran solltest du dir kein Beispiel nehmen. Die tägliche Dusche und das Wechseln der Unterwäsche und der Socken sollte Pflichtprogramm sein. Auch du selbst fühlst dich damit wohler und sicherer. Oder möchtest du, dass man hinter deinem Rücken tuschelt, dass du stinkst? Mädchen haben für so etwas ein feines Gespür und ekeln sich davor. Wenn du also Eindruck machen willst, dann pflege dich entsprechend, vor allem auch im Intimbereich!

Die richtige Pflege von Penis, Hoden und Schamhaaren

Jeder Mensch sollte täglich seinen Intimbereich reinigen. Nicht nur Frauen, ebenso Männer. Leider tun das auch viele Erwachsene nicht, und Jugendliche, die das mitkriegen, übernehmen dieses Verhalten bedauerlicherweise oft automatisch. Auch wenn in deiner Familie die körperliche Pflege keine allzu große Rolle spielen sollte, schere dir selbst zuliebe aus dieser »Tradition« aus! Denn wenn du bei deinen Freunden oder Mitschülern erst einmal als der bekannt bist, der »stinkt«, wirst du über kurz oder lang isoliert, und alle werden sich von dir zurückziehen. So etwas tut sehr weh, erspare dir das also!

Alles rund um das Thema »Rasieren« findest du ab S. 85

Die Pflege der männlichen Geschlechtsteile ist im Übrigen ganz einfach, weil sie außen liegen. Schamhaare, Hodensack und Glied sollten morgens und abends mit viel lauwarmem Wasser und seifenfreier Lotion gewaschen werden. Hast du die Lotion wieder abgespült, schiebe die Vorhaut vorsichtig zurück, damit die Eichel frei ist. Nun diesen Bereich gründlich mit lauwarmem Wasser reinigen. Da sich um die Eichel, also unter der Vorhaut, schnell eine weißliche Substanz bildet, die man **Smegma** nennt, ist es besonders wichtig, sich täglich die Geschlechtsteile zu waschen. Dieses Smegma kann nämlich Infektionen hervorrufen. Achte unbedingt auch darauf, alle Seifenreste mit Wasser zu entfernen. Am besten ist es, du verwendest in diesem Bereich gar keine Seife, sondern reinigst die Eichel morgens und abends nur mit Wasser, dann erübrigen sich seifenähnliche Substanzen ohnehin. Anschließend tupfst du dein Glied mit einem sauberen Handtuch trocken.

Siehe auch Abschnitt »Welche Funktion hat die Vorhaut?«, S. 102

Zum Thema »Beschneidung« siehe S. 103

Bei Jungen, die **beschnitten** sind, kann sich das Smegma gar nicht erst unter der Vorhaut ansammeln, was hygienischer ist. Wichtig ist vor allem auch die gründliche Wäsche nach dem Geschlechtsverkehr. Wenn du regelmäßig das Smegma abwäschst, beugst du gleichzeitig dem Entstehen bzw. Übertragen von Infektionen vor. Auch nach dem Wasserlassen ist es angebracht, das Glied mit Toilettenpapier abzutupfen und sich die Hände zu waschen. Dies machen leider nicht alle Männer, aber daran solltest du dir bitte kein Beispiel nehmen.

Außerdem gibt dir die richtige Intimpflege Sicherheit im Umgang mit anderen, vor allem mit Mädchen. Stell dir vor, du gerätst unerwartet in die Situation, dass du mit deinem Schwarm auf dem Sofa landest! Wenn du dann das Gefühl hast, irgendwie zu riechen, könnte dein Traum schneller platzen als dir lieb sein kann. Zusätzlich zu einer gründlichen Körper- und Intimpflege kannst du einige Tropfen Eau de Toilette, Aftershave oder eine duftende Body-Lotion auf deinem Körper verteilen. Wenn du dann noch eine Duftnote wählst, die das Mädchen mag, dann hast du schon halb gewonnen!

Die Pubertät

Was jetzt mit dir passiert

Wenn du mehr und mehr spürst, dass sich an deinem Körper und in dir etwas verändert, dann bist du in der Pubertät (lat. »*pubes*« = geschlechtsreif entwickelt). Du wirst langsam erwachsen und reifst körperlich zu einem Mann heran, der Kinder zeugen kann. Du merkst, wie deine Sexualität nun voll erwacht. Das hat etwas mit den körperlichen Veränderungen zu tun, die jetzt stattfinden. Aber auch innerlich brodelt es in dir, du hast immer öfter andere Ansichten und Meinungen als deine Eltern. Du möchtest dich von ihnen abnabeln, suchst andere Freunde, willst deine eigenen Interessen und Vorstellungen immer mehr durchsetzen. Und du willst dich verlieben und Sex haben.

Jetzt siehst du dich im Spiegel mit ganz anderen Augen an.

Dominik (14) beschreibt, wie er sich fühlt:

Manchmal weiß ich selbst nicht, wie es mir geht. Gerade war ich noch voll gut drauf und schon ein paar Minuten später stinkt mir alles. Vor allem geht mir meine Mum tierisch auf den Sender. Sie denkt immer noch, ich sei ihr kleines Bubilein und nervt mich mit ihren Fragen: »Was hast du denn? Mit mir kannst du doch über alles reden.« Mann, ich will aber nicht mit ihr reden. Obwohl ich deswegen ein schlechtes Gewissen habe, weil sie sich ja wirklich um mich bemüht. Und ich mag sie ja auch, meine Mum! Aber letztlich hat sie als Frau doch keine Ahnung, was in mir als Junge so vorgeht. Ich bin oft den ganzen Tag nur mit meinem Ding da beschäftigt, das kann ich ihr doch nicht sagen. Irgendwie schäme ich mich doch selbst dafür. Am Ende hält sie mich noch für ein Schwein und verbietet mir, da hinzufassen.

79

Du entfernst dich nun immer stärker von deinen Eltern und suchst deine eigene Persönlichkeit.

Das Chaos von Gefühlen, das Dominik erlebt, ist eine Folge davon, dass er sich jetzt selbst zum ersten Mal richtig sieht. Sicher kommt dir das auch bekannt vor und du erinnerst dich daran, wie oft du dich als Kind im Spiegel angesehen und herumgealbert hast. Nun schaust du dich mit ganz anderen Augen an als damals. Und du spürst, dass du dir gar nicht mehr so richtig vertraust. Das liegt natürlich auch daran, dass du dich körperlich ziemlich veränderst. Es ist dir plötzlich viel wichtiger, wie du aussiehst. Du beobachtest kritisch, wie dein Gesicht, deine Haare, deine Figur sind. Du merkst, dass du ein eigener Mensch bist, nicht nur das Kind deiner Eltern.

In der Pubertät macht man die entscheidendsten Schritte in der Entwicklung seiner Persönlichkeit durch. Natürlich warst du schon als Kind ein sehr eigenes Wesen, doch nun prägt sich dein Charakter weiter und intensiver aus. Vor allem entwickelst du einen eigenen Standpunkt, der sich von dem deiner Eltern und früherer Freunde total unterscheiden kann. Es ist oft schwierig für die Leute in deiner Umgebung, damit umzugehen. Vor allem deine Eltern mögen mit Staunen, Sorge oder Unverständnis beobachten, wie du für dich herumprobierst, deine Richtung zu finden. Sie können nicht absehen, was dabei herauskommen wird und reagieren deshalb oft schnell mit Ungeduld und Bedenken. Sie wollen dich damit nicht ärgern oder hindern, auch für sie ist deine Pubertät eine Herausforderung, mit der sie zu kämpfen haben.

Der Beginn der Pubertät wird vermutlich von verschiedenen Faktoren beeinflusst.

In der Regel beginnt die Phase der Pubertät etwa um das 11. Lebensjahr und ist ungefähr mit 18 Jahren abgeschlossen. Bei Mädchen fängt sie ein bis zwei Jahre früher als bei Jungen an. Und Jugendliche in den westlichen Industriestaaten Europas und in den USA erleben dieses Abenteuer einige Jahre vor den Gleichaltrigen in Entwicklungsländern. Niemand weiß genau, warum das so ist. Experten meinen, dass besonders die günstigen Lebensbedingungen und unsere reichhaltige Ernährung dazu beitragen. Aber auch Vererbung spielt eine bedeutende Rolle.

Egal, ob du nun schon mit 10 Jahren oder erst mit 16 in die Pubertät kommst, beides ist normal und kein Grund zur Beunruhigung. Auch, ob du dich besonders schnell oder langsam entwickelst, sollte dir keine Sorgen machen. Nimm es, wie es kommt.

Woran du erkennst, dass du pubertierst

In der Pubertät verändert sich dein Körper. Bedingt durch einen Wachstumsschub schießt du in die Höhe, bis du am Ende deine endgültige Körpergröße erreicht hast. Arme und Beine werden länger, Brust und Schultern breiter. Auch dein Gesicht bekommt erwachsenere Züge, und deine Stimme wird tiefer und männlicher. Unter den Achseln, um den Bereich des Penis, auf der Brust, auf Armen und Beinen beginnen Härchen zu sprießen. Deine Haut wird fettiger, viele Jungen bekommen Pickel. Du schwitzt mehr als früher und riechst anders, männlicher. Auch die Muskeln werden stärker und vergrößern sich. Deine Hoden fangen jetzt an, das männliche Hormon Testosteron zu bilden, es auszuschütten und Samen zu bilden. Dem Testosteron hast du im Übrigen all die typischen Merkmale zu verdanken, die dich zum Mann machen. Wenn du jetzt elf oder zwölf bist, wirst du feststellen, dass deine Hoden größer geworden sind. Etwa ein Jahr später beginnt auch dein Glied zu wachsen. Im Vergleich zur Kindheit, wird es etwa bis zum 16. Lebensjahr doppelt so groß. Auch dafür ist die Ausschüttung des Männerhormons Testosteron verantwortlich.

Mehr über die Geschlechtsorgane erfährst du ab S. 93

Warum deine Stimme jetzt plötzlich wegkippt

Stefan (14):

Ich finde es total blöd von meinen Eltern, dass sie immer grinsen, wenn meine Stimme umkippt. Als ich sie fragte, wie sie sich damals fühlten, als sie so alt waren wie ich, da meinten sie nur, sie könnten sich nicht daran erinnern und ich solle nicht so frech sein. Wenn Besuch da ist und der kriegt meinen Stimmbruch mit, dann tun sie immer alle so von oben herab: »Mein Gott, ist er nicht süß!« Mir stinkt das voll, dass sie sich so geben, als wären sie Übermenschen, die nie durch die Pubertät mussten.

Der Stimm-
bruch geht
nicht sanft
und allmählich
vor sich, son-
dern ziemlich
plötzlich und
abrupt.

Dass deine Stimme jetzt immer öfter wegkippt, liegt daran, dass in der Pubertät deine Stimmbänder wachsen und länger werden. Auch der Kehlkopf verändert sich. Das geschieht in der Regel um das 14. Lebensjahr herum. Und es geht nicht sanft und allmählich vor sich, sondern ziemlich plötzlich und abrupt. Mitunter versagt die Stimme ganz oder der Klang wechselt zwischen Hoch und Tief, zwischen Krächzen oder Kieksen, ohne dass du darauf Einfluss hast. Das kann sich für eine Weile etwas blöd anhören, aber es geht vorbei, und dann hast du wieder eine schöne und harmonisch klingende Stimme, die allerdings ein paar Oktaven tiefer ist als zuvor.

Manche Jungs kriegen vom Stimmbruch allerdings wenig mit und sind nur kurze Zeit etwas heiser, während andere monatelang massiv darunter leiden und es kaum noch wagen, in der Schule oder Clique den Mund aufzumachen. Versuche, die Sache mit Humor zu nehmen. Du bist nicht der Einzige, der krächzt, und es geht vorbei. Zudem ist es ein Zeichen dafür, dass du dich ganz normal entwickelst und eine neue Lebensphase für dich beginnt. Beim Stimmbruch wandelt sich die kindlich hohe Stimme und wird zu einer männlich rauen und tiefen. Vor der Pubertät gilt die Stimme von Jungen als besonders rein. Früher wurden Jungen mit besonders schönen Stimmen sogar die Hoden entfernt, um ihren Sopran zu erhalten. Allerdings konnten die Jungen so nicht ausreifen und zu »richtigen« Männern werden. Sie litten darunter meist ihr ganzes Leben lang.

Woher kommt es, dass meine Brust oft so spannt?

Näheres zum
Männer-
hormon
Testosteron
auf S. 107

Dafür sind, wie für das ganze Wachstum in der Pubertät, die Hormone verantwortlich, besonders das Männerhormon Testosteron. Es regt nicht nur die Samenbildung in den Hoden, den Stimmbruch oder den Bartwuchs an, sondern auch das Knochenwachstum und die Muskelbildung. Möglicherweise hast du ihm auch einen Ansturm von Pickeln oder Akne zu verdanken, weil es auch die Talgproduktion der Haut ankurbelt. Deswegen haben Männer oft weniger trockene Haut und fettigere Haare als Frauen.

Da beim Mann in den Hoden auch das weibliche Östrogen produziert wird – jedoch in wesentlich geringeren Mengen als bei Frauen – kann bei vielen Jungen deshalb um das 12. Lebensjahr ein verstärktes Wachstum des Brustgewebes einsetzen. Es entsteht ein kleiner Busen, der ähnlich wie bei Mädchen in diesem Alter spannen und jucken kann. Das ist aber kein Grund zur Panik, deshalb wird aus dir kein Mädchen! Sobald sich die Hormonausschüttung eingependelt hat, bildet sich die Brust zurück und wird breit und männlich. Der ganze Prozess dauert etwa ein Jahr.

Warum du jetzt so schnell in die Höhe schießt – Eine Sache der Hormone

Wie nun schon öfter erwähnt, passiert jetzt eine ganze Menge Neues mit deinem Körper. Nicht zu vergessen die seelischen Veränderungen, die du deutlich spürst. Pubertät – das bedeutet, dass in dieser Zeit die Entwicklung vom Kind zum geschlechtsreifen Erwachsenen stattfindet. Aus dem Mädchen wird eine junge Frau, die Babys bekommen kann, und beim Jungen wird jetzt die biologische Fähigkeit, Kinder zu zeugen, ausgeprägt.

Die Wandlung, die dafür nötig ist, vollzieht sich nicht von heute auf morgen. Es ist vielmehr ein ganz langsamer Prozess, den du kaum merkst, und der zunächst auch nur im Inneren des Körpers abläuft. Erst allmählich werden diese Veränderungen auch äußerlich sichtbar. Für deine Eltern und andere Erwachsene ist das ein Zeichen, dass du ihnen jetzt »entwächst« und immer mehr eine eigene Persönlichkeit wirst.

Die Entwicklung vom Kind zum Erwachsenen ist ein langsamer Prozess. Erst allmählich werden die Veränderungen äußerlich sichtbar.

Doch wahrscheinlich hast du schon lange vor den Erwachsenen beobachtet, was mit dir jetzt passiert. Vielleicht bist du auch schon erschrocken über die merkwürdigen Dinge, die an deinem Körper geschehen. Da wachsen Haare an Körperteilen, die vorher total unbehaart waren. Klamotten, die du früher so gerne getragen hast, passen plötzlich nicht mehr, obwohl du sie erst vor kurzem bekommen hast. »Schon wieder neue Schuhe«, hörst du deine Mutter stöhnen, die deinen Wachstumsschüben kaum noch folgen kann. Du selbst fühlst dich auch nicht besonders wohl damit,

Die »Hormon-zentrale« sitzt im Kopf. Es ist die Hirnanhang-drüse, die alles steuert.

dass du auf einmal so in die Höhe schießt, weil du merkst, dass sich die Proportionen zunächst oft ziemlich ungleichmäßig verteilen. Keine Panik – das geht jetzt fast allen Gleichaltrigen so, Jungen wie Mädchen. Auch wenn die charakterlichen Veränderungen zwischen den Geschlechtern oft sehr unterschiedlich sind – was das Wachstum in der Pubertät betrifft, sind sie sich sehr ähnlich. Wobei Mädchen den Jungen nicht nur in diesem Punkt etwa ein bis zwei Jahre voraus sind.

Dafür verantwortlich, dass du jetzt so schnell wächst, sind wieder die *Hormone*. Sie entstehen folgendermaßen: Die Hirnanhangdrüse (Hypophyse), die an der Unterseite des Gehirns liegt, nur etwa so groß wie eine Bohne ist und weniger wiegt als ein Gramm, übernimmt die Steuerung und ist z. B. für den Verlauf des Wachstums zuständig. Sie wird vom Gehirn dazu veranlasst, Botenstoffe zu produzieren. Diese Botenstoffe nennt man Hormone. Es gibt viele verschiedene Hormone, die jeweils unterschiedliche Aufgaben zu erfüllen haben.

Beispiel Wachstumshormon: Es regt bestimmte Zellen in den Knochen dazu an, sich zu vermehren, wodurch die Knochen länger werden und damit der ganze Mensch wächst. Das Wachstum eines jungen Menschen geht in Schüben vor sich. Der auffälligste Schub findet gleich in der ersten Zeit der Pubertät statt. Wer besonders schnell »hochschießt«, spürt manchmal ein Ziehen in den Muskeln, weil deren Wachstum nicht unbedingt genau mit dem der Knochen Schritt hält, was ungewohnte Spannungen auslösen kann. Doch auch die inneren und äußeren Veränderungen, die du jetzt an dir feststellst, werden durch Hormone ausgelöst. Da sie die für Mann und Frau typischen Körpermerkmale hervorrufen, heißen sie auch weibliche bzw. männliche Sexualhormone.

Da der Hormonhaus-halt noch unausgeglichen ist, leidest du oft unter starken Stimmungs-schwankungen.

Der Hormonhaushalt ist ein äußerst komplizierter Mechanismus, der durch äußere und innere Einflüsse gestört werden kann. Das vegetative Nervensystem, dessen Zentrale sich ebenso im Gehirn befindet wie die »Hormon-Zentrale« in der Hirnanhangdrüse, unterliegt nicht deinem Willen, reagiert auf seelische Reize und beeinflusst dadurch wiederum die Hormonproduktion. Da der Hormonhaushalt in der Pubertät noch unausgeglichen ist, leidest du oft unter starken Stimmungsschwankungen zwischen himmelhoch jauchzend und zu Tode betrübt.

Die Behaarung nimmt zu:
Ab wann du dich rasieren kannst

Es gibt keinen genauen Zeitpunkt, ab dem du dich rasieren solltest. In der Regel geht es zwischen dem 14. und 18. Lebensjahr damit los. Ein Junge ist früher dran, beim anderen dauert es etwas länger. Doch vor 17 oder 18 hat das Rasieren wenig Sinn. Um diese Zeit findet auch noch der letzte Wachstumsschub statt. Der erste Flaum kommt wahrscheinlich über der Oberlippe und vor den Ohren, weil dort der **Bartwuchs** beginnt. Bis zu einem richtigen Bart kann es aber noch recht lange dauern. Wie dicht er wird und welche Farbe und Beschaffenheit er haben wird, das verhält sich wie mit dem Kopfhaar und ist überwiegend Vererbungssache. Wenn du dir die Männer in deiner Familie anschaust, kriegst du in etwa eine Vorstellung davon, wie sich deine Körperbehaarung und der Bartwuchs entwickeln werden.

Auch wenn du dir jetzt vielleicht wünschst, dich so oft wie möglich rasieren zu müssen, weil du das so männlich findest, kann die Veranlagung zu einem starken Bartwuchs auf Dauer ziemlich lästig sein. Es gibt Männer, die sich ein Leben lang einmal, manche gleich zweimal täglich rasieren müssen. Andere müssen das nur zweimal pro Woche tun. Solltest du mit deinen paar Stoppeln unzufrieden sein, dann betrachte dich mal im Spiegel mit etwas Distanz. Wenn du ehrlich bist, wirst du feststellen, dass es schon richtig ist so und dass es zu dir passt. Die Natur sorgt von selbst für Ausgewogenheit, deshalb haben blonde, helle Typen in der Regel keinen dunklen, dichten Bart.

Versuche nicht, deinen Bartwuchs zu stimulieren und zu beschleunigen, indem du dich ständig unnötig rasierst. Es nützt ohnehin nichts und strapaziert nur die Haut.

Auch die Hormone spielen bei Bartwuchs und Körperbehaarung wieder eine entscheidende Rolle. Das Testosteron sorgt dafür, dass Brust- und Schamhaare wachsen. Männerhaare sind ein Symbol für Kraft. Wie stark deine Behaarung mal sein wird, hängt vor

Siehe auch Abschnitt »Warum du jetzt so schnell in die Höhe schießt«, S. 83

Starke Behaarung macht dich nicht männlicher, schwächere aber auch nicht unmännlicher. Nimm es so, wie es ist. Die Natur hat es passend gemacht!

allem von der erblichen Veranlagung ab. Durch äußere Dinge kann man sie nicht beeinflussen. Egal, ob du das nun schön oder weniger attraktiv findest oder welche Modeströmung gerade herrscht, mehr Haare machen dich nicht männlicher und weniger nicht unmännlicher.

Ob du später mal schüttere Haare oder gar eine Glatze bekommst, liegt vermutlich daran, wie hoch der Pegel an männlichem Hormon ist. Männer, die keine Hoden und daher wenig männliches Hormon haben, bekommen keinen Haarausfall. Ob ein Mann irgendwann kahle Stellen auf dem Kopf bekommt, hängt im Wesentlichen von der Vererbung, der ausreichenden Testosteron-Ausschüttung und dem Lebensalter ab.

Wie soll man sich rasieren – nass oder trocken?

Es liegt an dir, ab wann du dich rasieren möchtest. Ob du das nass oder trocken tun willst, solltest du einfach mal ausprobieren. Lass dich von deinem Vater, einem älteren Bruder oder Freund beraten.

- Von einer Nassrasur spricht man, wenn man Klinge und Rasierschaum nimmt. Manche, vor allem ältere Männer, schwören darauf, ihren eigenen Schaum anzurühren, indem sie Rasierseife mit einem Pinsel aufschäumen und dann die Haut damit einseifen. Rasiercreme, die es in jeder Drogerie oder im Supermarkt gibt, wird direkt auf die angefeuchtete Haut aufgetragen. Rasierschaum macht die Barthaare weicher und geschmeidiger und erleichtert so das Abschneiden bzw. Rasieren der Haarstoppeln ganz nah an der Wurzel.

- Ist der Schaum gleichmäßig in der Bartgegend verteilt, führst du den Rasierer zuerst in Bahnen von einem Ohr über die Wangen bis runter zu Hals und Kinn, dann vom anderen Ohr in die gleiche Richtung. Danach rasierst du die Stoppeln am Hals von unten nach oben. Am Schluss folgt die Feinarbeit zwischen Nase und Mund. Zu Beginn solltest du sehr vorsichtig sein; denn bei einer Nassrasur kannst du dich leicht schneiden.

- Passiert dir das, tupfe mit einem sauberen Blatt Klopapier, möglicherweise mit etwas Alkohol angefeuchtet, auf die

Stelle, drücke einen Moment drauf; es stillt das Bluten und verheilt sehr schnell wieder. Im Laufe der Zeit wirst du Übung bekommen und deine eigene Art entwickeln. Dann schneidest du dich auch immer seltener.

- Wenn du dich entscheidest, dich künftig nass zu rasieren, musst du unbedingt darauf achten, dass die Klingen, die in den Rasierer eingesetzt werden, nicht zu stumpf sind und regelmäßig ersetzt werden. Mit einer stumpfen Klinge musst du fester als nötig über die Haut fahren, was kleine, oft unsichtbare Verletzungen hervorruft, die Entzündungen und Pickel fördern. Wann die Klinge stumpf ist, merkst du mit der Zeit von selbst. Außerdem ist es wichtig, die Klinge nach Benutzung gründlich zu reinigen. Sie sollte nicht mit Bartstoppeln verstopft sein.

Auch wichtig für Nass-rasierer: Die Klinge regel-mäßig erneuern, damit sie nicht zu stumpf ist!

- Wer sich lieber *trocken rasiert*, braucht keinen Rasierschaum, sondern nur einen elektrischen Rasierapparat. Diesen führst du mit sanftem Druck auf die gleiche Weise wie einen Nass-rasierer über die Wangen, den Hals und den Bereich zwischen Nase und Mund.

- Männer mit Vollbärten, die nicht rasiert, sondern geschnitten werden müssen, um eine bestimmte Form zu haben, benutzen spezielle elektrische Bartschneider oder lassen sich beim Friseur verschönern.

- Egal, ob du dich nass oder trocken rasierst, zum Abschluss solltest du die gereizte Haut mit einem guten Aftershave desinfizieren und beruhigen. Auch Feuchtigkeitscremes oder Gels tragen zur Entspannung der Haut bei. Es gibt eine große Auswahl an Pflegeprodukten für Herren. Wenn du dir selbst so etwas nicht leisten kann, lass es dir zum Geburtstag oder zu Weihnachten schenken.

Du solltest dir für deine Haut die passende Pflegeserie suchen, denn durch das Rasieren wird sie strapa-ziert.

- Jungen sollten frühzeitig etwas für ihre Haut tun, da sie schneller altert als die von Frauen. Das heißt: Sie verliert an Elastizität und Straffheit und wird durch das Rasieren zusätzlich strapaziert. Sei also nicht zu gleichgültig, und suche dir eine Pflegeserie aus, die den Ansprüchen deiner Haut genügt.

87

Warum beherrscht Sex
oft den ganzen Tag deine Gedanken?

René (15):

> Es ist mir total pein-
> lich, aber ich stelle mir jedes Mädchen, das
> ich kenne, nackt vor. Und wenn ich weiterphanta-
> siere, sehe ich vor mir, wie ich mit ihr intim werde.
> Auch auf der Straße schaue ich immer öfter Frauen in
> Miniröcken nach, das macht mich total an. Am liebsten würde
> ich ihnen dieses Stück Stoff runterreißen und richtig zur Sache
> kommen. Ein Kumpel von mir hat Porno-Videos, die wir uns in
> der Clique reingezogen haben. Ich habe versucht, mit meinen
> Eltern darüber zu reden. Mein Vater hat nur blöd gegrinst,
> meine Mutter war total entsetzt und hat gesagt, ich
> bräuchte mir ja nicht einzubilden, Frauen
> wären Freiwild für Männer.

Vielen Mädchen ist es unangenehm, von Jungen begafft, angestarrt oder begutachtet zu werden. Respektiere es, wenn sie deine Gedanken und Begeisterung nicht teilen wollen.

In der Pubertät gewinnt sexuelles Denken und Phantasieren bei Jungen an Bedeutung. Du spürst jetzt ganz stark deine Sexualität und deinen Sexualtrieb. Auch wenn du hin und wieder versuchst, dagegen anzugehen, so merkst du bald, dass du gar keine Chance hast, sondern irgendwie fremdbestimmt wirst. Du fühlst dich innerlich gedrängt, Mädchen nachzusehen, überall Sex-Symbole zu entdecken, die deine Phantasie beflügeln, und mit deinen Freunden »männliche Witze« zu reißen. Dabei kommt ihr euch toll vor und schon wie richtige Männer, die an jedem Finger natürlich gleich mehrere Frauen haben können. Dass die Wirklichkeit oft anders aussieht, spielt in der Welt der Phantasie keine Rolle.

Die männliche Sexualität unterscheidet sich von der weiblichen vor allem dadurch, dass Männer jeden Alters zunächst viel stärker auf optische Signale des anderen Geschlechts reagieren. Sie fühlen sich von einem tiefen Ausschnitt oder den Augen einer Frau betört, ebenso von nackten Beinen oder einer engen Hose. Oft ist die Anziehungskraft so gewaltig, dass Männer ihren Blick kaum abwenden können. Daher erwacht auch bei Jungen in der Pubertät der drängende Wunsch, sich nackte Frauen in

Zeitschriften oder per Video anzusehen. Mädchen und Frauen dagegen lassen sich nicht so sehr von Äußerlichkeiten beeindrucken. Sie fühlen sich oft eher von Geruch, Stimme oder Ausstrahlung und Charakter eines Mannes angezogen. Das soll nicht heißen, dass solche Attribute Jungen gar nicht interessieren. Dennoch spielen Brüste, Po und Beine meist die erste Geige.

Siehe auch Abschnitt »Was gilt als sexuelle Belästigung«, S. 239

Viele in deinem Alter lassen keine Gelegenheit aus, um nackte Mädchen zu sehen, z. B. in den Umkleidekabinen eines Schwimmbads oder beim Umziehen vor bzw. nach dem Sport. Diese Lust an der »Spannerei« ist ein Teil der sexuellen Entwicklung und legt sich in diesem Ausmaß spätestens dann, wenn ein Junge sexuellen Kontakt zu einem Mädchen hat. Doch solange das nicht der Fall ist, reizt es natürlich doppelt – wie alles, was man (noch) nicht haben kann oder darf. Du brauchst dich deshalb nicht zu schämen, wenn du dich bei verstohlenen Blicken auf nackte Mädchen ertappst, das ist normal und beflügelt die Phantasie. Bedenklich wird es nur, wenn ein erwachsener Mann mit dem Spannen nicht aufhören kann und es ihm wichtiger ist, als leibhaftig mit einer Frau zusammen zu sein und die Sexualität live zu erleben.

Es gibt keinen Grund dich zu schämen, wenn du Mädchen heimliche Blicke nachwirfst.

Bei all den schönen Anblicken, die Mädchen dir jetzt bieten, solltest du nicht vergessen, dass sie auch lebendige Wesen sind und Empfindungen haben. Vielen ist es sehr unangenehm, von Jungen oder Männern begafft, angestarrt und begutachtet zu werden. Sie fühlen sich in ihrer Intimsphäre bedroht und zu Sexobjekten degradiert. Penetrante Blicke oder gar Pfiffe können schnell die Grenze zur sexuellen Belästigung überschreiten, die ja beginnt, wenn sich ein Mädchen oder eine Frau davon genervt fühlt und dies gegen ihren Willen erfolgt.

Auch wenn du noch so gern auf ihre Brüste, ihren Po oder ihre Beine guckst und dir vorstellst, wie es wohl wäre mit ihr ... so ganz allein zu zweit ... vergiss nie, dass hinter deinem »Objekt der Begierde« ein Mensch mit eigenem Willen steckt, der deine Gedanken möglicherweise überhaupt nicht teilt und verstehen kann und ganz andere Probleme und Interessen hat als du! Das vielleicht sollten Jungen in ihrer Begeisterung für ein Mädchen immer berücksichtigen. Wenn sie mit dir nichts zu tun haben will, dann musst du das leider akzeptieren.

Woher kommen diese wilden Phantasien?

Die beiden Geschlechter sind sowohl äußerlich als auch innerlich sehr unterschiedlich geartet. Sie verhalten sich in bestimmten Situationen von jeher ganz anders. Auch wenn man eine Weile meinte, bei gleicher Erziehung und gleichen Lebensbedingungen würden sich Jungen und Mädchen gleich entwickeln, so weiß man heute, dass sich vieles eben nicht »wegerziehen« lässt, sondern von Natur aus im jeweiligen Geschlecht verwurzelt ist.

Viele Verhaltensweisen haben mit dem Fortpflanzungstrieb der Menschen zu tun. So suchen sich Frauen ihren Partner in der Regel danach aus, wie gut er für eine gemeinsame Familie sorgen und sie beschützen kann. Männern dagegen kommt es mehr darauf an, mit möglichst vielen »Weibchen« Nachkommen zu zeugen und sich zu vermehren. Jungen wollen häufig mit Muskeln, breiten Schultern oder einem tollen Auto imponieren, während Mädchen oft mit Busen, Po und kokettem Gang Eindruck machen wollen. Deshalb fahren Männer eher auf erotische Signale ab, während Frauen von Stärke, Macht und Souveränität eines Mannes angetan sind.

Siehe auch Abschnitt »Warum beherrscht Sex oft den ganzen Tag deine Gedanken«, S. 88

Bilder von hübschen Frauen, mehr oder weniger bekleidet, kannst du in vielen Medien sehen. Kesse Dessous und kurze Röcke ziehen die Blicke der Männer auf sich. Doch selbstverständlich ist die freizügige Kleidung einer Frau für den Mann kein Freifahrtschein oder gar eine Einladung zu oberflächlichem und schnellem Sex. Auch wenn viele Mädchen sich aufputzen, um beachtet zu werden und vielleicht sogar sauer sind, wenn dies dann nicht funktioniert, so können sie sich ebenso abgewertet fühlen, wenn sie damit zu viel Begierde bei einem Jungen auslösen. Missverständnisse sind in diesem Punkt vorprogrammiert, daher solltest du besonders vorsichtig und dezent vorgehen, wenn ein Mädchen dich optisch so anmacht, dass du mehr willst.

Freizügige Kleidung bei einer Frau ist keinesfalls eine Einladung zu schnellem Sex.

Keinesfalls darf die kesse, freizügige Kleidung einer Frau für Männer zu einer Ausrede oder gar Entschuldigung für sexuelle Übergriffe und Gewalt an Frauen werden. Sprüche wie: »Die ist doch selbst schuld, wenn sie so aufreizend rumläuft!«, haben keine Berechtigung. Jungen oder Männer, die das sagen, wissen nicht, was eine Vergewaltigung ist.

Auch Jungen täuschen Mädchen durch ihr Gehabe und Auftreten oft etwas vor. So sind sehr viele nicht in der Lage, eine Frau mit Kind zu versorgen und zu beschützen. In vielen Familien ist die Frau diejenige, die alles im Griff hat, während der Mann mit sich selbst beschäftigt ist und wenig in die Reihe kriegt. Ohne seine Frau würde mancher Mann dumm aus der Wäsche sehen. Wenn Frauen ihre Männer verlassen, was in der heutigen Zeit immer öfter vorkommt, wird ihnen häufig das soziale Netz entzogen, sie fallen erst einmal in ein tiefes Loch und schmollen, weil sie sich wieder einmal keiner Schuld bewusst sind.

Du bist jung genug, frühzeitig zu erkennen, wie wichtig partnerschaftliches Verhalten ist. Wenn du dazu bereit bist und dir später mit deiner Frau bestimmte Aufgaben zu Hause wie selbstverständlich teilst, könnt ihr ein prima Team werden. Auch wenn du dies in deiner eigenen Familie vielleicht nicht erlebst und dort alles nach altem Schema abläuft, musst du dieses Verhaltensmuster nicht kopieren. Frauen sind trotz aller Tradition heute gleichberechtigte Wesen und wissen genau, was sie wollen. Wer seine Frau herabsetzt, demonstriert nur, wie schwach er selbst ist und wie viele Minderwertigkeitskomplexe er hat.

Du bist jung genug, um partnerschaftliches Verhalten zu lernen. So kannst du später mal mit deiner Frau ein prima Team werden.

Was wollen plötzlich reifere Frauen von mir?

Möglicherweise träumst du davon, von einer reiferen Frau verführt zu werden, und deshalb kommt es dir manchmal so vor, als wäre die eine oder andere tatsächlich an dir interessiert. In der Phantasie spielst du dann durch, wie du deiner Rolle als Mann gerecht werden könntest, wie du ihr männliche Überlegenheit demonstrieren und es mit ihr aufnehmen könntest. Dieses Verhalten lässt sich unter anderem aus der menschlichen Entwicklungsgeschichte erklären. Vor langer Zeit musste ein Mann in Notzeiten, wenn z. B. andere Männer bei der Jagd umgekommen waren, mit vielen Frauen schlafen können, älteren wie jüngeren. Grund: Er musste Nachkommen zeugen, um die Sippe zu erhalten. Auch wenn ein solches Verhalten völlig überholt ist, ist dieser alte männliche Instinkt in dir dafür verantwortlich, dass du dich möglicherweise unter Druck gesetzt fühlst.

91

Du magst jetzt abwinken und sagen: Nein, nein, das trifft auf mich nicht zu! Trotzdem ist dieser Instinkt in deinem Denken, Fühlen und Handeln da und löst zwiespältige Gefühle aus. Weil du jünger und unreifer bist als die in deiner Phantasie erfahrene und erwachsene Partnerin, kommst du dir klein und hilflos vor. Manchmal löst dieses Empfinden in der Realität gegenüber Mädchen und Frauen Aggressionen und eine Abwehrhaltung aus.

Es ist aber auch möglich, dass ältere Frauen dich nicht nur in deiner Phantasie, sondern tatsächlich anmachen. Sie sehen in dir einen Mann und Sexualpartner, vor dem sie keine Angst haben müssen, den sie führen können und der von ihnen im Bett nichts einfordert, wie das vielleicht ihr Ehemann tut. Außerdem schätzen sie es, dass ein Junge wie du sie als Frau wahrnimmt, sich ganz auf sie einlässt und für sie Zeit hat. Ein weiterer Grund, weshalb reife Frauen sich junge Männer nehmen, ist ihre späte, aber stark ausgeprägte Orgasmusfähigkeit. Während bei Frauen im Laufe der Jahre die Lust auf Sex stark zunimmt, nimmt sie beim Mann eher ab. Du bist also in einem Alter, in dem du sexuell so gut drauf bist, dass du einer erwachsenen Frau Erfüllung geben kannst.

Eine gleichberechtigte Partnerschaft zu entwickeln ist nicht einfach. In einer Mutter-Sohn-Beziehung funktioniert das schon gleich gar nicht. Manövriere dich also nicht zu sehr in so ein Verhältnis hinein. Es endet fast immer in einem Drama für beide Teile.

Wenn du dich auf so ein Verhältnis einlässt, kann das eine wertvolle Erfahrung sein, aber sicher nichts auf Dauer. Du wirst mit einer reifen Frau, die sich bereits auskennt, das Reich der Erotik viel besser und entspannter kennen lernen als mit einem gleichaltrigen Mädchen, dennoch solltest du deinen eigenen Weg suchen. Ein solches Verhältnis ist nicht einfach, Konflikte sind vorgezeichnet. Die meisten Jungen tun sich ohnehin schwer, eine gleichberechtigte Partnerschaft zu entwickeln. In einer Mutter-Sohn-Beziehung funktioniert das schon gleich gar nicht.

Adressen zum Thema »Missbrauch«, siehe Anhang ab S. 243

Wenn du das Gefühl hast, dass dir eine erwachsene Frau gegen deinen Willen näher kommt und mehr von dir will, solltest du so schnell wie möglich das Weite suchen. Bedrängt sie dich weiterhin, scheue dich nicht, mit deiner Mutter oder anderen Vertrauten darüber zu sprechen. Auch Jungen werden sexuell missbraucht, nicht nur Mädchen. Wenn dies auch nicht ganz so häufig geschieht, in diesem Fall können reife Frauen, Mütter oder andere Männer die Täter sein. Du solltest auf jeden Fall Hilfe suchen, wenn du dich in irgendeiner Form sexuell bedrängt oder bedroht fühlst.

Der männliche Körper

Die Geschlechtsorgane – Zentrum der männlichen Sexualität

Sowohl beim Mann als auch bei der Frau wird zwischen äußeren und inneren Geschlechtsorganen unterschieden. Zu den äußeren Geschlechtsorganen des Mannes zählen **Penis** und **Hodensack**, zu den inneren **Hoden** und **Nebenhoden**, obwohl sie außerhalb des Körpers liegen. Auch **Harnröhre**, **Samenblasen** und **Samenleiter** sowie die **Vorsteherdrüse (Prostata)** gehören zu den inneren Geschlechtsorganen.

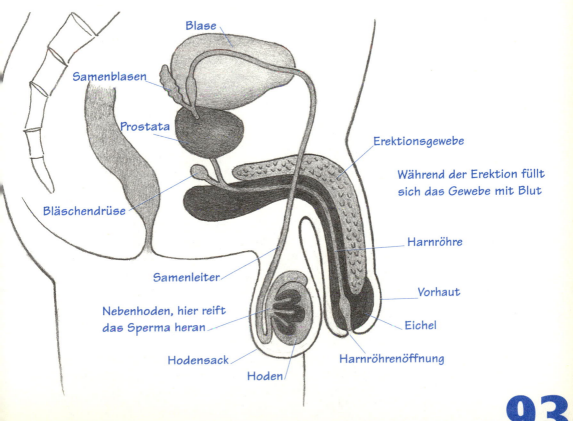

Blase

Samenblasen

Prostata

Erektionsgewebe

Während der Erektion füllt sich das Gewebe mit Blut

Bläschendrüse

Harnröhre

Samenleiter

Vorhaut

Nebenhoden, hier reift das Sperma heran

Eichel

Hodensack

Harnröhrenöffnung

Hoden

93

Siehe auch
Abschnitt
»Was läuft
jetzt bei
Mädchen ab?«,
S. 108

Was die sexuelle Erregung betrifft, ist der männliche Körper in vielen Reaktionen dem weiblichen nicht unähnlich. Da die äußeren Sexualorgane, Penis und Hodensack, deutlich sichtbar sind, kann ein Mann seine Erregung kaum verbergen. Möglicherweise kommt es daher, dass viele Jungs mit einer viel lockereren Einstellung zum Sex aufwachsen als manche Mädchen. Schon im Kindesalter ist es für einen Knaben selbstverständlich, sein Glied zum Wasserlassen in die Hand zu nehmen. Das wird in keiner Weise als schmutzig oder verboten gesehen, weshalb sich ein Junge auf ganz natürliche Weise mit seinem Geschlechtsteil »anfreunden« kann. Mädchen haben es da viel schwerer, weil diese Dinge bei ihnen in der Bauchhöhle eingebettet sind.

Hier im Einzelnen eine Beschreibung der männlichen Geschlechtsorgane:

Der **Penis** wird auch Glied genannt, in der Umgangssprache »Schwanz« oder »Pimmel«. In seinem Inneren sind drei Schwellkörper, die sich bei sexueller Erregung mit Blut füllen. Dadurch vergrößert und versteift sich der Penis, es kommt zu einer Erektion. Im unerregten Zustand wird die abgerundete Penisspitze, **Eichel** oder **Glans** genannt, von der Vorhaut (Präputium) bedeckt. Bei einer Erektion zieht sich die Vorhaut zurück, sodass die Eichel freiliegt. Sie ist das sexuelle Lustzentrum des Mannes. Oft wird aus religiösen, medizinischen oder hygienischen Gründen die Vorhaut teilweise oder ganz beschnitten, sodass die Eichel auch in unerigiertem Zustand freiliegt. An ihrer Spitze befindet sich die Öffnung der Harnröhre, an ihrer Unterseite ist sie durch ein Häutchen mit der Vorhaut verbunden.

Siehe auch
Abschnitt
»Beschneidung
– ja oder
nein?«,
S. 103

Durch die im Penis sitzende **Harnröhre** fließen sowohl der Urin als auch die Samenflüssigkeit ab. Damit letztere stets »sauber« bleibt, schließt sich bei erigiertem Penis der Blasenhals, sodass kein Urin mehr austreten kann. Klingt die Erregung ab, kehren Penis und Hoden in ihre Ruhestellung zurück und die Harnröhre gibt den Weg für den Urin wieder frei.

Körpergröße, Körperbau oder gar die Nase, wie es immer heißt (»Wie die Nase des Mannes, so sein Johannes«), haben nichts mit Länge und Stärke des Penis zu tun. Ein großwüchsiger Mann muss also keinen relativ großen Penis haben, es kann genau umgekehrt sein. Gut möglich, dass ein besonders kleiner Mann dagegen ein ziemlich großes Glied hat. Außerdem muss die Länge im schlaffen Zustand nichts über die Größe bei einer Erektion aussagen. Es ist ein Geschenk der Natur, dass ein kleiner Penis im Normalfall mehr erigiert als einer, der von Haus aus ziemlich groß ist. Viele Männer definieren sich insgeheim sehr stark über ihren Penis. Es ist für sie oft von ungeheurer Bedeutung, dass er ja groß genug ist. Obwohl das den meisten Frauen ziemlich egal ist.

Die **beiden Hoden**, die etwa so groß sind wie kleine Hühnereier, produzieren ab der Pubertät eines Jungen die Spermien, die der Fortpflanzung dienen. Diese Spermien sind so klein, dass sie nur unter dem Mikroskop erkennbar sind. Die weißliche Samenflüssigkeit, die bei einem Orgasmus aus der Spitze der Eichel austritt, besteht aber nur zu etwa einem Prozent aus Spermien. Größtenteils handelt es sich um eine Flüssigkeit, die in der Vorsteherdrüse produziert wird, und der Rest kommt aus den Samenblasen. Außer Spermien wird in den Hoden auch das männliche Sexualhormon Testosteron gebildet.

Während der Kindheit ruht die Produktion, die Hoden werden erst zu Beginn der Pubertät aktiv. Beide Hoden funktionieren unabhängig voneinander, sodass ein Mann auch nach Verlust eines dieser Organe weiterhin fortpflanzungsfähig bleibt. Manchmal hängt der linke Hoden etwas tiefer als der rechte – das ist normal. Der **Hodensack** (Skrotum), der die Hoden umschließt, ist in der Regel mit bräunlicher Haut umgeben und leicht behaart.

Die Hoden liegen außerhalb des Körpers, weil sie eine niedrigere Temperatur brauchen als die übrigen Organe. So werden sie gekühlt. Die normale Körpertemperatur wäre zu hoch für die Samenbildung. Die Temperatur wird zusätzlich noch über die Hautfalten reguliert. Sind Hoden entspannt und haben die richtige Wärme, »entfälteln« sie sich und hängen tiefer herunter als sonst. Wird es ihnen zu warm, entfernen sie sich weiter vom Körper, um sich ja nicht aufheizen zu lassen. Ist es kalt, ziehen sie sich dagegen zusammen und rücken dichter an den Körper heran. Das tun sie im Übrigen auch, wenn du Angst hast. Das hast du sicher an dir selbst schon mal beobachtet und das ist eine ganz normale Schutzreaktion.

Die Größe und Stärke des Penis hängt nicht von Körperbau oder Körpergröße ab.

Die Hoden liegen außerhalb des Körpers, weil sie eine niedrigere Temperatur brauchen als die übrigen Organe. Die normale Körpertemperatur wäre zu hoch für die Samenbildung.

95

Die Hoden gehören zu den sensibelsten und schmerzempfindlichsten Stellen deines Körpers. Ein unachtsamer Schubs, ein Tritt in diese Gegend oder ein Balltreffer beim Sport tun sehr weh. Auch deshalb halten Sportler oft die Hände vor ihren Geschlechtsbereich. Auf zarte Berührung reagieren Hoden allerdings sehr empfindsam und lustvoll. Sie sind auch eine erogene Zone. Führe deiner Freundin bei den ersten Streicheleien die Hand und signalisiere es, wenn sie zu fest drückt.

Die wenigsten Männer wissen, dass auch die Prostata zu den erogenen Zonen zählt.

Die **Samenblasen** liegen zu beiden Seiten der Prostata. Diese zwei Organe produzieren eine zuckerhaltige Flüssigkeit, die der Ernährung der Spermien dient.

Die **Prostata** oder Vorsteherdrüse ist ungefähr so groß wie eine Kastanie und liegt direkt unterhalb der Blase und dicht hinter dem Darmausgang. Sie produziert den größten Teil der Samenflüssigkeit, die unter anderem für die Ernährung der Spermien zuständig ist, aber auch ein Sekret, das zum Teil mit dem Urin ausgeschieden wird. Du kannst die Prostata fühlen, indem du mit dem Finger ein Stück in den After gehst. Die kleine Erhebung, die du dann findest, ist die Vorsteherdrüse. Viele Männer wissen gar nicht, dass die Prostata auch eine erogene Zone ist. Wenn sie stimuliert wird, kann es dabei durchaus zu einem Orgasmus kommen.

Das solltest du auf der Toilette beachten:

Wenn du auf der Toilette »treffsicher« sein willst, solltest du die Vorhaut, wie bei der täglichen Reinigung des Penis, zurückschieben. Besser noch wäre es, du würdest dich beim Harnlassen immer hinsetzen. Dann müssen nämlich nicht andere Menschen, z. B. deine Mutter oder deine Partnerin, die Folgen beseitigen. Es ist Frauen gegenüber ziemlich unverschämt, wenn Männer regelmäßig ihre Spuren auf dem Rand der Kloschüssel hinterlassen. Auch dir fällt keine Perle aus der Krone, wenn du Klopapier, und falls vorhanden, ein Desinfektionsmittel nimmst und die Schüssel danach abwischst – oder dich gleich hinsetzt. Wenn du dich bei Mädchen und Frauen beliebt machen willst, dann mach es wie sie!

Wie wird ein Penis steif, und warum lässt er sich oft nicht kontrollieren?

Jens (13):

Neulich musste ich in der Schule an die Tafel und auf einmal wurde mein Penis ganz dick in der Hose. Ich wusste gar nicht mehr, wie ich mich hinstellen sollte. Einige kicherten auch, vor allem die Mädchen. Mir war das voll peinlich und ich lief so rot an wie eine Tomate. Als es mir dann wieder passierte, am Strand von Rimini, da legte ich mich erst mal auf den Bauch und wartete ab. Dann zog ich meine enge Badehose aus und Boxer-Shorts an. Das mache ich jetzt in Zukunft immer, auch wenn ich mit der Klasse zum Schwimmen gehe. Sonst ist das einfach zu viel Stress.

Penis im Ruhezustand

Was Jens erlebt hat, kennst du vielleicht auch. In dieser Zeit der körperlichen Veränderungen kommt es vor, dass du plötzlich eine merkwürdige Spannung in deiner Hose spürst. Das ist dir peinlich und befremdet dich, weil du glaubst, jedem Menschen würde es sofort auffallen, dass du eine *Erektion* hast – das heißt, dass dein Penis steif geworden ist. Doch die Leute sehen meistens viel weniger als man selbst immer meint. Übrigens: Solch spontane Erektionen hattest du – wenn auch seltener und weniger intensiv – schon als Baby und kleiner Junge. Und jetzt, in der Pubertät, sind sie ganz normal und gehören eben dazu.

Zum Männer-Hormon Testosteron, siehe S. 107

Wenn dein Glied auf einmal so erregt wird, kann das diverse Gründe haben. Auslöser können die Reibung des Penis an deiner Hose sein, ebenso wie bestimmte Bewegungen beim Sport, aber auch allein der Anblick eines hübschen Mädchens. Gerade jetzt, in der heißen Zeit der Entwicklung, sind Jungen äußerst häufig und schnell erregt. Wenn du dann z. B. auch noch eng mit ihr tanzt, lässt sich dein Penis überhaupt nicht mehr bremsen, auch wenn du das noch so gerne möchtest, weil es dir unangenehm ist. Er führt sozusagen ein Eigenleben und du hast ziemlich wenig Einfluss darauf. Oft wird er sogar steif, wenn du überhaupt nichts

Penis in erigiertem Zustand

97

Erregendes denkst oder siehst. Man nennt dies eine unwillkürliche, spontane Reaktion. Dass dein Penis sich selbstständig macht, liegt an dem hohen und schwankenden Hormonspiegel, den Jungen in deinem Alter haben. Mit der Zeit lassen diese unkontrollierten Erektionen aber nach.

Siehe auch Abschnitt »Liebkosen, Streicheln und ein bisschen mehr: Ab wann ist man reif für Petting?«, S. 137

Die Gliedversteifung oder Erektion ist die normale Folge sexueller Erregung. Das anatomische Geheimnis dieses Vorgangs besteht darin, dass der Penis ein Schwellkörper ist und weder Knochen noch Muskeln hat. Die drei Stränge, die ihn der Länge nach durchziehen, bestehen aus einem schwammartigen Gewebe und füllen sich bei stärkerer Erregung mit Blut. Der Penis richtet sich auf, vergrößert sich und wird steif. An der Penisspitze tritt eine klare Flüssigkeit aus, das »Lusttröpfchen«. Es hat nichts mit einem Orgasmus zu tun, kann aber bereits Samenfäden enthalten, daher Vorsicht beim Petting mit einem Mädchen! Durch einen unvorsichtigen Griff vom Penis zur Scheide kann eine Schwangerschaft ausgelöst werden!

Christoph (14):

Was genau ist eigentlich eine »Morgenlatte«?

Dein Penis führt manchmal ein Eigenleben.

Davon spricht man, wenn Jungen und Männer morgens aufwachen und ein steifes Glied haben. Die »Morgenlatte« ist ein weiterer Beweis dafür, wie selbstständig dein Penis oft agiert. Weil sich nachts die Blase mit Urin füllt und nun auf die Blutgefäße drückt, staut sich das Blut in den Schwellkörpersträngen des Penis – Folge: Er wird steif. Außerdem produziert dein Körper gerade morgens die größte Menge des Männerhormons Testosteron. Aber auch ein erotischer Traum kann dir eine »Morgenlatte« bescheren.

Feuchte Träume:
Was sind das für Flecken auf meinem Laken?

Ein ganz typisches und untrügliches Signal dafür, dass du dich in der Pubertät befindest, sind die sogenannten »feuchten Träume« (Pollution). Das mag anfangs etwas verwirrend für dich sein, wenn du aufwachst und dein Schlafanzug oder dein Laken haben harte, fleckige Stellen.

Nick (15) :

> Ich war zwölf, als ich meine erste feuchte Nacht hatte. Obwohl mir meine Mutter darüber was erzählt hatte, kam es total überraschend. Meine Schlafanzug-Hose war eines Morgens so feucht, als hätte ich es versäumt, aufs Klo zu gehen. Auch mein Laken hatte helle, weißliche Flecken. Es war mir ziemlich unangenehm und peinlich, aber meine Mutter sagte ganz selbstverständlich: 'Siehste, jetzt ist es so weit, darüber haben wir doch vor einiger Zeit gesprochen. Reg dich nicht auf, es ist okay.' Für diese coole Reaktion bin ich ihr heute noch dankbar.

Diese nächtliche Erregung mit anschließendem *Samenerguss*, auch *Ejakulation* genannt, ist in deinem Alter etwas völlig Normales. Viele Jungen schämen sich dafür, was absolut unnötig ist. Wenn sich deine Eltern darüber lustig machen oder über die verschmutzte Wäsche meckern, dann ist das sehr gemein von ihnen und nicht gerade einfühlsam. Dennoch – wenn sie das tun, grüble nicht und mach dir kein schlechtes Gewissen. Es gehört zu deiner natürlichen Entwicklung.

Auch wenn du dich morgens an nichts erinnern kannst, was zu dieser feuchten Nacht geführt haben könnte, so ist dies in der Regel die Folge eines lustvollen, erotischen Traums. Manchmal hat der Traum auch keinen sexuellen Inhalt. Doch während des Träumens wird der Penis ohnehin steif, egal welche Geschichte in deinem Traum abläuft. So liegt es auch nahe, dass es zu einer Ejakulation kommt. Später, wenn du dich häufiger selbst befriedigst oder mit einem Mädchen schläfst, wirst du kaum noch feuch-

Hab kein schlechtes Gewissen, wenn du die Bettwäsche verschmutzt! Die »nächtliche Überraschung« gehört zu deiner ganz normalen Entwicklung.

99

»Feuchte Träume« sind ein Zeichen dafür, dass deine Hoden jetzt Samen produzieren und du biologisch fähig bist, ein Kind zu zeugen.

te Träume haben. Doch wenn erwachsene Männer aus irgendwelchen Gründen lange Zeit keinen Sex haben und auch nicht onanieren, kehren die feuchten Träume zurück.

Sie sind auch ein Zeichen dafür, dass deine Hoden jetzt Samen produzieren und du biologisch fähig bist, ein Kind zu zeugen. Die meisten Jungen haben im Alter zwischen elf und vierzehn Jahren noch keinen Sex, und wenn du dich auch selbst noch nicht befriedigst, staut sich der Samen in den Nebenhoden – und es kommt nachts dann unbewusst zu einer plötzlichen »Entladung«, einem *Orgasmus*.

Die Flecken auf dem Laken entstehen durch die milchige Samenflüssigkeit, die bei der Ejakulation aus dem Penis austritt. Sie wird in der Prostata und in den Bläschendrüsen gebildet.

Wie groß muss ein Glied sein?

Mehr zu den Geschlechtsorganen auf S. 93

Dafür gibt es keinerlei Richtlinien. Wie groß oder klein ein Penis wird und welche Form er mal haben wird, ist erblich bedingt. Ob er am Ende deiner Entwicklung kurz oder lang, dick oder dünn, gerade oder krumm ist – alles ist richtig. Und kein Penis ist wie der andere. Wobei es einen einzigen grundsätzlichen Unterschied gibt: Der im schlaffen Zustand eher kleine Penis wird erigiert etwa doppelt so groß und der im schlaffen Zustand eher große Penis legt erigiert nicht mehr viel zu. Letzterer zieht vor allem im Schwimmbad oft viele neidvolle Blicke auf sich. Ein großes Glied steht jedoch nicht gleich für ausgeprägte Manneskraft und ist auch nicht leichter erregbar als ein kleines.

Den meisten Mädchen und Frauen ist Größe und Form eines Penis ohnehin egal. Auch für ihre sexuelle Lust ist das unbedeutend; denn die weibliche Scheide ist sehr elastisch und passt sich jedem Penis an. Frauen stehen bei der körperlichen Liebe mehr auf Kreativität, Phantasie, Einfühlungsvermögen und vor allem auf das Gefühl, aufrichtig begehrt zu werden. Dennoch ist der Penis der große Stolz aller Männer, und obwohl seine Länge für den Spaß am Sex keine Rolle spielt, ist sie für das Selbstbewusstsein des Mannes sehr wichtig. Kaum ein Körperteil erhält mehr Aufmerksamkeit, kaum eines ist von mehr Mythen, Märchen und

Missverständnissen umwoben. Und kein anderes Organ verunsichert den Mann mehr. Er fragt sich oft ein ganzes Leben lang: Ist er groß, dick und lang genug? Wie groß müsste er sein, wenn er ideal wäre? Kriege ich ihn hoch? Kann er meine Partnerin ausreichend befriedigen? Interessant, dass Männer untereinander wenig bis gar nicht über ihr bestes Stück sprechen, obwohl es sie so sehr beschäftigt. Die meisten scheuen davor zurück, behalten ihre Fragen für sich und bleiben unsicher.

Du musst das nicht auch so machen. Wenn du einen besten Freund hast oder mit deinem Vater offen reden kannst, dann tu das. Es hilft, wenn man sich austauschen kann, und viele offene Fragen, die dich sonst vielleicht ewig beschäftigen würden, könnten so mit einem Mal beantwortet werden. Den meisten Jungen geht es nämlich genau wie dir. Sie wollen es nur genauso wenig zugeben wie du.

Zu den üblichen Spielen in deinem Alter gehört das Vergleichen der Penisgröße. Entweder verstohlen in der Umkleidekabine oder unter der Dusche oder beim »Wettmessen«. Letzteres wird hin und wieder mit einem Maßband vorgenommen. Ein Spielchen, das keiner zu ernst nehmen sollte, denn in der Phase der Entwicklung kann sich noch eine Menge tun. Mach dir nichts draus, wenn andere Jungen mit ihrer Penisgröße protzen. Solche Angebereien deuten nur auf Unsicherheit und Komplexe hin.

Ben (15):

> Ich schäme mich, weil ich so einen großen Penis habe. Deshalb werde ich auch gehänselt. Und meine Freundin hat Angst davor. Sie traut sich deshalb nicht, mit mir zu schlafen.

Wenn alle anderen Jungen einen kleineren Penis haben, ist der mit dem größten entweder der »King« oder er wird deswegen gehänselt. Mach dir nichts draus, die anderen haben das gleiche grundlose Problem, weil ihrer so klein ist. Wenn deine Freundin noch nie einen erigierten Penis gesehen hat und möglicherweise aus

Kaum ein Körperteil erhält mehr Aufmerksamkeit als der Penis.

Ein großes Glied ist nicht gleich ausgeprägte Manneskraft und ist auch nicht leichter erregbar als ein kleines.

101

Was jetzt bei
Mädchen
abläuft,
erfährst du
ab S. 108

einem verklemmten Elternhaus kommt, kann es schon sein, dass sie ein steifes Glied erst erschreckt. Sei ganz zärtlich und rücksichtsvoll zu ihr, und dränge sie nicht. Wenn sie merkt, dass du ihr die Zeit gibst, die sie braucht, wird sie ihre Angst bestimmt überwinden.

Welche Funktion hat die Vorhaut?

So wie jeder Penis anders gewachsen ist, gibt es auch keine einheitliche Vorhaut. Bei jedem Jungen fällt sie ein bisschen anders aus. Die Vorhaut bedeckt und schützt den empfindlichen vorderen Teil des Penis, die Eichel. Bei manchen fällt sie kaum auf, bei anderen umschließt sie die Eichel vollständig. Egal wie – alles ist total normal. Schließlich ist kein Mensch auf dieser Welt wie der andere. Jeder Mensch ist einzigartig.

Wenn du durch den Anblick eines Mädchens oder durch eine zarte Berührung erregt bist, gleitet die Vorhaut auf Befehl des Gehirns zurück, sodass die pralle Eichel enthüllt wird. Die Vorhaut wird auf einer Seite wie durch ein feines Bändchen festgehalten. Wenn du dich wäschst, dann schiebst du sie zurück. Dieser Vorgang ist dir sicher bekannt.

Antonio (13):

Meine Vorhaut sieht ein bisschen aus wie ein Rüssel. Ist da was verkehrt?

Nein, es ist alles okay. Bei vielen Männern bedeckt die Vorhaut beim schlaffen Glied die Eichel wie ein kleiner Rüssel. Das ist nichts Außergewöhnliches, weswegen du dir Sorgen machen müsstest.

Beschneidung – ja oder nein?

Unter Beschneidung versteht man die operative Entfernung der Vorhaut am Penis. Bei einigen Völkern und manchen Religionen (z. B. in der jüdischen) wird dies schon im frühen Kindesalter, oft wenige Tage nach der Geburt, als religiös geprägtes Ritual vollzogen. In den USA werden fast alle Jungen gleich nach der Geburt beschnitten. Dort hat es vor allem hygienische Gründe. Zudem ist daraus leider auch eine Art Mode geworden. Dabei hat man lange Zeit vergessen, was es für einen Mann bedeutet, wenn ihm dieses kleine Stück Haut fehlt, in dem Drüsen und sehr sensible Nervenenden sitzen. Männer, die beschnitten sind, berichten, dass ihre Eichel durch die fehlende Vorhaut und die dadurch entstehende ständige Reibung an der Wäsche sehr unempfindlich geworden sei und sie weniger intensive Gefühle beim Sex haben.

Sofern dich deine Eltern nicht schon beschneiden ließen, musst du für dich allein entscheiden, ob du dir die Vorhaut entfernen lassen willst oder nicht.

Zeitweise wurde die Beschneidung auch bei uns diskutiert, weil es Vermutungen gab, dass sie die Gefahr von Peniskrebs verringere, was bisher wissenschaftlich nicht eindeutig nachgewiesen werden konnte. Sicher scheint aber zu sein, dass die an der Innenseite der männlichen Vorhaut gebildeten Sekrete (Smegma) krebsfördernde Substanzen enthalten können. So sollen beschnittene Männer z. B. wesentlich seltener an Peniskrebs erkranken als unbeschnittene. Auch bei Frauen beschnittener Männer wird viel seltener Krebs am Gebärmutterhals gefunden. Das so genannte »Smegma«, das sich unter der Vorhaut absondert, sollte daher vom Mann durch die tägliche sorgfältige Wäsche von Eichel und Vorhaut entfernt werden. Die Garantie, aufgrund einer Beschneidung niemals Krebs in der Geschlechtsgegend zu bekommen, kann dir allerdings niemand geben.

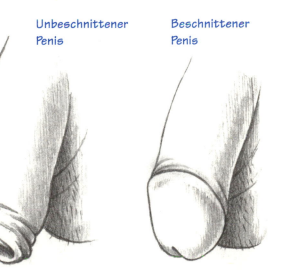

Unbeschnittener Penis

Beschnittener Penis

103

Phimose – wenn sich die Vorhaut nicht zurückschieben lässt

Siehe auch
Abschnitt
»Die richtige
Pflege von
Penis, Hoden
und Scham-
haaren«,
S. 77

Unter **Phimose** versteht man eine Vorhautverengung, die relativ oft vorkommt. Während es im Säuglingsalter völlig normal ist, dass die Vorhaut mit der Eichel verklebt ist und bei kleinen Jungen oft länger ist als der Penis, sollte sie sich ca. ab dem vierten Lebensjahr leicht darüber zurückziehen lassen, da es sonst zu Entzündungen kommen kann. In der Regel achten Eltern darauf, dass die Phimose von einem Arzt behoben wird.

Etwa bei fünf von hundert Jungen lässt sich die Vorhaut nicht über die Eichel zurückziehen. Dadurch kriegt dein Penis eine Art Knick. Das bemerkst du spätestens dann, wenn er erstmals steif wird. Außerdem kann der Harn dann nur in einem dünnen Strahl aus-treten, es schmerzt, brennt und juckt. Zudem kann das Smegma beim Waschen nicht entfernt werden. In so einem Fall ist eine Beschneidung wirklich sinnvoll und nötig. Manchmal wird auch nur unter örtlicher Betäubung ein kleines Stückchen Vorhaut beseitigt. Diese kleine Operation ist völlig ungefährlich, vielleicht ein bisschen unangenehm, aber keinesfalls etwas, wovor du Angst haben müsstest. Die Phimose muss unbedingt behandelt werden, da sonst die Eichel abgeschnürt werden könnte.

Wie entstehen die Samen? Das Fortpflanzungssystem des Mannes

Die Samenbildung ist ein höchst komplizierter Vorgang, der durch äußere Einflüsse wie Stress, Nikotin oder Umweltgifte leicht aus dem Rhythmus zu bringen ist. Über zwei Monate dauert es, bis aus Samen reife Samenzellen werden.

Siehe auch
Abschnitt
»Das Männer-
Hormon
Testosteron -
was bewirkt
es ?«,
S. 107

Es beginnt im fast dreihundert Meter langen Kringel-Labyrinth der **Samenkanälchen**, die sich im Inneren der **Hoden** befinden. Durch das Männerhormon **Testosteron**, welches in den Hoden-zwischenzellen produziert wird, kommt in der Pubertät die Samenbildung in den Samenkanälen in Gang. In dem Augenblick, in dem die **Hodenzwischenzellen** ihre Aktivität aufgenommen haben, kannst du auch Vater werden.

In diesen dünnen Samenkanälen sitzen fette, runde, unreife Zellen, die Spermatogonien, die über mehrere Entwicklungsstufen zu den **Samenzellen** werden. Die Entwicklung ist ein zyklischer Vorgang in sechs Stadien. Tag und Nacht, ohne Pause, beginnen neue Reifungsprozesse. Aus einer Batterie von Spermatogonien entwickeln sich unter der Regie von Hormonen immer wieder Spermien. Der ganze Entwicklungsprozess eines Spermiums dauert rund 65 Tage. Die reifen **Spermien** werden dann in den **Nebenhoden** »zwischengelagert«. Von den Nebenhoden führen die **Samenleiter** zur Harnröhre. Durch diesen Gang werden die Samen dann beim Samenerguss endgültig hinausbefördert, das heißt, sie werden aus ihrer Speicherstätte abberufen. Findet keine sexuelle Befriedigung statt, steigt die Konzentration der Spermien bis zum zehnten oder elften Tag der Enthaltsamkeit stetig an. Danach gelten sie nach körpereigenen Kriterien als abgestanden und gehen ein. Sie werden mit dem Urin hinausbefördert.

Ein **Samenfaden** ist sehr, sehr klein, hat einen Schwanz, ein Mittelstück und einen Kopf mit einer Art Kappe drauf, die sich wie ein Kondom anschmiegt. Die Köpfe von Spermien sind so verschieden wie die Köpfe der Menschen. Sie können länglich oder rundlich sein, klein oder überproportional groß, es gibt sogar Samenzellen mit zwei Köpfen oder mit herzförmigem Kopf und zwei Schwänzen. Das Schwanzteil besorgt die Eigenbewegung. Es schiebt das Spermium propellerartig vorwärts, in einer Minute legt es bis zu vier Millimeter zurück, was für seine Größe außerordentlich schnell ist.

Der Weg einer Samenzelle bis zur Befruchtung einer weiblichen Eizelle

Bevor eine Samenzelle reif und richtig einsatzfähig ist, um sich zu einer weiblichen **Eizelle** bewegen zu können, muss sie während der Zeit der Nebenhoden-Zwischenlagerung zwölf Tage durch dieses Schlauchsystem wandern. Von da aus geht es durch die Samenleiter, die sich rhythmisch zusammenziehen und dadurch den Samen vorwärts treiben können, zur Harnröhre. An den

In den Nebenhoden werden die Samenzellen zwischengelagert.

105

Samenleitern sitzen jede Menge **Bläschendrüsen**, die den größten Teil der **Samenflüssigkeit** produzieren. Diese Flüssigkeiten werden hier mit den Samenfäden vermischt und haben alle gewisse Eigenschaften, die für Beweglichkeit und Stoffwechsel der Samen sehr wichtig sind.

Siehe auch Abschnitt »Was passiert beim Geschlechtsverkehr?«, S. 157

Direkt vor der Harnröhre befindet sich die **Vorsteherdrüse (Prostata)**, die im wahrsten Sinne des Wortes der Harnröhre »vorsteht«. Sie wird von den Samenleitern durchquert und besteht auch aus vielen kleinen Drüsen, die ebenfalls ihren Teil zur Samenflüssigkeit beitragen. In dieser Samenflüssigkeit, die man auch Sperma nennt, werden die Samen unter großem Druck und stoßweise nach draußen geschleudert. In diesem Moment erlebst du gleichzeitig einen Orgasmus, mit dem sehr angenehme und lustvolle Gefühle verbunden sind. In deinem Alter kann es allerdings sein, dass es noch nicht so spritzt, sondern nur herausrinnt. Aber das ist auch normal. Sperma sieht aus wie Eiweiß, ist ein bisschen zähflüssig, hat einen pilzigen, leicht salzigen Geschmack und riecht säuerlich.

Jeder Bestandteil des Spermas hat eigene, wichtige Aufgaben zu erfüllen. In den Flüssigkeiten aus den kleineren Drüsen sind Stoffe enthalten, die noch starren Samen zur Beweglichkeit anregen, ihn nähren und ihm ein geeignetes Lebensklima verschaffen. Die Samenflüssigkeit ist also ein Wunderwerk der Natur und eine hochkomplizierte Sache.

Um beim Geschlechtsverkehr in eine weibliche Eizelle einzudringen und mit ihr zu verschmelzen, beginnt ein echtes Wettrennen der Samen. Nur der allerschnellste gewinnt den Kampf um ein befruchtungsfähiges Ei. Die meisten Samenzellen sterben unterwegs ab. Warum das so ist, konnten Wissenschaftler bis heute nicht ganz genau klären. Das bedeutet auch, dass am Ende der langen Reise eines Spermiums nur selten eine Schwangerschaft eintritt. Auch wenn du dir das vielleicht nicht vorstellen kannst, so sind die Chancen, ein Baby zu zeugen und zu bekommen relativ gering. Was dich aber nicht davon abhalten sollte, zu verhüten! Hilfreich für die Spermien kann ein Orgasmus der Frau sein. Denn die Muskelkontraktionen, die damit einhergehen, schieben die Samenzellen weiter, sodass sie nicht den ganzen Weg mit Eigenantrieb fahren müssen.

Siehe auch Abschnitt »Lerne den Körper des Mädchens kennen!«, S. 139

In den weiblichen Geschlechtsorganen wird das Sperma noch flüssiger, damit es besser in die Eileiter aufsteigen kann, wo meist die Befruchtung stattfindet. Bei einem einzigen Samenerguss werden etwa 400 Millionen Samen hinausbefördert. Je mehr Ejakulationen hintereinander stattfinden, desto weniger Samen sind im Sperma enthalten.

Verhütung ist niemals überflüssig.

Das Männer-Hormon Testosteron – was bewirkt es?

Schon in den letzten Abschnitten war immer wieder vom männlichen Sexualhormon Testosteron die Rede. Es ist der wichtigste Vertreter aller männertypischen Hormone, die man allgemein Androgene nennt. Testosteron ist in der Pubertät für eine Menge Veränderungen in deinem Körper verantwortlich. Es wird in den Hoden produziert und für die Produktion von Sperma gebraucht. Die Hormone FSH (follikelstimulierendes Hormon) und LH (luteinisierendes Hormon) werden vom Gehirn aus gesteuert und gelangen über die Blutbahn zu den Geschlechtsorganen, wo sie die Ausschüttung der Androgene, also auch des Testosterons, in Gang bringen.

Die wichtigsten Punkte, die das Testosteron bei Männern bewirkt:

- Es ist für die Vergrößerung von Penis, Hoden und Hodensack verantwortlich und macht diese Organe auch wesentlich empfindsamer. Mit anderen Worten: Es verstärkt die Lust auf Sex und steuert das sexuelle Verhalten eines Mannes.

- Es fördert nicht nur den Sexualtrieb, sondern auch typisch männliche Verhaltensweisen wie Abenteuerlust, Risikobereitschaft und Konkurrenzdenken.

- Es regt das gesamte Wachstum an, auch das der Muskeln. Dem Testosteron hast du es zu verdanken, dass du in die Höhe schnellst und breite Schultern bekommst – dass du eben am Ende der Pubertät aussiehst wie ein richtiger Mann.

Siehe auch Abschnitt »Wie entstehen die Samen – das Fortpflanzungssystem des Mannes«, S. 104

107

- Es sorgt für Bartwuchs und Körperbehaarung an Brust, Armen und Beinen.

- Es löst den Stimmbruch aus. Danach ist deine Stimme einige Oktaven tiefer.

- Weil sich der Hormon-Pegel noch nicht eingependelt hat, kann Testosteron in der Pubertät leider auch Pickel verursachen.

Siehe auch Abschnitt »Der Kampf gegen die Pickel«, S. 72

- Die Ausschüttung von Testosteron ist starken Schwankungen unterworfen. Auch bei Mädchen, bei denen in der Pubertät das weibliche Hormon Östrogen gebildet wird, ist das so.

- Durch starke äußere Reize, wie z. B. ein hübsches Mädchen, kann die Testosteron-Bildung enorm angekurbelt werden, während sie durch Alkohol und Stress absinkt.

Kann ein Mann durch das Tragen enger Jeans unfruchtbar werden?

Auf die Potenz haben enge Hosen keinen Einfluss, aber möglicherweise auf deine Zeugungsfähigkeit.

Im Grunde wirkt sich alles, was die Spermaproduktion beeinträchtigt, auch auf die Fruchtbarkeit aus. Durch das Tragen enger Jeans kann nicht nur die Blutversorgung stocken, sondern auch die Temperatur im Hodensack steigen, sodass sich die Spermazellen nicht richtig entwickeln. Da Sperma aber ständig produziert wird, ist es wahrscheinlich, dass durch enge Jeans die Fruchtbarkeit und Zeugungsfähigkeit eines Mannes zwar vorübergehend verringert sein kann, aber für die Zukunft keine Auswirkungen zu erwarten sind. Auf die Potenz haben enge Hosen übrigens keinen Einfluss.

Was läuft jetzt bei Mädchen ab?

Die Entwicklung eines Mädchens zur Frau ist gewiss nicht einfacher als die eines Jungen zum Mann. Sie beginnt etwa ein bis zwei Jahre früher, ca. um das 11. oder 12. Lebensjahr herum. Jungen in einer Klasse mit gleichaltrigen Mädchen, die bereits sehr weiblich und sexuell attraktiv aussehen, wirken dagegen oft noch sehr kindlich. Deshalb kommt es nur selten vor, dass sich ein Mädchen in einen gleichaltrigen Jungen verliebt, mit ihm flirtet oder sexuelle Beziehungen hat. In der Regel zieht sie ältere Jungs vor. Die seelischen Konflikte eines Mädchens in der Pubertät sind ähnlich wie die deinen. Auf der einen Seite fühlt sie sich stärker als früher, auf der anderen hat sie Angst, aus ihrer heilen Kinderwelt herausgeschleudert zu werden und nicht einschätzen zu können, wo der Zug hinfährt. Sie will sich schon beweisen in ihrer Weiblichkeit, aber weiß nicht genau wie. Ihre Stimmungen schwanken wie bei dir zwischen himmelhoch jauchzend und zu Tode betrübt. Manchmal fühlt sie sich total hässlich, traurig und verkrümelt sich. Und irgendwie schielt sie nach Jungen, obwohl sie vor dem engeren Kontakt mit ihnen letztlich dann doch noch Angst hat. Oft sind reifere Mädchen ein bisschen gemein und hänseln Jungs, wenn sie ihnen in der geschlechtlichen Entwicklung hinterherhinken.

Siehe auch Abschnitt »So empfindet ein Mädchen den Orgasmus?«, S. 174

Die Geschlechtsorgane sind beim Mädchen – ebenso wie beim Jungen – schon bei der Geburt vorhanden. Es sind dies die zwei Eierstöcke, zwei Eileiter, die Gebärmutter, die Scheide und der Kitzler (Klitoris). Alle diese Organe befinden sich im Unterleib unterhalb des Bauchnabels. In der Mitte ist die Gebärmutter angesiedelt, in der nach einer Befruchtung ein Baby heranwächst. Die Gebärmutter ist etwa faustgroß und hat die Form einer Birne. Von da aus winden sich die Eileiter zum Eierstock hin. Von der Gebärmutter aus führt die Scheide nach unten aus dem Körper heraus. Außen sind nur die Schamlippen zwischen den Oberschenkeln zu sehen. Dazwischen ist der Kitzler oder die Klitoris eingebettet. Sie ist das sexuell empfindsamste Organ der Frau und entspricht der männlichen Eichel. Frauen kommen durch Stimulieren der Klitoris viel eher zu einem sexuellen Höhepunkt als wenn der Mann sein Glied in ihre Scheide einführt.

Körperlich tut sich auch bei Mädchen in den Jahren der Geschlechtsreife eine ganze Menge. Wie bei Jungen, wird diese Entwicklung bei ihnen ebenfalls von Hormonen ausgelöst. Was für Körper und Seele eines Jungen das Testosteron ist, ist das *Östrogen* für die Frau. Unter seinem Einfluss beginnen um das elfte Lebensjahr herum bei den meisten Mädchen die Brüste zu wachsen. Etwa zwei Jahre später tritt die erste *Monatsblutung* ein, auch Menarche, Periode, Regel oder Tage genannt. Von jetzt ab werden in den Eierstöcken Östrogene gebildet.

Was für den Mann das Testosteron, ist für die Frau das Östrogen.

109

Der *Zyklus* einer Frau wird vom Gehirn gesteuert. Das follikel-stimulierende Hormon (FSH) gelangt über die Blutbahn zum *Eierstock*, wo es die Östrogenbildung anregt. In einem der beiden Eierstöcke reift während der ersten Hälfte des Zyklus eine *Eizelle* heran. Gleichzeitig wird in der *Gebärmutter* Schleimhaut angesammelt. Hier wird sich im Falle einer *Schwangerschaft* die befruchtete Eizelle einnisten.

Ist die Eizelle reif, signalisiert der Eierstock über das Hormon Östrogen dem Gehirn, ein weiteres Hormon auszuschütten, das luteinisierende Hormon (LH). Übrigens: Bei Jungen bringen die beiden Hormone FSH und LH die Produktion des Testosterons in Gang. Bei Mädchen veranlasst das luteinisierende Hormon etwa um die Mitte des Zyklus die reife Eizelle aus dem Eierstock heraus zum Eisprung. Damit beginnen die fruchtbaren Tage der Frau. Der Weg der *Eizelle* durch den Eileiter dauert etwa vier Tage. Auf dieser »Strecke« kann sie von einer männlichen Samenzelle befruchtet werden. Die leere Eihülle bleibt im Eierstock, worin nun ein weiteres Hormon, das *Progesteron*, wegen seiner gelblichen Färbung auch Gelbkörper genannt, gebildet wird. Aufgabe dieses Gelbkörpers ist es, aufzupassen, dass ein befruchtetes Ei nicht aus Versehen ausgestoßen wird. Kommt es zu keiner Befruchtung, stirbt die Eizelle ab und innerhalb der nächsten zehn bis vierzehn Tage bekommt die Frau ihre Monatsblutung. Der erste Tag der Monatsblutung ist gleichzeitig der erste Tag des neuen Zyklus.

Die Samenzelle tritt in die weibliche Eizelle ein.

Bei der Periode wird die oberste Schicht der Gebärmutterschleimhaut abgestoßen, die Muskeln der Gebärmutter ziehen sich dabei leicht zusammen. Manchen Mädchen und Frauen macht das gar nichts aus, sie spüren es kaum. Andere dagegen leiden unter Bauchkrämpfen und auch Kopfschmerzen. Es kommt vor, dass Mädchen vor und während ihrer Tage etwas schlecht gelaunt sind. Als moderner Junge solltest du dafür Verständnis haben. Wie lange die Tage dauern, ist von Frau zu Frau und von Mal zu Mal sehr unterschiedlich. Gerade in der Pubertät, wenn sich der Zyklus noch nicht eingependelt hat, läuft er oft auch sehr unregelmäßig ab. Es stimmt nicht, dass er immer 28 Tage lang sein muss. Bei vielen Frauen ist er kürzer oder länger. Und es kommt auch darauf an, wie sehr eine Frau unter Stress steht, welchen Stimmungen und Spannungen sie unterliegt.

Als moderner Junge solltest du Verständnis dafür haben, wenn ein Mädchen vor oder während der Periode schlecht gelaunt ist, auch wenn du der Leidtragende bist.

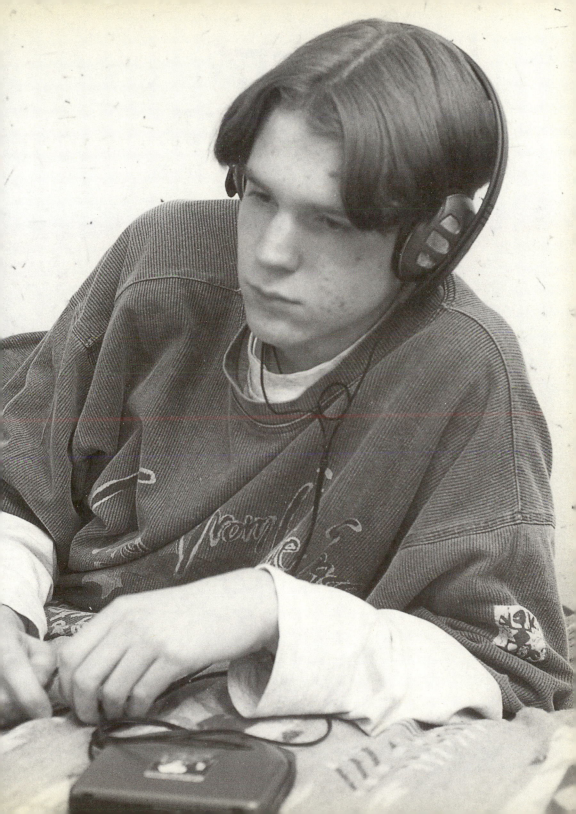

Liebe, Herz und Schmerz

6. Beziehungen, Gefühle, Liebe

7. Küssen, Petting, Streicheleinheiten – Spiele ohne Grenzen?

Beziehungen, Gefühle, Liebe

Liebe – was ist das überhaupt?

Joschka (15):

> Seit einiger Zeit finde ich ein Mädchen aus unserer Schule total gut. Wie sie lacht und sich bewegt, das ist einfach irre. Außerdem sieht sie noch verdammt gut aus. Ich bin natürlich nicht der Einzige, der auf sie steht. Nun hat sie mich neulich mal angelächelt, und ich überlege, ob ich sie ansprechen soll. Vielleicht ist das ja Liebe zwischen uns und wir wissen es nur nicht?

Siehe auch Abschnitt »Verknallt, verliebt: Wo liegt der Unterschied?«, S. 38.

Es ist sehr schwierig, zu erklären, was Liebe ist. Tatsache ist, dass sich dahinter ein sehr starkes Gefühl verbirgt, das sich nicht steuern lässt. Es überfällt dich und du kannst nichts dagegen machen. Es verlässt dich und du kannst es nicht aufhalten. Liebe kann wunderschön sein und dich sehr glücklich machen, aber sie tut oft auch weh – und dann meinst du, dass du in ein tiefes Loch fällst und nie mehr rauskommst.

Liebe heißt auch geben und nehmen, selbst wenn die Idealvorstellung von Liebe oft so definiert wird, dass man gibt, ohne etwas zurückzuerwarten. Zum Glück leben uns immer noch einzelne Menschen vor, dass das möglich ist. Doch es ist nur allzu menschlich, dass man seine Liebe erfüllt sehen will und nicht nur seine jemand schenkt und dafür nichts empfängt.

114

Wer die Liebe eines anderen Menschen annimmt, hat damit gleichzeitig ihm und sich selbst gegenüber eine Verantwortung. Mit den Gefühlen eines anderen zu spielen, ihn hinzuhalten oder ihm etwas vorzugaukeln, kann sehr verletzend sein und den Betreffenden seelisch fertig machen, im schlimmsten Fall sogar vernichten. Deshalb heuchle nie jemand etwas vor, auch wenn es dir schwer fällt, die Wahrheit zu sagen. Oft tut auch die sehr weh, aber letztlich nicht so sehr wie das Vorspielen falscher Tatsachen. Andererseits kann niemand erwarten, dass seine Liebe selbstverständlich erwidert wird. Gefühle lassen sich nicht erzwingen oder manipulieren, sie lassen sich höchstens respektieren oder verstehen.

Liebe ist nicht nur etwas, was sich zwischen zwei Liebespartnern abspielt. Es gibt viele unterschiedliche Arten von Liebe und jeder sieht sie aus seinem eigenen Blickwinkel. Eltern lieben ihre Kinder, Kinder ihre Eltern, Geschwister untereinander empfinden Liebe füreinander. Und du liebst Oma und Opa, deine Tiere und deine Freunde. Immer wenn dir jemand besonders viel bedeutet, wenn du dich in Gedanken oder auch persönlich mit ihm beschäftigst und für ihn da bist, ist dieses starke Gefühl Liebe mit im Spiel. Wer geliebt wird, kann sich glücklich schätzen, ist mit sich zufrieden und fühlt sich geborgen.

Wenn es nun auch noch ein Mädchen gibt, das dir gefällt und in das du verliebt bist, erlebst du eine ganz besondere Variante der Liebe. Du schwebst auf rosaroten Wolken und spürst, dass du den Wunsch hast, ihr körperlich ganz nah zu sein. Diese Art von Liebe kann auch zwischen zwei Jungen oder zwei Mädchen entstehen. Das Neue an dieser Art Zuneigung ist für dich, dass jetzt Sexualität eine große Rolle spielt. Du merkst, dass z. B. die Liebe zu deinen Eltern eine ganz andere ist als die, die du für dein Traumgirl empfindest. Bei allem Bauchkribbeln, das dich in dieser Phase so euphorisch macht, solltest du aber immer wissen, dass eine Liebe auch enden kann. Vor allem in deinem Alter kommt es oft vor, dass die Gefühle von heute übermorgen schon vorbei sind. Das ist normal – schließlich musst du deine Erfahrungen sammeln, damit du später mal nicht glaubst, dass du etwas versäumt hast. Außerdem muss man – wie so viel im Leben – auch das Lieben erst lernen.

Wer die Liebe eines anderen Menschen annimmt, hat ihm und sich selbst gegenüber eine Verantwortung. Mit den Gefühlen eines anderen darf man nicht spielen.

Außer der Liebe zu einem Mädchen gibt es noch andere Arten von Liebe: die zu deinen Eltern, Geschwistern, Oma und Opa, Freunden und die zu Tieren.

115

Von der großen Liebe träumen – ist das unmännlich?

Früher glaubten Männer, von der großen Liebe zu träumen, das wäre Sache der Frauen. Ein richtiger Mann, was immer das auch sein mag, mache so etwas nicht. Das ist absoluter Unsinn. Dein Vater und dein Großvater haben sich wahrscheinlich auch noch schwer getan damit, ihren Frauen »ich liebe dich« zu sagen, was sich oft bis in die heutige Zeit fortsetzt. Gefühle auszudrücken, das trainierte man Jungen früher schon in der Kindheit ab, was später in Partnerschaften zu Problemen führte und immer noch führt. Frauen sehnten sich nach Gefühlen, während Männer sie vehement unterdrückten. Alles, bloß nicht als Gefühlsdussel dastehen, hieß ihre alte, längst überholte Devise. Jungen wurden darauf getrimmt, dass sie hart im Nehmen sein müssten. Als Ernährer und Chef der Familie sollten sie sich auch ihre Frauen untertan machen. Doch seit die Emanzipationsbewegung die Frauen wachrüttelte, funktioniert dieses System nicht mehr.

Früher machten sich Männer ihre Frauen gerne untertan. Doch dieses System funktioniert heute nicht mehr.

Zum Glück werden die meisten Jungen heute von ihren Müttern so erzogen, dass auch sie Ideale wie Liebe und Treue, Wärme und Geborgenheit sehr hoch bewerten. Die Bedeutung einer echten Partnerschaft ist ihnen absolut bewusst und sie gehen in der Regel auch sehr pfleglich damit um. Wie Umfragen beweisen, geht es modernen Jungen auch beim Sex nicht mehr nur um die reine Befriedigung, die Liebe ist Voraussetzung dafür. Besonders wichtig finden die meisten, mit ihrer Freundin über alles reden zu können, sich gegenseitig nichts vormachen oder verheimlichen zu müssen. Außerdem respektieren Jungen heute Wünsche und Grenzen von Mädchen viel mehr als das noch ihre Väter und Großväter taten. Übrigens glaubt der überwiegende Teil aller Jugendlichen, Mädchen wie Jungen, an die große Liebe. Mit Unmännlichkeit hat das gar nichts zu tun.

Modernen Jungen geht es beim Sex nicht mehr nur um die reine Befriedigung, die Liebe zu der Partnerin ist Voraussetzung dafür.

Natürlich spielt es eine wichtige Rolle, wie alt ein Junge ist. Stehst du gerade am Anfang der Pubertät, bist du noch so mit dir selbst beschäftigt, dass dich feste Bindungen mit Mädchen wohl weniger interessieren. Da kommt es dir wahrscheinlich mehr darauf an, ein bisschen herumzutesten, wie du beim anderen Geschlecht ankommst. Erst wenn du etwas reifer bist, etwa ab 15 Jahren, wirst du die Sehnsucht nach einer festen Bindung spüren.

Wie verschmust darf ein Junge sein und ab wann ist er ein Weichling?

Jedes Lebewesen braucht Zuwendung und Zärtlichkeit, um sich rundherum wohl zu fühlen. Tiere und Pflanzen ebenso wie Menschen. Dass dabei immer noch unterschieden wird, wie viel Gefühle und Empfindungen Frauen und Männer haben und zeigen dürfen, entspringt einer einseitigen Sichtweise, die vor allem von älteren Herrschaften noch gepflegt wird. Tatsache ist, dass in jedem Menschen weibliche und männliche Eigenschaften ruhen, und dass es wichtig ist, beide Teile auch zur Geltung kommen zu lassen. Nur so kann ein Mensch alle seine Lebensmöglichkeiten ausschöpfen. Das bedeutet, dass sich Gefühl und Verstand niemals ausschließen sollten.

In jedem Menschen vereinen sich männliche und weibliche Eigenschaften.

Du als Junge, so meinen viele irrtümlich, solltest auf jeden Fall hart im Nehmen sein, ein einsamer Wolf, der seine Dinge ohne Jammern meistert und so »verweichlichtes Zeug« wie Schmusen und Kuscheln lieber den Frauen überlässt. Ein Indianer kennt eben keinen Schmerz und keine liebevolle Hingabe, der ist nicht verschmust und verträumt, sondern realistisch und cool, und er steckt es weg, wenn was nicht so gut lief. Jungen, die stiller sind als andere, Prügeleien und Geprahle nicht mögen, keine Sportskanonen sind, sondern mehr auf Musik, Malerei und Poesie stehen und mit Mädchen zusammensitzen, denen wird schnell – und zu Unrecht – das Image eines Weichlings angeheftet. Andererseits schiebt man Mädchen, die ihre Frau stehen und nicht immer lieb und zärtlich sind, genauso schnell unter, sie seien gefühlskalt und unweiblich. Das ist alles blanker Unsinn.

Lass dich nicht beirren: Gefühle zeigen hat nichts mit Weichlichkeit zu tun.

Gut möglich, dass du Spott von Kumpels ausgesetzt bist, wenn du dich nicht so »männlich« verhältst, wie man es von dir erwartet. Lass dich davon nicht beeindrucken, sondern gehe deinen Weg weiter und folge deinen innersten Gefühlen. Sicher tut es dir manchmal weh, wenn sie dich deswegen hänseln oder blöd anmachen, aber das geht vorüber. Wenn du dich jetzt aber gegen deinen Willen, nur um in deren Bild zu passen, verbiegen lässt, wirst du ein Leben lang darunter leiden. Auch wenn sich deine Eltern ihren Sohn als pseudostarken Mann ohne sichtbare Gefühle vorgestellt haben und mit dir andere Pläne haben, lass dich nicht beirren! Geh deinen ureigenen Weg!

117

Siehe auch Abschnitt »Warum viele Menschen mit Homosexualität immer noch ein Problem haben«, S. 223

Sollten unwissende, unkluge und ahnungslose Kumpels dich als »schwul« bezeichnen, nur weil du jemand bist, der Gefühle zeigt, dann demonstrieren sie damit nur, dass sie selbst wahnsinnige Angst haben, als unmännlich abqualifiziert zu werden. Leider gehen Jungs in deinem Alter oft sehr rüde und brutal miteinander um. Der Vorwurf, schwul zu sein, enthält im Übrigen eine Menge entsetzlicher Vorurteile gegenüber Homosexualität.

Jungen untereinander geben nur selten zu, wenn ihnen etwas wehgetan hat. Denn nach dem Prinzip der Männlichkeit wird nur verletzt, wer ein Weichling ist und sich nicht wehren kann. Nur Jungen, die ihre Gefühle gut unter Kontrolle haben und denen scheinbar nichts etwas anhaben kann, gelten landläufig als männlich. Doch es stimmt nicht, dass Jungen und Männer nie ratlos sind, dass sie nie Angst haben, etwas nicht zu schaffen und dass sie jede Hürde im Leben locker nehmen.

Siehe auch Abschnitt »Wie werde ich ein richtiger ›Mann‹, was ist ›Männlichkeit‹?«, S. 19

Auch im Bereich Sexualität sind sie nicht immer die großen Eroberer und Draufgänger, die alle Mädchen haben und vor allem bestens befriedigen können. Der Witz von den »vielen tausend Dankschreiben weiblicher Verehrerinnen«, die angeblich Männer bekommen, die so besonders gut im Bett sind, erregt bei Frauen schon lange nur noch ein müdes Lächeln. In der Regel verbergen sich hinter solchem Geprahle meist Männer, die sich völlig falsch einschätzen und daher eher Schwierigkeiten als Erfolg bei Frauen haben. Doch das wollen sie selbst nicht wahrhaben, daher ziehen sie immer wieder ihre Show ab.

Wer seine Empfindungen zeigt, ist deshalb nicht weniger männlich.

Durch diese vollmundigen Sprüche anderer Jungs magst du dir als Gefühlspaket vorkommen, wie einer, der ganz allein ist mit seinem Kummer, seinen unbeantworteten Fragen und Problemen. Doch all die Großkotzigkeit der anderen ist nichts weiter als eine dummes, nutzloses Machtgehabe aus dem zweifelhaften Drang heraus, bei anderen Unsicherheit und Angst zu verbreiten. Sie haben ihre Gefühle und Verschmustheit bereits jetzt an Ketten gelegt und werden sich später noch wundern, wie weh das tun kann, wenn man sich selbst diktiert hat, alle Empfindungen zu unterdrücken, die ein Mensch im Leben hat. Wer seine Gefühle demonstrieren kann, kann sich von schweren seelischen Lasten befreien, seine Lust auf Zärtlichkeit und Streicheleinheiten ausleben. Und er ist deshalb kein bisschen weniger männlich.

118

Warum du vielen Mädchen nachschaust, dich aber nicht verliebst

Es ist ganz normal, wenn du Mädchen zu Beginn der Pubertät erst einmal ganz allgemein aus der Distanz betrachtest. Heimlich schaust du ihnen nach, bist vielleicht sogar in die eine oder andere verknallt, liegst dann allein auf deinem Bett und träumst von ihr. Mehr willst du aber noch nicht mit Mädchen zu tun haben. Vor allem weißt du noch nicht genau, welche dir nun am besten gefällt. Es ist heute die, morgen eine andere.

Auf diese Art bereitest du dich unbewusst auf den »Ernstfall« vor. Und der kommt sicher, wenn du etwas reifer geworden bist. Dann fällt es dir auch nicht mehr so schwer, für ein Mädchen, dass du liebst, deine Clique oder ein Hobby hintenan zu stellen. Denn dann wird sie dir wichtiger sein als alles andere.

Auch wenn du heimlich ein bisschen verknallt bist, so hältst du jetzt lieber noch Distanz zu Mädchen.

Du willst genau die und sonst keine

Manchmal genügt ein Blick und es funkt zwischen einem Jungen und einem Mädchen. So eine Begegnung kommt einem inneren Erdbeben gleich und ruckzuck sind die beiden für die Außenwelt verloren. Sie versinken ineinander und sehen niemand und nichts mehr rundherum. Es kann aber auch passieren, dass du sie schon lange kennst, und auf einmal siehst du sie mit anderen Augen, stellst fest, dass sie viel netter ist, als du immer dachtest. Und mit einem Mal packt es dich, du kannst dein Gefühl nicht mehr bremsen – und bist bis über beide Ohren in sie verliebt.

Wie es zustande kommt, dass zwei ganz bestimmte Menschen zueinander finden, ist bis heute ein Geheimnis. Immerhin hat man herausgefunden, dass es eine Sache der Geschlechtshormone ist, Gefühle von Liebe, Lust und Leidenschaft in Gang zu bringen. Jeder von uns entwickelt im Laufe seines Lebens eine Vorstellung, wie der Partner aussehen und sein müsste, mit dem man Tisch und Bett teilen möchte. Bei diesen Vorstellungen spielen Erziehung, Erinnerungen, Erfahrungen, Ansichten und oft auch Vorurteile eine Rolle. Doch es kommt auch darauf an, wie der andere riecht, welche Stimme und Augen er hat, wie er gekleidet ist. Und sogar der Zeitpunkt kann von großer Bedeutung sein. Viele Menschen suchen nach einem Partner, der ihnen selbst ähnlich ist. Andere wiederum werden von völlig gegenteiligen Typen magisch angezogen. Das muss aber nicht immer so sein, es verändert sich von Mal zu Mal und hängt von den Erfahrungen ab, die man gemacht hat.

Meistens sind es übrigens Mädchen oder Frauen, von denen die »Anmach«-Initiative ausgeht. Auch in der Tierwelt ist das so: Das Weibchen entscheidet, wann, mit wem und wie oft es sich paart. Die Männchen dagegen konkurrieren untereinander, oft bekämpfen sie sich sogar. Wissenschaftler wollen dieses Verhalten auch bei Menschen festgestellt haben, ein Relikt aus der Entwicklungsgeschichte der Menschheit. Zum Glück müssen Männer heute nicht mehr groß und kräftig sein, um bei Frauen landen zu können. Und Letztere müssen nicht mehr hilflos und schwach sein, um einen Mann zu kriegen. Heute zählen Attribute wie Partnerschaftlichkeit, Zusammenhalt, Zärtlichkeit, Ehrlichkeit und das Durchsetzungsvermögen und der berufliche Erfolg von Frauen genauso, wenn nicht mehr.

Jedes Mal, wenn es funkt, läuft es anders ab. Ob wir nun wissen, warum wir uns ausgerechnet in diesen oder jenen Typ verschossen haben oder nicht – unsere Gefühle lassen sich nicht in ein Schema pressen, sie tun, was sie wollen. Sie reißen uns mit, lassen dem Verstand keine Chance. Und deshalb verlieben wir uns eben in den Menschen, in den wir uns verlieben müssen.

> Zum Glück müssen Männer heute nicht mehr groß und kräftig sein, und Frauen nicht mehr schwach und hilflos. Dieses Relikt aus der stammesgeschichtlichen Entwicklung der Menschheit ist längst überholt.

So ziehst du Mädchen am besten in »deinen Bann« oder: Wer macht wen an?

Der Wunsch, nun mit einem Mädchen verliebt, vertraut und zärtlich zusammenzukommen, ist der Anfang einer sehr wichtigen Entwicklungsphase im Leben eines jeden Jungen. Für die meisten stellt es eine ganz neue Herausforderung dar, plötzlich aus sich heraus- und auf jemand anderen zugehen zu müssen. Und durch die Liebesgefühle, die du empfindest, wird das nicht einfacher. Im Gegenteil! Sie machen dich befangen.

Aus jeder Bemerkung und jeder Geste des Mädchens, das dir so gefällt, glaubst du etwas lesen zu können und grübelst stundenlang darüber nach, was sie wohl gemeint haben könnte. Ob sie mit ihrem Lächeln deine Gefühle erwidern wollte oder ob sie sich eher über dich und deine Klamotten amüsiert hat? Du weißt es nicht und du hast Bammel davor, dass sie dich nicht toll genug findet und sich innerlich schon längst für einen anderen entschieden hat. Du überlegst, wie du deine Konkurrenten ausstechen und das Mädchen in »deinen Bann« ziehen könntest. Und du denkst darüber nach, ob du sie ansprechen sollst, aber gleichzeitig plagt dich der Gedanke, wie du damit fertig wirst, wenn sie dir eine Abfuhr gibt.

Siehe auch Abschnitt »Das Mädchen aus der Schule – es geht dir nicht mehr aus dem Kopf«, S. 37

Am liebsten wäre es dir, wenn das Mädchen auf dich zukäme. Viele haben damit auch keine Probleme und tun das. Doch damit rechnen darfst du nicht. Es gibt nämlich auch die vielen anderen, die es lieber haben, wenn der Junge den ersten Schritt tut. Dann haben sie es nämlich in der Hand, ja oder nein zu sagen und ersparen sich eine Abfuhr, die ganz schön wehtun kann. Wer den Anfang macht, geht auch immer ein gewisses Risiko ein. Und das sind nach altem Rollenbild nun mal die Jungen. Sie standen dadurch von jeher unter großem Druck.

Auch wenn dieses herkömmliche Verhalten nicht mehr unbedingt gültig ist, so erwarten wir unterschwellig immer noch voneinander, dass der Mann beginnt und die Frau wartet, bis sie gefragt wird. Tut sie das nicht, wird es ihr leider immer noch schnell als kess, frech und flittchenhaft ausgelegt. Eben eine, die sich für keinen zu schade ist. Dass diese vorgefasste Meinung nicht stimmt, weiß jeder vernünftige Mensch, aber sie schwebt über uns. Deshalb entstehen zwischen den Geschlechtern immer noch und immer wieder große Unsicherheiten. Das trifft gerade in der Pubertät häufig zu.

Viele Mädchen gehen heute auch auf Jungen zu. Das nimmt dir den Druck, doch damit rechnen darfst du nicht. Mindestens ebenso viele Mädchen haben es lieber, wenn der Junge den ersten Schritt tut.

Du solltest also einkalkulieren, dass du den ersten Schritt tun musst, weil viele Mädchen das Risiko ebenso scheuen wie du. Wenn ihr beide wartet, ist vielleicht bald der Dampf raus und ihr habt eine Chance vertan. Außerdem möchtest du sicher irgendwann wissen, wie du dran bist, ob du überhaupt bei ihr landen kannst. Zeig ihr also dein Interesse! Vor allem: Spiele ihr nichts vor, was du nicht bist, sondern sei einfach du selbst!

121

Hier ein paar wichtige Schritte, die du beachten solltest, wenn du willst, dass sie auf dich abfährt:

Wenn du dich für ein Mädchen interessierst, dann versuche nicht, in eine Rolle zu schlüpfen, um ihr zu imponieren. Sei einfach du selbst.

• **Erster Schritt:** Halte dich möglichst oft in ihrer Nähe auf, aber sprich sie erst mal nicht an! So weckst du ihre Neugierde.

• **Zweiter Schritt:** Lächle ihr zu, schau ihr in die Augen und höre zu, was sie so erzählt und macht. An ihren Reaktionen kannst du erkennen, ob sie überhaupt Lust hat, mit dir näheren Kontakt zu bekommen.

• **Dritter Schritt:** Schließe dich ihrer Clique an oder lade sie ins Kino oder in die Disco ein. Jetzt kannst du ruhig in die Offensive gehen und deutlicher werden. Sie soll ja merken, dass du an ihr interessiert bist.

• Auch wenn es dir nicht leicht fällt, die Initiative zu ergreifen, überwinde dich! Woher soll sie denn sonst wissen, was du fühlst und willst? Sie ist schließlich keine Hellseherin.

• Versuche nicht, in eine Rolle zu schlüpfen, von der du denkst, dass sie ihr imponieren könnte. Sei einfach du und stehe zu deinen Gefühlen! Es ist nicht uncool, verliebt zu sein!

• Gib euch beiden genug Zeit, damit sich euere Zuneigung entwickeln kann. Wirf nicht gleich das Handtuch, wenn du meinst, das wird sowieso nichts ...

• Wenn du in der glücklichen Lage bist, dass sie letztlich die Initiative ergriffen und dir damit ganz schön viel Druck abgenommen hat, dann aale dich nicht weiterhin in deiner passiven Rolle, sondern werde jetzt aktiv und zeige ihr, dass du kein Langweiler bist. Überlässt du auch künftig jede Art von Organisation ihr, wird euere Beziehung auf Dauer nicht funktionieren, weil sie keine Lust haben wird, ewig nur deine »Managerin« zu sein. Also zeig, was in dir steckt, lass dir was einfallen und verwöhne sie auch mal nach allen Regeln der Kunst – nicht immer nur sie dich!

• Hat sie sich durchgerungen und dich angemacht, solltest du nicht aus falschem Stolz heraus herablassend und arrogant tun und womöglich noch mit Kumpels darüber lachen. So etwas verletzt und lässt deine Chancen sofort auf null sinken. Mädchen durchleben jetzt eine ähnlich schwierige Phase und wissen über Liebe, Sex und Beziehungen genauso wenig wie du.

Was du gegen deine Schüchternheit tun kannst

Gunnar (14):

In unserem Schwimmverein ist ein Mädchen, das mir schon lange gut gefällt. Sie gibt sich sehr unnahbar. Und ich bin von Haus aus eher schüchtern, sodass ich Angst habe, ihr zu nahe zu treten, wenn ich sie anspreche. Ich will keinesfalls einen Fehler machen und überlege hin und her, wie ich es anstellen soll, sie ins Café einzuladen. Ich glaube, sie ist auch sehr schüchtern.

Niemand ist von Natur aus gehemmt oder schüchtern. Aber wer von übertrieben ängstlichen Eltern immer zu hören kriegt: »Tu dies nicht, tu das nicht«, wird unsicher und ängstlich. Auch wer eingetrichtert bekommt, dass er nicht widersprechen und den Mund halten soll, wenn Erwachsene reden, wird später Hemmungen in Situationen haben, in denen er etwas fordern soll. Und wenn man dir beigebracht hat, dass du dich bei Gedanken an sexuelle Dinge zu schämen hast, wirst du Schwierigkeiten haben, einem Mädchen deine Liebe zu gestehen. Siehst du dann noch andere, die damit weniger Probleme haben als du, dann ist es kein Wunder, wenn du ein bisschen neidisch und auch mutlos wirst.

Dennoch – Jammerei und Frust bringen dich nicht weiter. Wenn du ein bisschen an dir arbeitest und dich selbst »umerziehst«, kannst du Schüchternheit und Hemmungen überwinden. Überlege: Du bist verliebt in ein Mädchen, das ist wunderschön! Wovor

Wer als Kind eingetrichtert bekommt, nicht zu widersprechen und den Mund zu halten, wird später Hemmungen haben, wenn er etwas fordern soll.

hast du also Angst? Davor, dies durch Worte oder Taten zum Ausdruck zu bringen? Oder davor, eine Abfuhr zu bekommen? Bedenke, dass sie wahrscheinlich genauso scheu ist wie du und auch unter Druck steht. Das sollte dir Mut machen. Letztlich kann sie nur »nein« sagen, doch dann weißt du Bescheid, kannst deine Illusionen begraben und dich einem neuen Schwarm zuwenden. Oder deine Gefühle werden erwidert und dann ist ohnehin alles in Butter. Bloß weil man ja abblitzen könnte, sollte man sich nicht dauernd vor der Stunde der Wahrheit drücken.

Siehe auch Abschnitt »So ziehst du Mädchen am besten in ›deinen Bann‹«, S. 120

Viele Menschen neigen dazu, es immer und immer wieder zu verschieben, ihrem Herzblatt ein Liebesgeständnis zu machen. Mal glauben sie, es sei der falsche Zeitpunkt, das nächste Mal sprechen tausend andere Dinge dagegen – und so ist aus der Sache allmählich der Dampf raus. Wer sich also ständig drückt vor Offenheit und Ehrlichkeit, der bringt sich selbst um die Möglichkeit, dass seine Liebe erwidert wird. Denn irgendwann wird es der Angehimmelten zu dumm und sie orientiert sich anderweitig.

Frech und selbstsicher – das Erfolgsrezept bei der Eroberung von Mädchen?

Ricky (16):

Eigentlich habe ich keine Probleme mit Mädchen. Ich sehe ziemlich gut aus und kriege fast jede, die ich will. Doch neulich passierte es, dass mich eine eiskalt abblitzen ließ, obwohl ich alles getan habe, um bei ihr Eindruck zu machen. Ich frage mich, was ich dieses Mal falsch gemacht habe denn so was hab ich noch nie erlebt. Es wurmt mich total. Sie sagte mir sogar schnippisch ins Gesicht: »Nein, nein, du Wichtigtuer, dich brauch ich nicht!«

Der vom Erfolg verwöhnte Ricky fiel aus allen Wolken, weil er beim anderen Geschlecht ausnahmsweise mal nicht landen konnte. Warum aber bekam er eine Abfuhr? Vielleicht hatte das Mädchen bereits einen festen Freund oder sie fühlte sich von seinem fordernden und siegessicheren Auftreten abgeschreckt. Gut möglich, dass Ricky ihr sogar gefiel, aber seine Art stieß bei ihr eben auf Missfallen. Jungen, die sich gerne wie ein Pascha geben und glauben, ihnen darf und kann einfach keine widerstehen, haben bei Mädchen von heute immer weniger Chancen. Rickys Schwarm hatte eben keine Lust, sich in seine Trophäensammlung einreihen zu lassen. Vielleicht eilte ihm auch ein gewisser Ruf über sein »Vorleben« voraus, sodass das Mädchen lieber sofort klar Schiff machte. Dazu kommt, dass es ganz normal ist, dass nicht jeder Junge jedem Mädchen gefallen muss – und umgekehrt. Auch wenn viele andere auf einen bestimmten Typ abfahren, irgendwann kommt eine, deren Fall er nicht ist.

Es ist ganz typisch für Jugendliche, dass erst einmal das Aussehen des angepeilten Schwarms eine große Rolle spielt. Das ändert sich mit der Zeit und andere Dinge wie Charakter, Verständnis und Vertrauen zählen mehr. Du solltest es also nicht immer gleich auf dein Aussehen beziehen, wenn du abgewiesen wirst. Manche denken auch, niemand will sie, weil sie nicht dem Idealbild eines tollen Jungen entsprechen. Das ist Quatsch. Wenn du mal die Pärchen anschaust, die zusammen gehen, wirst du feststellen, dass weder sie noch er die Traumtypen sind, aber sie sind dennoch glücklich.

Freche und zu selbstsichere Jungen haben bei Mädchen oft nur sehr kurzfristig eine Chance. Ehe mehr daraus werden kann, ist es meist schon wieder vorbei. Einer der größten Fehler, die Jungen machen können, ist es, wenn sie ein Mädchen zu schnell zur Sexualität drängen. Wer glaubt, nach einem engen Tanz könne er gleich unter ihre Bluse greifen, der kann sich mit einem Mal alle Sympathien verscherzen. Vor allem dann, wenn er die Bitte, es doch sein zu lassen, ignoriert und stattdessen nur noch heftiger und gezielter rangeht. So viel Zudringlichkeit kommt überhaupt nicht an. Du musst nicht den alten, dummen und unzutreffenden Spruch glauben, dass Mädchen immer »ja« meinen, wenn sie »nein« sagen. Du kannst sicher sein, sie wissen genau, ob sie Zärtlichkeiten mit dir austauschen wollen oder nicht. Und sie meinen in aller Regel auch »nein«, wenn sie »nein« sagen.

Jungen, die zu fordernd vorgehen und Mädchen überrumpeln, haben meist nur kurzfristig eine Chance.

Glaube bloß nicht daran, dass Frauen immer »ja« meinen, wenn sie »nein« sagen.

125

Wenn dein Verlangen nach mehr stärker wird, dann solltest du das Mädchen also keinesfalls überrumpeln. Versuche, ihre Grenzen vorsichtig und einfühlsam auszuloten, indem du deine Hand behutsam über ihre Beine, ihren Rücken, ihren Po gleiten lässt. Vielleicht gefällt es ihr ja, dann wird sie deine Hand von selbst weiterführen oder dich gewähren lassen. Wenn sie keine Lust auf deine Liebkosungen hat, wird sie deine Hand nehmen und es dir zu verstehen geben.

Warum bedeutet es Mädchen so viel, ob du ihnen etwas bieten kannst?

Mädchen am Anfang der Pubertät wissen genauso wenig wie du, wo ihr Zug hinfahren soll. Sie hängen sich die Wände ihres Zimmers mit Poster ihrer Idole voll und sehen in der Werbung all die knackigen Jungs in flotten Flitzern und auf heißen Öfen. So stellen sie sich erst einmal auch den Jungen ihres Herzens vor. Wäre super, wenn er schon Auto und Motorrad und die dazugehörigen Führerscheine hätte, vielleicht in einer Band spielte oder der Torschützenkönig des örtlichen Fußballvereins wäre. Ist er noch in einer Clique, in der das Mädchen auch gern wäre und durch ihn reinkommen könnte, hat dieser Junge erst einmal einen Stein im Brett.

Doch diese Äußerlichkeiten verlieren mit der Zeit für Mädchen immer mehr an Stellenwert. Wenn sie reifer werden und sich nach einer echten Beziehung sehnen, verschwindet das Idol und der leibhaftige Junge ist wichtiger. Und verliebte Girls sehen da über das eine oder andere Manko ihres Schwarms problemlos hinweg. Hauptsache, er kommt ihren Gefühlen entgegen, ist einfühlsam und lieb.

Dass Frauen oft so großen Wert auf Status und Vermögen eines Mannes legen, liegt an ihrem Sicherheitsbedürfnis.

Dass Frauen oft so großen Wert auf Status und Vermögen eines Mannes legen, liegt an ihrem Sicherheitsbedürfnis. Dieses ist so alt wie die Menschheit, denn Frauen suchten immer jemand, der ihnen genug Polster bot, um ihre Kinder zu ernähren. Nur jemand, der etwas hatte und konnte, konnte früher einer Frau dies bieten. In der Regel arbeiten Frauen heute mit, um die hohen Lebenshaltungskosten zu bestreiten. Viele Männer wären heute mit

ihrem Gehalt alleine dazu gar nicht mehr im Stande. Du siehst, es hat sich eine Menge geändert, was mit partnerschaftlichem Verhalten und Zusammenstehen aber gut gemeistert werden kann. Auch Frauen, die wegen der Kinder ihre Berufstätigkeit vorübergehend aufgeben müssen, leisten zu Hause eine Menge und tragen so zum Fortkommen einer Familie bei. Das Zauberwort heißt »Partnerschaft«, auch wenn Mädchen gerne erst einmal danach schielen, welches Auto, welchen Job du hast und aus welcher Familie du kommst. Damit suchen sie nur, ausgelöst durch einen Urinstinkt, nach einer Basis für eine zukünftige Familie.

Das Zauberwort heißt »Partnerschaft«, auch wenn sie erst einmal nach deinem Auto oder deinem guten Job schielt.

Warum es so oft Missverständnisse zwischen Jungen und Mädchen gibt

Auch wenn sich die Geschlechter magisch anziehen, sind sie von Natur aus sehr unterschiedlich geprägt, weshalb es auch immer wieder zu Differenzen und Missverständnissen kommt. Mädchen und Jungen haben völlig andere Erwartungen, was Gefühle und Liebe betrifft. Dir geht vielleicht »dieses ständige Gelabere« deiner Freundin auf die Nerven und sie beklagt sich, dass du nicht zuhören und mit ihr diskutieren willst. Obwohl gestern noch alles in Butter schien, will sie heute auf einmal Grundsatzgespräche führen und die Zukunft planen – das kannst du einfach nicht ab. Sie kommt dir auf einmal vor, als wäre sie von einem ganz anderen Stern als du.

Anstatt des »ewigen Laberns« möchtest du lieber etwas mit ihr unternehmen. Das führt oft zu Zwistigkeiten – in deinem Alter und auch später noch.

Diese Probleme kommen daher, dass Frauen und Männer eine unterschiedliche Sprache sprechen. Während Frauen alles mit ihrem Partner besprechen wollen, die totale Nähe zu ihm suchen und erwarten, dass er ihre Wünsche und Sehnsüchte auch spürt, ohne dass sie direkt darüber reden müssen, sind Männer wortkarger und lassen nur das raus, was ihnen wichtig erscheint. Am wenigsten aber sprechen sie über ihre Gefühle, die behalten sie – zum Leidwesen der Frauen – lieber für sich. Jungen und Männern ist ein gewisser Abstand wichtig, was Mädchen und Frauen leicht als Beweis mangelnder Liebe auffassen, was es sicher nicht ist. Männer setzen mehr auf Sachlichkeit und Inhalte, Frauen dagegen auf Verständnis und Vertrauen.

127

Viele Probleme zwischen Frauen und Männern kommen daher, dass die Geschlechter unterschiedliche Sprachen sprechen.

Schon von Kind auf verhalten sich Jungen und Mädchen anders, sprechen unterschiedliche Sprachen. Viele kleine Mädchen stecken unentwegt mit ihrer besten Freundin zusammen, tauschen mit ihr Geheimnisse aus, suchen Harmonie und keinen Streit. Außerdem behandeln sie sich gegenseitig sehr gleichberechtigt. Kleine Jungs dagegen unternehmen viel miteinander, messen sich gegenseitig in Wettkämpfen und suchen nach Abenteuern. In ihren Gruppen und Cliquen herrscht eine klare Rangordnung, nach der auch mit Worten um die besten Plätze gekämpft wird. Miteinander reden, sich Gefühle anvertrauen, das spielt für sie kaum eine Rolle.

Während Mädchen die totale Nähe zu ihrem Partner suchen, wollen Jungen lieber Abstand haben.

Durch diese Entwicklung kommt es, dass es auch in deinem Alter Zwistigkeiten gibt, sobald du eine feste Freundin hast. Sie will mit Sicherheit so viel Zeit wie möglich mit dir allein verbringen, mit dir über alles quatschen und total an deinem Leben teilnehmen. Du erwartest von ihr, dass sie es hinnimmt, dass du noch eine Clique, einen Fußballverein oder einfach Kumpels hast, mit denen du alleine etwas machen willst. Und anstatt des „ewigen Laberns" möchtest du mit ihr lieber etwas unternehmen. Diese verschiedenen Verhaltensweisen führen zwangsläufig dazu, dass sie sich zurückgestoßen fühlt und du dich von ihrem Rededrang genervt und belästigt fühlst. Doch wenn du weißt, dass eben vieles gar nicht so gemeint ist, wie es bei dir ankommt, kannst du dir die eine oder andere Enttäuschung sparen. Deine Freundin will dich ja nicht aushorchen und dann gegen dich verwenden, was du gesagt hast. Wenn sie viel fragt und erzählt, ist das auch ein untrügliches Zeichen dafür, dass sie dich sehr mag und dir vertraut.

Siehe auch Abschnitt »Liebeskummer gehört zum Verknalltsein – Zeit heilt Wunden«, S. 39

Wie kommst du darüber hinweg, wenn sie dich verlässt?

Frisch Verliebte können sich meistens nicht vorstellen, dass ihre Liebe eines Tages vorbei sein kann. Obwohl uns der Verstand sagt, dass sich Gefühle ändern, ja sogar ins Gegenteil verkehren können, verdrängen wir das. Und wenn wir merken, dass eine Beziehung zu Ende geht, verschließen wir nur allzu gerne die Augen, um die Anzeichen dafür nicht erkennen zu müssen. Umso härter trifft es uns, wenn wir tatsächlich verlassen werden. Wenn dich ein geliebter Mensch verlässt, dann wirst du dich auch durch und durch mies, weggeworfen und missverstanden fühlen. Es ist, als würdest du in ein tiefes, schwarzes Loch fallen und überhaupt nicht mehr weiterwissen. Allerdings kann es auch vorkommen, dass es dich gar nicht so arg trifft, wenn eine mit dir Schluss macht. Es kommt immer auf deine allgemeine Verfassung an, wie du mit so einer Situation fertig wirst. Besonders schlimm ist es, wenn ein anderer Junge der Grund dafür ist, dass sie dich nicht mehr will. Dann zweifelst du an dir, kannst vielleicht nicht mehr richtig schlafen, nichts mehr essen und dich auf nichts mehr konzentrieren.

Manche Menschen sehen keinen Sinn mehr im Leben, wenn sie von ihrer großen Liebe verlassen werden. Sie denken an Selbstmord und brauchen dringend Hilfe von außen. Wenn du jemand in deinem Umkreis kennst, dem es gerade so ergeht, dann kümmere dich um sie oder ihn, sprich ihm Mut zu und versuche, die Person von ihren trüben Gedanken abzulenken. Normalerweise aber verdaut man so einen Liebeskummer mit der Zeit und irgendwann kommt oft sogar der Tag, an dem man sich fragt: Warum habe ich ausgerechnet ihr so sehr nachgetrauert? Wenn Wut, Hass und Verzweiflung weniger geworden sind, hast du auch wieder gute Chancen, eine neue Liebe bewusst zu erleben.

Siehe auch Abschnitt »Wenn du dich sehr einsam fühlst: Wie soll das alles bloß weitergehen?«, S. 24

Die sechs Phasen des Liebeskummers:

- Schock über den Verlust der Partnerin

- Unendliche Trauer darüber

- Zeit der Gleichgültigkeit, in der du dir sagst: Ist ohnehin nicht schade um sie!

- Totale Leere und Gefühllosigkeit in dir

- Nüchternes Nachdenken darüber, warum die Beziehung zu Ende ging und welche Fehler du gemacht hast

- Der Liebeskummer ist verarbeitet, eine Last fällt von dir ab

Mit Liebeskummer hat jeder einmal zu kämpfen.

Wenn du mit der Sache innerlich noch nicht fertig bist und dich in deinem Frust sofort wieder in das nächste Abenteuer stürzt, musst du dich nicht wundern, wenn es nicht funktioniert. Der anderen Partnerin wird es nämlich bald auf die Nerven gehen, wenn du in Gedanken immer noch mit ihrer Vorgängerin beschäftigt bist.

Manchmal ist es besser, sich jemandem anzuvertrauen. Hilfreiche Adressen findest du im Anhang, ab S. 242

Es ist immer gut, wenn du jemand hast, dem du dich anvertrauen kannst in deinem Schmerz. Und wenn dir danach zumute ist, alles rauszuweinen, dann tu das! Reiß dich nicht zusammen, spiel nicht den Starken, sondern lass deine Tränen laufen, wenn sie kommen. Sie sind sogar sehr wichtig, weil sie den aufgestauten Druck lösen und dir helfen, dein seelisches Gleichgewicht wiederzufinden. Schluck deinen Kummer nicht hinunter, davon wird man krank. Und verdränge die Schmach auch nicht, damit würdest du deine Leidenszeit nur unnötig verlängern. Steh dazu, dass du verlassen wurdest, auch wenn es wehtut und am Selbstbewusstsein kratzt. In der Regel sind immer beide Partner schuld, wenn eine Beziehung scheitert. Gib dir also nicht allein die Schuld, aber schiebe sie auch nicht nur dem »bösen« Mädchen in die Schuhe. Ein kleiner Trost: Du bist nicht der Einzige, dem so etwas passiert, sondern in großer und prominenter Gesellschaft.

Deine Eifersucht – wie bekommst du sie in den Griff?

Eifersucht muss nicht unbedingt mit einem anderen Menschen zu tun haben. Man kann auch auf ein Hobby oder die Arbeit eifersüchtig sein.

Wer einen Menschen liebt, der möchte auch sicher sein, dass dieser ebenso empfindet und hundertprozentig hinter einem steht. Das ist oft einfacher gesagt als getan, denn eine Liebesbeziehung ist keine starre, genormte Angelegenheit, sondern ständig äußeren Einflüssen ausgesetzt. Einer der beiden Partner kann sich in einen Dritten verlieben, sich in der Schule oder beruflich stark engagieren müssen oder einfach mehr zu sich selbst finden wollen. Wenn der andere dafür kein Verständnis hat und sich zurückgesetzt fühlt, dann entsteht Eifersucht. Sie muss also nicht unbedingt mit einem anderen Menschen zu tun haben, sondern man kann auch auf ein Hobby oder die Arbeit der Geliebten sehr eifersüchtig sein.

Besonders häufig ist die Eifersucht auf die beste Freundin oder den besten Freund. Nicht selten kommt es auch vor, dass jemand so eifersüchtig ist, dass er einfach von dem Gedanken besessen ist, der andere könnte ihn betrügen. Er stellt sich in seiner Phantasie vor, wie der Partner mit einem Dritten liebevoll und zärtlich ist, herumschäkert und mit ihm Dinge tut, die er mit einem selbst noch nie getan hat. Egal, ob das nun der Wahrheit entspricht oder nicht – mit diesen Bildern vor Augen entwickeln sich Selbstzweifel, Wut, Angst, Hass und Neid.

Wenn du dieses Gefühl von dir kennst, dann solltest du unbedingt etwas für dein Selbstbewusstsein tun. Denn davon hast du nicht genug, wenn du sofort in Panik gerätst, sobald deine Freundin auch nur mit einem anderen Jungen spricht. Eine gesunde Portion Selbstwertgefühl schützt dich vor diesem selbstzerstörerischen Trieb in dir. Rede dir bloß nicht ein, dich würde sowieso niemand mögen, sondern lerne zu akzeptieren, dass du verletzlich bist und verletzt werden kannst. Auch wenn du deine Freundin noch so sehr liebst und darunter leidest, wenn sie fremdgeht: Die wichtigste Person in deinem Leben bist du selbst. Ihretwegen solltest du nicht dir selbst schaden und dich total aus deinem gewohnten Rhythmus bringen lassen.

Eifersucht entspringt dem Gefühl, dass da noch jemand ist, mit dem du verglichen wirst, und dass du dabei den Kürzeren ziehst. Mit anderen Worten: Du hast Angst, dass dir die Liebste von einem anderen Jungen weggenommen wird. Meistens spielt sich das erst einmal hinter deinem Rücken ab, sodass du auch nicht einschreiten kannst. Umso enttäuschter und schlimmer ist es für dich, wenn du dann erfährst, was Sache ist. Verständlich, dass du auf den anderen Jungen erst einmal stocksauer bist und krampfhaft darüber nachdenkst, was du ihm antun könntest.

Doch all diese Gedanken bringen dich nicht weiter. Anstatt Intrigen gegen den Widersacher zu spinnen, lenke dich lieber mit anderen Dingen, wie z. B. Kinobesuchen, Sport oder sonstigen Aktivitäten ab, die dir Spaß machen. Triff dich mit deinen Freunden und unternimm etwas mit ihnen. Im Übrigen solltest du nicht nur den anderen dafür verantwortlich machen, wenn deine Freundin fremdgeht. Auch sie war daran beteiligt, selbst wenn du dazu neigst, ihr gleich wieder alles zu vergeben.

> Wenn du Eifersuchtsgefühle kennst, solltest du etwas für dein Selbstbewusstsein tun.

> Wer eifersüchtig ist, hat Angst, dass da noch jemand ist, mit dem er verglichen wird, und dass er dabei den Kürzeren zieht.

131

Was eifersüchtige Mädchen und Jungen unterscheidet: Während weibliche Wesen oft heimlich und mit viel List und Tücke gegen die andere vorgehen, werden Männer schnell aggressiv und verkloppen den Nebenbuhler, der ihnen die Frau ausspannen will. Der männliche Stolz lässt es häufig nicht zu, das einfach hinzunehmen, sodass es aufgrund von Eifersucht immer wieder zu Tragödien und kriminellen Beziehungstaten kommt. Leider reagiert eine bestimmte Sorte eifersüchtiger Männer schon mit Gewalt darauf, wenn sich die Frau ihrer Meinung nach zu intensiv mit anderen Männern unterhält. Wenn du glaubst, dass du zu extremen Eifersuchtsreaktionen neigst oder dies selbst schon an dir festgestellt hast, dann solltest du unbedingt etwas dagegen unternehmen. Lass dir von Fachleuten einer Beratungsstelle helfen.

Wenn du zu extremen Eifersuchtsreaktionen neigst, lass dir von Fachleuten helfen! Adressen im Anhang ab S. 242

Wie du sie loswerden kannst, ohne ihr weh zu tun

In deinem Alter ist es nichts Außergewöhnliches, wenn du nicht bei dem Mädchen bleibst, in das du dich einmal verliebt hast. Oft merkst du im Laufe der Zeit erst, dass es noch so viele andere interessante Girls gibt und dass ihr vielleicht doch nicht so gut zusammenpasst.

Sag es ihr ehrlich, wenn du kein Interesse (mehr) an ihr hast, anstatt herumzuheucheln!

Wenn du spürst, dass du kein Interesse mehr an deiner momentanen Freundin hast, solltest du ihr das lieber ehrlich und einfühlsam sagen, anstatt ihr irgendetwas vorzuheucheln und dich immer elegant um alles herumzuwinden. Das wird dir schwer fallen, aber sie hat ein Recht darauf, dass du ihr nichts vorspielst. Sei so offen wie möglich zu ihr, und achte darauf, dass du ihr Selbstwertgefühl nicht verletzt. Am besten stellst du dir vor, du selbst wärst in ihrer Situation. Und was dir persönlich wehtut, wird vermutlich auch sie schmerzen. Sollest du es partout nicht schaffen, ihr reinen Wein einzuschenken, dann ist auch mal eine kleine Notlüge erlaubt.

Viel leichter wird es dir fallen, dich von deiner Freundin zu trennen, wenn du bereits eine neue hast. In diesem Fall wirst du tausend Dinge entdecken, die dich an deiner alten Liebe stören und die aktuelle in einem strahlenden Licht erscheinen lassen. Bleib objektiv und mach deine Ex weder vor dir noch vor anderen schlecht! Das wäre kein guter Stil. Außerdem entspricht es ohnehin nicht der Wahrheit. Das Mädchen, das du bisher geliebt hast, ist wahrscheinlich auch nicht übler als deine neue Freundin. Du hast nur festgestellt, dass ihr nicht zueinander passt. Aber genau zu dieser Erkenntnis kannst du auch bei der neuen Flamme wieder kommen. Akzeptiere das, denn Herumprobieren ist in deinem Alter eine wichtige und ganz natürliche Sache, die zum Erwachsen werden gehört.

> Mach deine Ex weder vor dir noch vor anderen schlecht! Das wäre kein guter Stil und entspricht ohnehin nicht der Wahrheit.

Kann man auch Sex haben, ohne zu lieben?

Ja, weil es sich dabei um zwei völlig eigenständige Dinge handelt, die zwar zusammengehören, aber auch getrennt voneinander möglich sind. So gibt es durchaus Menschen, die sich lieben und zusammenstehen, ohne dass sie jemals Sex miteinander hatten. Auf der anderen Seite stehen die, die sich zwar im Bett phantastisch verstehen, aber ansonsten wenig miteinander anfangen können und im täglichen Leben ihre Schwierigkeiten deswegen haben. Leider wird das oft mit Liebe verwechselt, hat aber überhaupt nichts damit zu tun.

Von den Medien wird uns Sexualität tagtäglich als etwas so Bedeutendes suggeriert, dass darüber ganz vergessen wird, dass die Voraussetzung für guten und befriedigenden Sex eigentlich die Liebe sein sollte, die beide Partner füreinander empfinden, bevor sie miteinander ins Bett gehen. Aber die Liebe muss nicht unbedingt mit dem Bedürfnis einhergehen, mit dem anderen auch sexuelle Kontakte aufnehmen zu wollen.

> Wer sich liebt, muss keinen Sex miteinander haben. Paare, die Sex haben und dies mit Liebe verwechseln, werden auf Dauer Probleme haben. Das eine muss nicht unbedingt mit dem anderen einhergehen.

In der Regel sehnen sich Mädchen in erster Linie nach einem Freund, der zärtlich zu ihnen ist und sie versteht. Sie wollen mit ihm kuscheln, vielleicht Zärtlichkeiten austauschen, aber vor allem ihre Gefühle und Probleme besprechen und so oft wie möglich mit ihm zusammen sein. Sie möchten die Nummer eins in seinem Leben sein, vor seinen Hobbys oder der Clique. Jungs aber haben gerade in der Pubertät oft einen sehr starken Drang nach Sexualität und können an nichts anderes mehr denken als daran, mit ihrem Mädchen intim zu werden.

133

Gut möglich, dass sich deine Freundin von dir in diesem Punkt unter Druck gesetzt fühlt denn für sie spielen ihre Gefühle und die Nähe zu dir eine wesentlich wichtigere Rolle als die Sexualität. Nerve und dränge sie nicht, wenn sie innerlich noch nicht so weit ist, mit dir zu schlafen. Wenn du sie wirklich liebst und es dir nicht nur auf eine »schnelle Nummer mit irgendeinem Mädchen« ankommt, wird es dir nicht so schwer fallen, noch etwas zu warten und dann ein umso schöneres Erlebnis mit ihr zu haben.

Küssen, Petting, Streicheleinheiten – Spiele ohne Grenzen?

Der erste Kuss – Übung macht den Meister

Claudius (15):

Neulich war ich mit dem Mädchen, auf das ich so stehe, im Park spazieren. Es kribbelte total zwischen uns. Wir setzten uns auf eine Bank, wo sie sich ganz eng an mich lehnte und sich rankuschelte. Voller Verlangen drückte sie dann ihre Lippen auf meine. Ich war voll aufgeregt und wusste plötzlich nicht mehr, was ich nun tun musste, und ob ich mit meiner Zunge in ihren Mund gehen sollte oder was. Ich wollte auf keinen Fall zu sehr rangehen und machte eine ziemlich blöde Schnute. Keiner von uns traute sich, mit der Zunge etwas zu tun. Wir stellten uns so doof an, dass wir dann aufhörten und lachten. Inzwischen haben wir aber herausgekriegt, wie es geht und küssen uns ziemlich oft.

So wie Claudius und seiner Freundin ergeht es vielen jungen Pärchen, die noch keine oder sehr wenig Erfahrung haben. Denn auch Küssen ist etwas, was man nicht automatisch kann – man muss es lernen. Es geht dabei nicht darum, möglichst viel Speichel auszutauschen, aber man sollte auch nicht so tun, als wäre der andere giftig. Küsse mit dem Partner drücken Liebe und Begehren aus – ganz im Gegensatz zu Küssen zwischen Eltern und Kindern,

Auch Küssen kann man nicht automatisch. Man muss es lernen.

die frei von erotischen Empfindungen sind. Jetzt, in der Pubertät, merkst du, dass du die Zärtlichkeiten, die du vom Säuglingsalter an bekommen hast, auch selbst weitergeben willst. Nicht umsonst heißt es: Wer Liebe erfährt, kann auch welche geben. Menschen, die als Kinder wenig Beachtung und Zuneigung von ihren Eltern bekamen, tun sich damit allerdings schwer.

Ein Zungenkuss ist oft der Beginn eines Liebesspiels.

Der erste Zungenkuss ist ein bedeutendes Ereignis im Leben eines jeden Menschen, weil er ein sehr intimer Liebesbeweis ist. Oft ist er auch der Beginn eines Liebesspiels. Du hast gehört, dass dabei ein Partner dem anderen seine Zunge in den Mund schiebt. Aber wie geht's dann weiter? Wie bei allen Dingen in der Liebe solltest du auch beim Küssen sehr vorsichtig und gefühlvoll vorgehen. Nur wenn du auch ein bisschen Rücksicht auf deine Partnerin nimmst, wirst du Genuss am Kuss finden.

Stell dir vor, du küsst deinen Schwarm. Deine Lippen tasten zärtlich über ihre Stirn, ihre Wangen, ihre Augen und schließlich finden sie ihren Mund. Sie lässt es zu, dass du mit deiner Zunge ihre Lippen teilst. Im ersten Augenblick zuckt sie noch etwas zurück, weil ihr die ungewohnte Feuchtigkeit des noch fremden Mundes ein wenig komisch vorkommt. Doch bald schon wird ihre eigene Zunge neugierig. Wie von selbst beginnt sie, den Eindringling zu erforschen. Sie umschlingt ihn, löst sich wieder von ihm, um ihn erneut zu sich zu locken. Die beiden Lippenpaare spielen miteinander, sind warm, speichelnass und angenehm weich. Der Kuss scheint sich auf ihren ganzen Körper zu übertragen, sie drängt sich gegen dich, du erwiderst diese Berührung mit Spannung. – Hier kann die Szene zu Ende sein, wenn sie noch nicht weitergehen will mit dir. Ist sie jedoch bereit zu mehr, dann lies die Fortsetzung im nächsten Abschnitt »Ab wann ist man reif für Petting?«

Wenn sie nach leidenschaftlichen Küssen noch weitergehen will, dann lies die Fortsetzung ab S. 137

Wer einfach mal ausprobieren möchte, wie Küssen geht und die erstbeste Gelegenheit nutzen will, wird ziemlich sicher enttäuscht werden. Denn ohne das Gefühl, in die Kuss-Partnerin auch wirklich verliebt zu sein, kommst du gar nicht in die Stimmung, die das Küssen zwischen einem Paar so aufregend und schön macht. Es wäre also wenig sinnvoll, sich ein Mädchen zum »Üben« zu nehmen, nur um vor sich und vor anderen mit seinen Erfahrungen prahlen zu können.

Liebkosen, Streicheln und ein bisschen mehr: Ab wann ist man reif für Petting?

Wenn du bis über beide Ohren in ein Mädchen verliebt bist, dann wirst du nach intensiven Küssen auch ihre körperliche Nähe spüren wollen. Das ist neu für dich und es verschafft dir große Lustgefühle. Diese kannst du mit deiner Partnerin beim Petting ausleben. Der Begriff stammt aus dem Englischen und ist von dem Verb »to pet« abgeleitet, was wörtlich übersetzt so viel bedeutet wie liebkosen. Umgangssprachlich drückt das Wort »fummeln« aber wohl am ehesten das gleiche aus wie Petting.

Petting heißt, dass sich ein Paar am ganzen Körper streichelt und küsst, ohne eigentlichen Geschlechtsverkehr zu haben. Ihr macht euch also durch Zärtlichkeiten gegenseitig Lust. Erlaubt ist, was beiden Partnern gefällt – nur eben miteinander schlafen nicht. Trotzdem ist es möglich, dass einer oder beide dabei zum Orgasmus kommen.

Lass uns den Faden weiterspinnen, den wir im Abschnitt »Der erste Kuss – Übung macht den Meister«, schon aufgenommen haben. Du küsst deinen Schwarm voller Leidenschaft, deine Hände wandern über ihren Busen, die Taille, hinunter zur Hüfte, zu ihren Schenkeln. Du spürst ihre Bereitschaft zu weiteren Zärtlichkeiten. Mit geschlossenen Augen genießt sie die Liebkosungen. Dein Körper, der eines Jungen, kommt ihr fremd und gleichzeitig vertraut vor. Sie möchte ihn näher kennen lernen, ihm ganz, ganz nah sein. Dann nimmst du ihre Hand, presst sie gegen deinen Schritt. Er ist durch ihre Nähe erregt, dein Penis ist steif und du willst, dass sie das weiß. Gleichzeitig erkunden deine Finger den Bereich zwischen ihren Beinen, der warm und feucht ist. Auch sie spürt heiße Wellen der Erregung in sich aufsteigen und kostest es aus, von dem Jungen, den sie liebt, gestreichelt zu werden. Ihre Hand scheint sich selbstständig gemacht zu haben, sie reibt und drückt die längliche, harte Wölbung zwischen deinen Schenkeln.

Wenn das intensive Kuscheln so oder ähnlich abläuft, dann handelt es sich um Petting. Ihr könnt dabei ganz nackt sein, aber auch ein paar Kleidungsstücke anbehalten – je nachdem, wie ihr euch

Petting heißt, dass sich ein Paar am ganzen Körper küsst und streichelt, ohne eigentlichen Geschlechtsverkehr zu haben. Dabei kann es bei jedem trotzdem zum Orgasmus kommen.

137

Ihr könnt beim Petting ganz nackt sein, aber auch ein paar Kleidungsstücke anbehalten – je nachdem, wie ihr euch am wohlsten fühlt.

am wohlsten fühlt. Tu auf jeden Fall nur das, wozu sie auch Lust hat, und dränge ihr nichts auf, was sie nicht will. Setzt euch auch nicht unter den Druck, dass ihr beim ersten Mal schon einen Orgasmus erleben müsst. Wenn du spürst, dass das Mädchen unsicher und unbeholfen ist, dann zeig und sag ihr, was du magst. Führe ihre Hand! Sie ist mindestens genauso aufgeregt wie du, aber möchte auch, dass du glücklich bist und dich mit ihr wohl fühlst. Lasst auf jeden Fall den Gefühlen freien Lauf, dann wird Petting eine echte Bereicherung euerer Liebe.

Diese Form der Sexualität ist für viele – auch erwachsene Paare – eine große Erfüllung, sodass sie »richtigen« Geschlechtsverkehr, bei dem der Penis in die Scheide eindringt, gar nicht brauchen. Jeder Partner kann dabei einen Orgasmus erleben und man ist, sofern man auf ein paar bestimmte Dinge achtet, weitgehend sicher vor einer Schwangerschaft.

Es gibt keine Faustregel, ab wann man reif genug ist für Petting. Dafür ist die Entwicklung eines jeden Einzelnen viel zu unterschiedlich. Während manche Mädchen und Jungen schon mit 13 oder 14 intensive sexuelle Erfahrungen machen, sind andere noch mit 16 oder 17 schüchtern und zurückhaltend. Deshalb sollte sich niemand gegen sein Gefühl zu etwas drängen lassen, wonach ihm noch nicht zumute ist – nur, um von anderen Gleichaltrigen anerkannt zu werden und mitreden zu können. Höre in dich rein, bis eine innere Stimme dir sagt, dass jetzt der Zeitpunkt gekommen ist, an dem du dich auf sexuelle Kontakte einlassen solltest. Petting ist kein Kinderspiel, sondern vielmehr ein wichtiges Übungsfeld für junge Leute, Erfahrungen mit dem anderen Geschlecht zu sammeln.

Statistiken zeigen, dass Mädchen früher mit Petting anfangen, aber Jungen dabei die aktive Rolle spielen.

Obwohl die Kirchen nach wie vor die Jungfräulichkeit für eine Eheschließung voraussetzen, haben sich in den letzten Jahrzehnten die moralischen Anschauungen innerhalb der Gesellschaft so weit gelockert, dass es inzwischen eine eher untergeordnete Rolle spielt, ob Frau oder Mann »unschuldig« in eine feste Beziehung gehen. Die überwiegende Mehrheit der Jugendlichen befürwortet und praktiziert auch voreheliche sexuelle Erfahrungen, die für die Partnerschaft eine bedeutende Rolle spielen. Statistiken zeigen, dass Mädchen früher mit Petting anfangen, aber Jungen dabei die aktive Rolle spielen.

Andererseits gibt es auch streng erzogene, religiöse Mädchen und Jungen oder Gruppen von Jugendlichen, die freiwillig mit jeder Art Intimkontakt bis zur Ehe warten wollen. Darüber solltest du dich nicht lustig machen, sondern es akzeptieren. Jeder sollte selbst entscheiden, wie er es für sich halten will und sich von niemand dabei belächelt oder unter Druck gesetzt fühlen.

Kann man durch Petting schwanger werden?

Die Gefahr einer ungewollten Schwangerschaft ist beim Petting durchaus gegeben, auch wenn der Penis nicht in die Scheide eingeführt wird. Wenn du beim Orgasmus dein Glied direkt an die Schamlippen des Mädchens drückst oder sie mit Sperma an den Händen an oder in der Scheide berührst, dann kann sie schwanger werden.

Die Spermien des Mannes sind nämlich so beweglich, dass sie durchaus den Weg ins Körperinnere finden können, wenn sie am Scheideneingang mit der Scheidenflüssigkeit, die Mädchen bei sexueller Erregung vermehrt bilden, in Kontakt kommen. Es kann aber auch passieren, dass deine Partnerin sich selbst aus Versehen mit der Hand die Spermien überträgt. Deshalb: So unromantisch es sein mag, achtet darauf, sofort nach deinem Samenerguss die Hände und den Genitalbereich zu waschen, um ja kein Risiko einzugehen.

Achtet darauf, gleich nach deinem Samenerguss die Hände und den Genitalbereich zu waschen, um nicht das Risiko einer Schwangerschaft einzugehen!

Lerne den Körper des Mädchens kennen!

Nicht nur der Körper eines Jungen verändert sich in der Pubertät, sondern auch der des Mädchens. Was bei dir das Hormon Testosteron bewirkt, dafür ist im Körper des Mädchens das Östrogen verantwortlich. Es setzt das Wachstum der weiblichen Brüste in Gang ebenso wie die Monatsblutung, auch Periode, Tage oder Regel genannt. Von da an reift jeden Monat eine Eizelle im Körper der Frau heran, die von einer männlichen Samenzelle befruchtet werden kann. Das heißt: Sie kann schwanger werden und ein Baby bekommen.

Siehe auch Abschnitt »Was läuft jetzt bei Mädchen ab?«, S.108

Bei der Frau wird – ebenso wie beim Mann – zwischen äußeren und inneren Geschlechtsorganen unterschieden. Zu den äußeren, der Vulva, gehören der Venushügel, die kleinen und großen Schamlippen, die Klitoris, der Scheideneingang und das Jungfernhäutchen. Zu den inneren zählen die *Scheide (Vagina)*, die *Eierstöcke* mit den *Eileitern*, die *Gebärmutter* und der *Muttermund*.

Was die sexuelle Erregung betrifft, ist der weibliche Körper in vielen Reaktionen dem männlichen nicht unähnlich. Während Jungen einen sichtbar steifen Penis bekommen, wird die Scheide des Mädchens feucht und gleitfähig, die Brustwarzen fest und prall. Manche Mädchen haben Probleme damit, den steifen Penis des Jungen anzufassen. Zwinge sie nicht dazu, sondern akzeptiere diese pubertäre Unsicherheit. Sie kommt möglicherweise daher, dass Mädchen sich nicht schon von Kind auf so intensiv mit ihren Geschlechtsteilen »anfreunden« können wie Jungen, da diese in die Bauchhöhle eingebettet sind. Daher haben sie oftmals zu Beginn ihres Geschlechtslebens Berührungsängste, die sich aber mit dem Einfühlungsvermögen eines Jungen im Laufe der Zeit von selbst geben werden.

Hier im Einzelnen eine Beschreibung der äußeren weiblichen Geschlechtsorgane:

Der *Venushügel* liegt über dem Schambein. Während der Pubertät sprießen darauf Härchen, die im Laufe der Zeit immer dichter werden. Die Farbe, Form und Stärke der Behaarung ist von Typ zu Typ verschieden.

Die großen Schamlippen zwischen Venushügel und dem Bereich zum After hin sind nichts anderes als zwei dickere Hautfalten, die die Scheidenöffnung verschließen. Auch sie behaaren sich während der Zeit der Geschlechtsreife.

Die kleinen Schamlippen kannst du nur sehen, wenn du die großen auseinanderziehst. Diese beiden dünnen Hautfalten sind unbehaart und sehr empfindlich bei Berührungen. An ihrem oberen Ende, wo sie aufeinander treffen, bilden sie eine Art »Häubchen«, womit sie die winzige Klitoris bedecken.

Die Klitoris ist etwa so groß wie eine Erbse und spielt bei der Sexualität der Frau eine bedeutende Rolle. Sie ist in ihren Reaktionen mit denen eines Penis zu vergleichen, vermittelt ausschließlich Lustgefühle und bringt eine Frau zum sexuellen Höhepunkt. Wird die Klitoris durch Berühren erregt, schwillt sie an, wird prall und steif. Kurz vor dem Orgasmus zieht sie sich unter ihr »Häubchen« zurück. Klingt die Erregung ab, erreicht sie wieder ihre normale Größe. Man nennt die Klitoris auch **Kitzler**.

Es ist wichtig, seinen eigenen Körper kennen zu lernen.

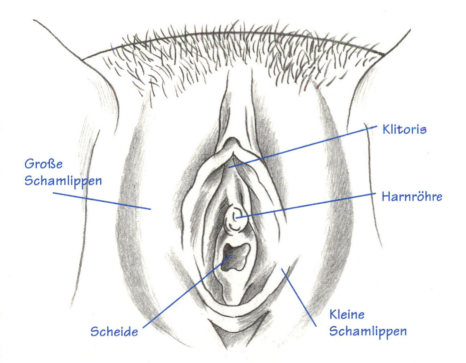

Klitoris

Große Schamlippen

Harnröhre

Scheide

Kleine Schamlippen

Der Scheideneingang befindet sich unterhalb des Harnröhrenausgangs. Während beim Mann die Öffnung des Penis sowohl für den Austritt von Sperma als auch von Harn da ist, hat der weibliche Körper einen eigenen Ausgang für die Urin-

141

ausscheidung. Dieser ist sehr klein und liegt zwischen Klitoris und Scheideneingang. Die Scheidenöffnung kann zum Teil von etwas Haut verschlossen sein, die man „Jungfernhäutchen" nennt.

Siehe auch Abschnitt »Was passiert beim Geschlechtsverkehr? Wie macht man's richtig?«, S. 157

Das Jungfernhäutchen oder **Hymen** verschließt den ovalen Spalt des Scheideneingangs nicht ganz, sondern hat eine oder mehrere kleine Öffnungen, durch die das Menstruationsblut abfließen kann. Es ist dehnbar, sodass problemlos ein Tampon in die Scheide eingeführt werden kann.

Heute weiß man, dass es Frauen gibt, die ganz ohne Jungfernhäutchen geboren werden. Es kann passieren, dass es bei Petting, anstrengendem Sport oder beim Einführen eines Tampons zerrissen wird. Dies merkt ein Mädchen meistens gar nicht. Viele erwachsene Frauen berichten, dass sie das Jungfernhäutchen in ihrem Leben nie bewusst wahrgenommen haben. Meistens wird es jedoch beim ersten intimen Zusammensein mit einem Jungen durchtrennt. Das kann in manchen Fällen zu einer minimalen Blutung führen und etwas unangenehm sein. Doch es ist niemals so schmerzhaft, dass ein Mädchen Angst davor haben müsste.

Betrachten wir nun die inneren Geschlechtsorgane der Frau etwas genauer:

Die Wände der Vagina sind elastisch, sie können sich dehnen und zusammenziehen.

Die Scheide oder **Vagina** ist durchschnittlich etwa acht Zentimeter lang und erstreckt sich vom Scheideneingang bis hin zum Muttermund. Sie hat gefurchte Wände, die sich normalerweise berühren. Da sie aber elastisch sind, können sie sich beim Geschlechtsverkehr oder einer Geburt öffnen, dehnen und wieder zusammenziehen. Auf diese Weise bahnt die Scheide einem Baby den Weg nach außen und passt sich dem Umfang eines jeden Penis an. Bei sexueller Erregung sondern die Scheidenwände ein Sekret (Gleitflüssigkeit) ab, das das Eindringen des männlichen Glieds ermöglicht und erleichtert.

Die Eierstöcke liegen links und rechts im oberen Beckenbereich und bewahren einen riesigen Vorrat von Eiern in kleinen Bläschen auf. Bereits bei der Geburt eines Mädchens enthält jeder der beiden Eierstöcke etwa 200.000, insgesamt also 400.000 Eizellen. Davon werden während der fortpflanzungsfähigen Jahre etwa

400 bis 500 Eizellen freigesetzt. Innerhalb dieser Zeit wird etwa alle vier Wochen ein reifes Ei in einen der beiden Eileiter transportiert, wo es auf seine Befruchtung wartet. Findet diese nicht statt, kommt es zur Menstruation und der beschriebene Vorgang wiederholt sich. Die Eierstöcke produzieren im Übrigen auch die weiblichen Sexualhormone Östrogen und Progesteron.

Die Eileiter befinden sich im oberen Beckenbereich, auf jeder Seite je einer. Ihre Öffnungen umschließen die Eierstöcke, ohne daran befestigt zu sein. Die Eileiter dienen zum Transport des reifen Eis. Um eben dieses befruchten zu können, müssen sich die männlichen Samenzellen regelrecht durch den Eileiter kämpfen. Dies schaffen auch nur sehr gut entwickelte Spermien. So sorgt die Natur auf diese Weise für die besten Voraussetzungen für eine gesunde Schwangerschaft. Von den Eierstöcken führen die Eileiter zur Gebärmutter.

Siehe auch Abschnitt »Wie entstehen Samen? Das Fortpflanzungssystem des Mannes«, S. 107

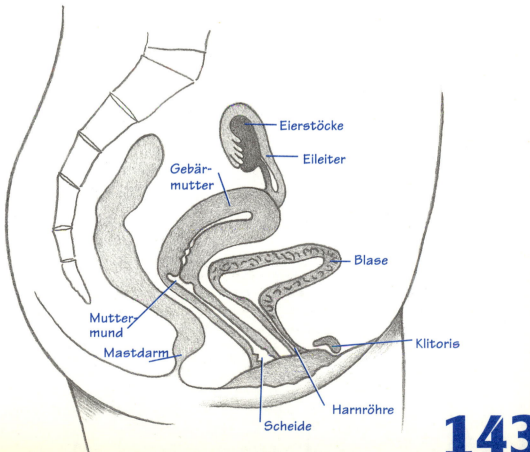

143

Siehe auch Abschnitt »Was passiert beim Geschlechts- verkehr? Wie macht man's richtig?«, S. 157

Die Gebärmutter ist ein hohles, etwa faustgroßes und birnen-förmiges Muskelorgan und liegt ungefähr in der Mitte des Unterleibs. Sie kann sich stark erweitern und bietet einem heran-wachsenden Kind in der größeren, oberen Hälfte während der Schwangerschaft ein »kuschliges Nest«. Die Wände der Gebärmutter sind sehr elastisch und muskulös und leisten bei der Geburt eines Babys eine ganze Menge. Durch das Zu-sammenziehen dieser Muskulatur wird das Kind nämlich aus der Gebärmutter in die Scheide gedrängt, um sich von dort aus den Weg nach draußen zu bahnen. Auch die verschiedenen Gewebe- und Muskelschichten der Gebärmutterwände erfüllen besondere Aufgaben. Die innerste Gewebeschicht bereitet sich allmonatlich auf die Aufnahme eines befruchteten Eis vor. Kommt es nicht zur Befruchtung, wird das Ei mit der Regelblutung wieder abgesto-ßen. Dieser Vorgang wiederholt sich etwa alle vier Wochen bis zu den Wechseljahren.

Der Muttermund im unteren Teil der Gebärmutter geht in die Scheide über. Er ist durch einen Schleimpfropf verschlossen, der ein kleines Loch hat, sodass während der Periode Blut nach außen und das Sperma eines Mannes nach innen dringen kann. Der Schleim in der **Cervix**, wie man den unteren Teil der Gebär-mutter auch nennt, dient in der natürlichen Empfängnisverhütung auch als Anhaltspunkt bei der Bestimmung der fruchtbaren und unfruchtbaren Tage.

Wie du dich mit Phantasie selbst kennen lernen kannst

Die meisten Jugendlichen, deren Geschlechtstrieb gerade erwacht ist, haben noch keinen Partner, mit dem sie ihn ausleben können. So lernt fast jeder seine sexuelle Lust erst einmal an und mit sich selbst kennen. Diese Art des sexuellen Erlebens nennt man Selbstbefriedigung, auch **Masturbation** oder **Onanie**.

Jeder lernt seine sexuelle Lust erst ein-mal an und mit sich selbst kennen.

Ist ein Junge sexuell erregt und will sich selbst befriedigen, dann umfasst er seinen steifen Penis an der Eichel und zieht die Vorhaut immer wieder vor und zurück. Dabei streichelt und reibt er die Eichel und den ganzen Penis. Durch die andauernde Reizung stei-

144

gert sich das Lustempfinden immer mehr, bis es zu einer »Explosion« kommt und die Samenflüssigkeit beim Orgasmus pulsierend herausspritzt. Während des Samenergusses durchflutet dich ein ungeheueres Wohlgefühl und danach eine große Erleichterung. Die ganze Anspannung fällt dann von dir ab und du würdest am liebsten gleich einschlafen. Aber vielleicht bist du auch noch an anderen Körperstellen wie den Brustwarzen, am Hals oder am Ohr sexuell erregbar?

Deiner Phantasie sind beim Onanieren keine Grenzen gesetzt. Tu es möglichst dann, wenn du ungestört oder allein zu Hause bist. Wenn du keine Lust dazu hast, lass es einfach sein. Aber wenn du den Drang in dir verspürst, es zu tun, dann solltest du wissen, dass Onanieren nichts ist, wofür du dich schämen müsstest. Es ist etwas ganz Normales, ein Zeichen von Lebenslust und Körpergefühl.

Vielleicht hast du beim ersten Mal auch gar kein gutes Gefühl, sondern eher Angst davor, was in deinem Körper nun vor sich geht. Wie ein Orgasmus ist und sich anfühlt, das musst du selbst herausfinden, indem du ihn erlebst. Wenn du einige Male onaniert hast, legen sich deine unsicheren Gefühle und du kriegst richtig Übung darin. Wundere dich nicht, wenn das Ejakulat viel weniger ist als du angenommen hast. Höchstens drei bis vier Milliliter sind es pro Erguss. Die weißlichen Flecken auf der Wäsche gehen beim Waschen problemlos heraus.

Zu Beginn der Pubertät kann es vorkommen, dass du einen »trockenen Orgasmus« erlebst. Das bedeutet, dass du zwar ein ebenso wohliges Gefühl hast, es aber zu keiner Ejakulation kommt. Grund: Prostata und Bläschendrüsen haben in deinem Alter ihre Funktion noch nicht aufgenommen. Meist haben Jungen weniger Hemmungen zu onanieren als Mädchen. Das liegt wohl daran, dass sie von Kind auf mit ihren Geschlechtsteilen vertrauter umgehen, weil sie außen liegen und sie z. B. ihren Penis jedes Mal beim Urinieren in die Hand nehmen.

Mädchen können den Höhepunkt sexuellen Lustgefühls erreichen, wenn sie sich mit den Fingern im Bereich zwischen den kleinen Schamlippen sanft massieren, besonders die Klitoris und die Gegend um sie herum. Ihre Scheide wird dann innen und am Eingang ganz glitschig. Das kommt davon, weil sie erregt sind

Onanieren ist nichts, wofür du dich schämen müsstest. Es ist etwas ganz Normales und besonders in deinem Alter sehr wichtig, damit du deine Sexualität erleben lernst. Aber niemand zwingt dich dazu, dich selbst zu befriedigen.

145

Selbstbefriedigung ist eine eigene Form von Sexualität, nicht bloß eine Ersatzbefriedigung.

und deshalb mehr Scheidenflüssigkeit absondern. Der Körper reagiert auf diese Streicheleinheiten auch, indem sich der Kitzler vergrößert. Irgendwann sind die Empfindungen so intensiv, dass sie meint, sie könne sie nicht mehr aushalten. Kurz vor dem Höhepunkt hat sie dann das Gefühl, als würde sie zerspringen und anschließend von einer weichen Welle weggetragen werden. Vielleicht kommt es ihr auch vor, als würde sie von weit oben in ein wohlig gefedertes Bett fallen. Man kann es kaum beschreiben, wie das ist, wenn eine Frau einen Orgasmus hat. Jede empfindet ihn anders.

Wer sich selbst befriedigt, denkt dabei meistens an eine erotische Situation mit seinem Schwarm oder an die Liebesszene in einem Film, den er gesehen hat. Aber viele lassen auch ihrer Phantasie freien Lauf. Der heimliche Gedanke an einen Partner zeigt, dass man sich einen wünscht, mit dem man Sex haben möchte. Selbstbefriedigung kann ein Ersatz für die sexuelle Bestätigung mit einem Partner sein. Dennoch ist sie eine eigene Form von Sexualität, nicht eine bloße Ersatzbefriedigung von minderem Wert. Jugendlichen hilft sie, ihren Körper und seine Reaktionen selbst zu erforschen und ihren Geschlechtstrieb auszuleben. Viele erwachsene Paare befriedigen sich zusätzlich zu ihrem partnerschaftlichen Geschlechtsleben auch noch selbst.

Gregor (15):

> Stimmt es, dass Mädchen mit Onanieren leichter zum Orgasmus kommen als mit einem Jungen?

Bei der Selbstbefriedigung entdeckst du deine eigene Sexualität.

Das stimmt. Bei der Selbstbefriedigung wird nämlich die Klitoris direkter erregt als beim Sex zu zweit. Der Penis des Jungen drückt dagegen nur indirekt auf die Klitoris. Außerdem betrachten Psychologen die Masturbation heute als sehr sinnvoll für Mädchen und Frauen, um ihre eigene Sexualität zu entdecken. Sie können dabei lernen, was sexuelle Erregung ist, wie sie entsteht und bis zum Orgasmus gesteigert werden kann. Frauen, die wissen, wo sie am liebsten gestreichelt werden, werden auch beim Sex mit ihrem Partner viel mehr Spaß haben.

146

Warum Selbstbefriedigung immer noch tabuisiert wird

Lange Zeit war die Selbstbefriedigung ein sehr heikles Thema. Und wenn du sehr religiös erzogen worden bist, dann ist sie das vielleicht immer noch. Auch wenn die christlichen Kirchen die Onanie heute etwas toleranter betrachten als vor hundert Jahren noch, so bleibt sie eine Sünde, die unter das 6. Gebot fällt. Religiös gebundene Jugendliche müssen sich also mit dieser Forderung nach Verzicht auseinandersetzen und selbst entscheiden, wie sie damit umgehen wollen.

Früher kursierten viele Märchen über die Selbstbefriedigung. Dass sie der Gesundheit schaden könne, wurde von der Wissenschaft schon längst als blanker Unsinn entlarvt.

Doch warum ist die Selbstbefriedigung heutzutage immer noch ein Tabu? In früheren Jahrhunderten, als Naturwissenschaften und Medizin noch nicht so weit entwickelt waren, gab es viele Spekulationen, die uns heute lächerlich erscheinen. Vielen Krankheiten wurden aus Unwissenheit Ursachen angedichtet, die in keinem Zusammenhang mit ihnen stehen. Aus moralischer Ablehnung malte man sich in seiner Phantasie die schlimmsten Dinge aus, und so entstand das Märchen von der Selbstbefriedigung. All der Aberglaube und Unsinn darüber hat sich in den Menschen über all die Jahre festgesetzt und es dauerte sehr lange, bis den Wissenschaftlern, die die Wahrheit herausgefunden hatten, auch wirklich geglaubt wurde. So bildete man sich vor langer Zeit ein, dass man durch Onanie unter anderem zum körperlichen Krüppel, zum Geisteskranken oder zum Triebverbrecher werden müsse. Und die Menschen bekamen Angst um ihre Kinder und bemühten sich, sie vor diesem Übel zu schützen. Man errichtete wahre Folterinstrumente, die den Kindern, die am eigenen Körper herumspielten, diese Lust verleiden sollten. Wenn es also heute heißt, Selbstbefriedigung sei für Jugendliche nicht ganz ungefährlich, so ist das ein Irrglaube von damals.

Niemand tut etwas Böses oder Verbotenes, wenn er sich selbst befriedigt. Weder Männer noch Frauen.

Trotzdem können auch viele frei erzogene Jugendliche über das Thema nicht ganz ohne Scham reden. Mädchen sprechen darüber oft viel weniger locker und ungezwungen als Jungen. So, als ob es ihnen nicht zustehen würde, sich selbst Lust zu verschaffen. Aber warum sollte eine Frau keine Lust empfinden dürfen? Niemand tut damit etwas Böses oder Verbotenes! Viele Männer und Jungen sehen es als ihr Recht an zu onanieren. Warum also sollte es nicht auch das Recht von Frauen sein, dies zu tun?

147

Schadet es mir, wenn ich zu oft onaniere?

Robin (13):

Ich bin richtig süchtig danach, mit meinem Penis herumzuspielen. Erst hatte ich irgendwie Angst davor, es zu machen, weil ich gehört habe, dass das schädlich sein soll. Aber bis jetzt tut mir überhaupt nichts weh, im Gegenteil! Ich fühle mich total gut dabei und tue es fast jeden Tag. Vielleicht ist das ja zu viel und es stimmt etwas nicht mit mir? Ich habe auch Angst, dass meine Eltern dahinter kommen. Das wäre mir peinlich.

Das Einzige, was bei der Onanie krank machen kann, sind die Schuldgefühle.

Da Selbstbefriedigung weder krank noch dumm macht, sondern ein wichtiges Ventil für die Sexualität nicht nur junger Leute ist, spielt es auch keine Rolle, wie oft jemand masturbiert. Das Einzige, was bei der Onanie krank machen kann, sind die Schuldgefühle, die sich viele deshalb machen. Ob einmal oder mehrmals pro Tag oder nur einmal im Monat – jeder kann es so oft tun, wie er Lust dazu verspürt. Es ist in keiner Form schädlich.

Wenn Onanieren wirklich die schlimmen Folgen hätte, die ihm angedichtet wurden und leider immer noch werden, müsste der Großteil der Menschheit im Siechtum dahinvegetieren. Doch wie Statistiken aus neuerer Zeit beweisen, befriedigen sich immerhin über 90 Prozent aller Jungen und Männer selbst, bei Mädchen und Frauen sind es 70 Prozent, die regelmäßig oder wenigstens gelegentlich onanieren.

Wenn deine Eltern deine Intimsphäre nicht freiwillig akzeptieren, dann sperre deine Zimmertür hinter dir ab!

Moderne Eltern reagieren ruhig und verständnisvoll, wenn sie bemerken, dass ihr Sohn oder ihre Tochter sich selbst befriedigen. Es gibt aber leider immer noch die anderen, die sich anschleichen und ohne Vorwarnung die Tür zum Zimmer ihres Kindes öffnen. Diese Kontrollen sind fies und ein Zeichen von Misstrauen dir gegenüber. Außerdem stören sie dich damit in deiner Intimität, auf die sie eigentlich Rücksicht nehmen sollten. In so einem Fall ist es besser, wenn du deinen Eltern klar sagst, dass du nun dein Zimmer absperrst und deine Ruhe haben möchtest.

Zweisamkeit, Schwangerschaft und Vater werden

8. Das erste Mal
9. Die Schwangerschafts-
   verhütung

Das erste Mal

Ab wann darf man miteinander schlafen?

Harry (15):

Schon seit drei Monaten bin ich nun mit meiner Freundin Clarissa zusammen. Wir lieben uns sehr und haben auch schon Petting miteinander gehabt, als ihre Eltern weg waren. Doch nun wollen wir endlich richtig miteinander schlafen. Es kribbelt so in uns, dass wir uns kaum noch zusammenreißen können. Aber wir wollen nichts falsch machen. Sind wir überhaupt schon alt genug, um Geschlechtsverkehr haben zu können? Und was müssen wir beachten? Können unsere Eltern es verbieten?

Das erste Mal ist für jeden ein einschneidendes Erlebnis. Den richtigen Zeitpunkt könnt nur ihr selbst wählen.

Irgendwann wird es dir ergehen wie Harry und Clarissa. Du wirst mit deinem Partner »richtig« schlafen wollen. Wann du das tust, dafür gibt es keine Regel. Es liegt ganz an dir, wann du dich bereit dafür fühlst. Eine verbindliche Norm wäre auch Unsinn, da sich alle Jugendlichen unterschiedlich schnell entwickeln. Das erste Mal ist ein sehr bedeutendes Ereignis für jeden Menschen, sodass du es bewusst angehen und dir genug Zeit dafür nehmen solltest. Auch deine Freundin sollte bereit dazu sein. Es hat keinen Sinn, wenn du versuchst, sie zu überrumpeln. So verderbt ihr euch beide nur dieses einschneidende, schöne Erlebnis.

Allein die körperliche Entwicklung reicht nicht aus, um reif für Sexualität zu sein, auch innerlich musst du es wollen. Fühle dich nicht gedrängelt, bloß weil andere schon Erfahrungen gemacht haben und damit prahlen. Wenn du es nämlich tust, ohne die innere Reife dafür zu haben, wirst du dieses schöne Zusammensein vielleicht negativ erleben. Zu frühes Miteinanderschlafen (unter 15 Jahren) wird Statistiken zufolge von vielen Jugendlichen als unschön erlebt. Und das solltest du dir ersparen. Auf der anderen Seite kommen sich viele Jungen komisch vor, wenn sie 17 oder 18 sind und noch nie Sex mit einem Mädchen hatten. Sie empfinden es als Makel, keine Erfahrung zu haben und schämen sich oft sogar dafür. Auch das ist unnötig, denn mit deinem Verhalten beweist du ja, dass du erst einmal gründlich nachdenkst, bevor du mit jemand intim wirst. Und das ist in keinem Fall falsch.

Es gibt keinen Grund sich zu schämen, wenn man mit dem ersten Mal noch etwas warten will.

Woran kannst du erkennen, ob du reif bist für das erste Mal?

- Wenn du über einen gewissen Zeitraum eine feste Freundin hast, mit ihr schon beim Petting Zärtlichkeiten ausgetauscht hast und genau spürst, dass du jetzt mehr willst (so wie Harry und Clarissa)

- Wenn es dir schon öfters passiert ist, dass du so große Lust auf Sex hattest, dass du dich kaum noch „zusammenreißen" konntest

- Wenn du genau über Schwangerschaftsverhütung und Vorsichtsmaßnahmen in puncto AIDS Bescheid weißt

- Wenn deine Familie aufgeschlossen ist und dich nicht unter Druck setzt, wenn du früher als sie erwartet hat, sexuelle Erfahrungen machst

Siehe auch Abschnitt »Wie kann man sich vor einer HIV-Infektion schützen?«, S. 219

Du solltest mit sexuellen Kontakten lieber noch warten,

- wenn du eigentlich noch gar keine Lust darauf hast und du nur meinst, du müsstest es halt nun auch mal probiert haben

- wenn du nur eine lockere Beziehung zu einem Mädchen hast und du dir engen Körperkontakt mit ihr noch gar nicht vorstellen kannst

153

Wenn ihr euch entschieden habt, miteinander zu schlafen, nehmt euch viel Zeit und sorgt dafür, dass ihr ungestört seid!

- wenn dich Freunde immer wieder anstacheln, dass du »es« jetzt endlich auch mal probieren solltest. Höre nicht auf sie, sondern nur auf dich!

- wenn du dir ausmalen kannst, wie deine Eltern reagieren, wenn sie davon erfahren. Müsstest du dann mit großen Problemen rechnen, mit denen du nicht fertig würdest, schiebe es lieber noch ein bisschen auf!

Wenn ihr euch entschieden habt, miteinander zu schlafen, dann nehmt euch auf jeden Fall viel Zeit und sorgt dafür, dass ihr ungestört seid. Oft will es aber, gerade wenn man es sich vornimmt, gar nicht klappen. Dann akzeptiert das und zwingt euch nicht dazu, es jetzt tun zu müssen. Ein anderes Mal wird es sich wie von selbst ergeben und dann auch umso schöner werden. Hauptsache, ihr seid euch einig, dass ihr es beide wollt.

Weil sexuelle Kontakte vor allem für Kinder und Mädchen so einschneidende und nachhaltige Erlebnisse sind, hat sich auch der Gesetzgeber der Bundesrepublik Deutschland Gedanken darüber gemacht, über die du als Junge unbedingt Bescheid wissen solltest.

Was der Gesetzgeber sagt

- So sind alle sexuellen Handlungen an einer Person unter 14 Jahren (Kind) laut § 176 des Strafgesetzbuches strafbar. Der Paragraph beinhaltet auch, dass jemand, der von einem Kind unter 14 sexuelle Handlungen an sich vornehmen lässt (sexueller Missbrauch), mit einer Freiheitsstrafe von sechs Monaten bis zu zehn Jahren oder mit einer Geldstrafe zu rechnen hat. Interessant hierbei: Da man erst ab 14 strafmündig ist, gehen z. B. zwei 13jährige, die miteinander schlafen, straffrei aus, weil sie im Sinne des Strafgesetzbuches noch nicht schuldfähig sind.

- Dem § 176 nach macht sich aber ein 16jähriger Junge, der mit einem Mädchen unter 14 sexuell verkehrt, strafbar. Kein

Erwachsener darf dieser Handlung zustimmen oder sie gar »fördern« (§ 180), sonst macht er sich auch strafbar. Du siehst: Deine Eltern haben also zu Recht etwas dagegen, wenn du zwar 16 bist, aber mit einem Mädchen unter 14 ins Bett gehen willst.

- Seid ihr aber beide über 14, gilt dieses Verbot nicht mehr für die Eltern. Das heißt: Lassen sie euch gewähren, dass ihr beide unter ihrem Dach Sex habt, dann ist das in Ordnung. Wenn du aber nun gegen den Willen der Eltern des Mädchens in ihrem oder deinem Zimmer intim mit ihr wirst, dann können sie eine »Unterlassungsklage« gegen dich einreichen. Ein Anwalt teilt dir dann mit, dass du es eben lassen sollst, dich künftig mit ihr zu treffen. Dagegen könntest du selbst bzw. das Mädchen Widerspruch einlegen. Und dann würden ihre Eltern wahrscheinlich den »Kürzeren« ziehen, denn sie müssten vor dem Jugendrichter nachweisen, dass der Kontakt ihrer Tochter zu dir sie »moralisch oder psychisch« gefährde. Dies wird der Richter kaum einsehen, wenn du ein ganz normaler Junge bist und sie ein normal entwickeltes Mädchen.

Die Rechtslage ist ziemlich kompliziert. Aber auch hier gilt: Wo kein Kläger, da kein Richter.

- Anders sieht die Sache aus, wenn das Mädchen gegen den Willen ihrer Eltern mit einem sehr viel älteren, verheirateten Mann, einem vorbestraften Jugendlichen oder einer lesbischen Frau sexuelle Kontakte hat. Dann wird der Richter der »Unterlassungsklage« vermutlich stattgeben und sie darf die betreffende Person nicht mehr sehen. Trifft sich die betreffende Person trotzdem mit ihr – gegen den Willen ihrer Eltern – macht sie sich strafbar.

- Bist du unter 16 und deine Eltern führen dich (egal, ob Sohn oder Tochter) einem wesentlich älteren Mann zwecks sexueller Kontakte oder entsprechender Videoaufnahmen zu, dann spricht man von einer »groben Verletzung des Sorgerechts« – die Eltern können belangt werden.

Zwar haben die Eltern das Sagen, doch dürfen sie ihr Sorgerecht auch nicht verletzen.

- Nistet ihr euch bei Oma, Opa, Tanten, Onkeln oder Freunden ein, um miteinander zu schlafen und seid über 14 und noch nicht 16, dann macht sich der Wohnungsverleiher, sofern deine Eltern ihn anzeigen, strafbar. Das Sorgerecht der Eltern ist nämlich nicht auf diese Personen übertragbar.

155

Als Junge in deinem Alter liebst du nach dem Gesetz sehr gefährlich. Hier kannst du nachlesen, worauf du achten musst, bevor du mit einem Mädchen intim wirst.

- Hier zusammengefasst ein Beispiel dafür, wie »gefährlich« Jungen in deinem Alter lieben: Bastian (13) schläft mit Nelly (12). Beide sind Kinder und machen sich nicht strafbar. Ein Jahr später: Bastian ist jetzt 14, Nelly 13. Nun macht er sich wegen sexuellen Missbrauchs eines Kindes strafbar. Wieder ein Jahr später: Bastian 15, Nelly 14. Jetzt kann er wegen Verführung einer noch nicht 16jährigen belangt werden, obwohl er nur ein Jahr älter ist als sie. Übrigens: Es spielt keine Rolle, ob das Mädchen dem sexuellen Kontakt zugestimmt hat, wird allerdings bei der Strafbemessung meistens berücksichtigt.

- Interessant: Mädchen bzw. Frauen machen sich nur dann strafbar, wenn sie sexuelle Handlungen an einem Kind unter 14 vornehmen (sexueller Missbrauch). Nehmen wir den umgekehrten Fall Nelly/Bastian. Sie ist 14, er 13. Ganz klar: Nelly könnte wegen sexuellen Missbrauchs eines Kindes bestraft werden. Ein Jahr später. Nelly ist jetzt 15, Bastian 14. Jetzt macht sich wieder der Junge strafbar, weil er mit einem Mädchen unter 16 geschlafen hat. Erst wenn Nelly 16 ist und Bastian 15, ist keine Straftat mehr gegeben.

Streng christliche Menschen versagen sich den vorehelichen Geschlechtsverkehr. Dies ist nicht zum Lachen, sondern ihre freie Entscheidung, die man akzeptieren muss.

Wenn zwei sich lieben und dieses Gefühl auch körperlich genießen wollen, werden sie sich wohl kaum hineinreden lassen. Wer aber andererseits aufgrund religiöser oder moralischer Überzeugungen seine sexuellen Wünsche unterdrücken will und kann, wird sich ebenfalls von anderen nicht beeinflussen lassen. Menschen, die streng christlich denken und handeln, versagen sich den vorehelichen Geschlechtsverkehr, so wie die Kirche das auch vorschreibt. Das ist ihre freie, willentliche Entscheidung, die man akzeptieren muss.

Doch außer weltanschaulich-religiösen Argumenten gibt es kein einziges sachliches gegen den vorehelichen Geschlechtsverkehr. In der gesellschaftlichen Wirklichkeit hält sich die Mehrheit der Menschen schon längst nicht mehr an überholte Sexualverbote, deren Sinn und Notwendigkeit überhaupt nicht einleuchten. Und auch schon in früheren, angeblich so sauberen Zeiten, sah die Realität völlig anders aus, als die Sittenhüter sich das vielleicht wünschten.

156

Wo ist der beste Platz für das erste Intimsein?

Zu Hause in deinem Zimmer oder in dem deiner Freundin ist der ideale Platz, um erstmals miteinander intim zu werden. Am besten ist es, wenn ihr alleine zu Hause seid und sicher sein könnt, dass auch nicht gleich jemand heimkommt und an die Tür klopft. Glück hat, wer verständnisvolle und aufgeschlossene Eltern hat, die das natürliche sexuelle Bedürfnis ihrer Kinder nicht unterdrücken, sondern auf gesunde Weise fördern wollen. Mit ihnen kannst du wahrscheinlich auch offen darüber sprechen, was dich bewegt. Solche Eltern ersparen ihren Kindern Ausreden, Heimlichtuereien und ungemütliche Liebesabenteuer in der freien Natur oder anderen weniger geeigneten Plätzen. Nichts gegen romantische Stunden auf der Parkbank oder im Wald – doch man könnte dort jederzeit gestört oder von jemand entdeckt werden.

Hauptsache ist, dass gerade das erste Mal unter möglichst bequemen und entspannten Bedingungen sowie ohne Zeitdruck zustande kommt, damit du ein befriedigendes Erlebnis hast, an das du dich gerne zurückerinnerst. Setzt euch auch nicht unter Erfolgsdruck, erwartet nicht zu viel voneinander, sondern nehmt es, wie es kommt und sich ergibt. Und wenn ihr für die richtige Verhütung sorgt, dann braucht ihr auch keine Angst zu haben.

Der beste Ort für das erste Mal ist das eigene Zimmer.

Siehe auch Abschnitt »Die richtige Wahl des Verhütungsmittels«, S. 178

Was passiert beim Geschlechtsverkehr? Wie macht man's richtig?

Geschlechtsverkehr ist eine sehr intime Form des Kontaktes zwischen zwei Menschen und unterscheidet sich von Petting nur dadurch, dass der Mann sein Glied in die Scheide der Frau einführt. Die biologische Funktion dieses Vorgangs besteht darin, dass die Frau auf diese Weise schwanger werden kann. Die meisten Paare aber tun dies in erster Linie, weil sie so am besten und intensivsten ihre Gefühle füreinander ausdrücken können. Wenn ihr beim Petting ausgiebig kuschelt und euch streichelt, dann seid ihr beide irgendwann sexuell erregt. Das fällt besonders beim Jungen deutlich auf, denn sein Glied füllt sich mit Blut und wird steif. Es richtet sich auf, sodass es vom Körper wegsteht. Bei

Siehe auch Kapitel »Die Schwangerschaftsverhütung«, ab S. 176, und den Abschnitt »Wie kann man sich vor einer HIV-Infektion schützen?«, S. 219

157

Mädchen schwillt die Klitoris an, tritt stärker hervor und die Scheide wird sehr feucht, sodass dein Penis besser hineingleiten kann. Je mehr ihre Erregung steigt, desto mehr tritt die Klitoris zurück, und die Schamlippen werden dunkler und größer.

Geschlechtsverkehr

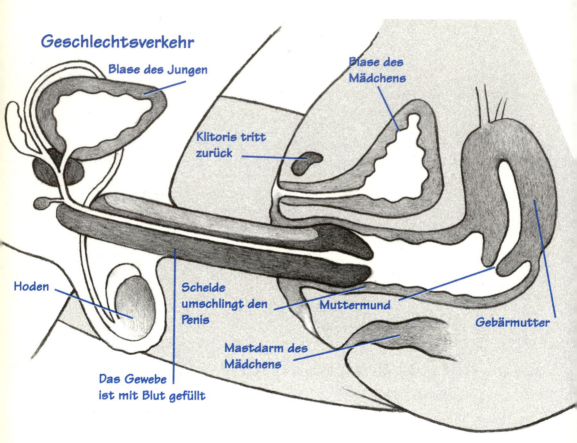

Blase des Jungen

Blase des Mädchens

Klitoris tritt zurück

Hoden

Scheide umschlingt den Penis

Muttermund

Gebärmutter

Mastdarm des Mädchens

Das Gewebe ist mit Blut gefüllt

Wenn Frau und Mann miteinander schlafen wollen, helfen sie meistens mit der Hand nach, das steife Glied in die Scheide einzuführen. Ein erregter Penis ist im Durchschnitt etwa zehn bis fünfzehn Zentimeter lang, die dehnbare Scheide passt sich ihm in jedem Fall perfekt an. Du siehst, Glied und Scheide sind füreinander geschaffen – wie Schlüssel und Schloss. Bist du mit deinem Penis in ihre Scheide eingedrungen – man nennt das **Penetration** – dann bewegt ihr euch fast automatisch im gleichen Rhythmus hin und her, was die Lust noch steigert. Der Penis wird dabei

158

durch die Reibung gegen die Scheidenwände stimuliert. Die Klitoris jedoch wird nicht direkt gereizt, sodass du als einfühlsamer Junge ein bisschen mit der Hand daran herumspielen solltest, damit deine Freundin mehr von eurem Zusammensein hat. Außerdem weiß sie dann, dass dir etwas daran liegt, wie sie sich dabei fühlt. Sie kann ihre Klitoris aber auch selbst stimulieren, damit sie genauso auf ihre Kosten kommt wie du.

Siehe auch Abschnitt »Lerne den Körper des Mädchens kennen!«, S. 139

Wichtig: Auch beim ersten Mal solltet ihr schon an Verhütungsmittel und wirksamen AIDS-Schutz denken! Erst dann steht dem Geschlechtsverkehr nichts mehr im Wege.

David (16):

Ich konnte es kaum erwarten, mit meiner Freundin Maren zu schlafen. Es war das erste Mal für mich und ich glaubte, das wäre etwas ganz besonders Schönes. Doch es war ziemlich enttäuschend. Sie lag da wie ein Brett, ließ alles über sich ergehen, so als ob sie gar keine Lust hätte. Ich dachte erst, sie wäre krank, weil sie so unbeteiligt war. Nachher sagte sie mir, sie hätte einen wahnsinnigen Orgasmus gehabt. Doch das glaube ich nicht. Da hätte sie doch viel mehr Regung zeigen müssen, oder? Wenn das immer so ist, dass Mädchen einem Jungen den Höhepunkt vorschwindeln, dann kann ich es mir doch gleich allein besorgen. Dann muss ich mich danach nicht ärgern. Mit Maren ist es seitdem aus.

Viele Jungen und Mädchen sind enttäuscht von ihrem ersten Mal. Sie haben es sich anders erträumt als es dann verlaufen ist. Und sie haben vor allem umsonst auf einen Orgasmus gewartet. Jungen meinen oft, versagt zu haben, wenn ihre Partnerin ihrer Meinung nach nicht den Gipfel der Lust erreichte. Dazu solltest du wissen, dass sich die Fähigkeit, einen sexuellen Höhepunkt zu erleben, erst im Laufe der Jahre entwickeln muss, vor allem bei Mädchen. Das hat sehr viel mit der seelischen Bereitschaft zu tun, völlig loszulassen. Das fällt Mädchen oft schwer, z. B. dann, wenn der Junge gedroht hat, sie zu verlassen, wenn sie nicht mit ihm schläft. So ein Zwang tötet jede Liebe und von so einem intimen Zusammensein hat am Ende keiner von beiden etwas.

Siehe auch Abschnitt »Wie läuft ein Orgasmus ab?«, S. 173

Es gibt keine Garantie für glückliche Sexualität. Aber man lernt jedes Mal ein bisschen dazu.

Aber auch wenn ihr beide innerlich bereit seid und es wollt, kann es passieren, dass ihr nachher enttäuscht seid. Es gibt eben keine Garantie für glückliche Sexualität. Ihr könnt jedoch sicher sein, dass ihr jedes Mal ein bisschen mehr dazulernt. Viele Paare müssen sich auch im Bett erst einmal aneinander gewöhnen, aber je besser ihr euch kennt, umso schöner und intensiver kann es mit der Zeit auch werden.

Möglicherweise bist du auch total aus dem Häuschen nach dem ersten Mal und könntest die Welt umarmen. Dann genieße es! Es kann aber auch sein, dass auf einmal Zweifel in dir keimen, ob es richtig war, das zu tun. Vielleicht, wenn das Mädchen, dem du vertraut hast, nach dem ersten körperlichen Zusammensein mit dir nichts mehr zu tun haben will? Keine Frage: Das tut weh, muss aber nicht unbedingt mit dir und deinen Qualitäten im Bett zusammenhängen. Vielleicht schämt sie sich auch dafür, dass sie sich ihrer Meinung nach dumm angestellt hat. Ihr solltet lieber darüber reden, anstatt euch schweigend voneinander zu entfernen und nur peinlich berührt zu sein.

Niemand kann dich vor dem Schmerz bewahren, wenn das erste Mal nicht so toll ist. Da musst du durch.

Niemand kann dich vor dem Schmerz bewahren, wenn das erste Mal nicht so toll ist. Da musst du durch. Deshalb lerne die Partnerin erst einmal genauer kennen, bevor du mit ihr intim wirst! Du bist so jung, dass du deine Erfahrungen eben erst sammeln musst. Jeder Mensch erlebt sein erstes Mal auf eine ganz persönliche, eigene Weise. Und diese Erfahrung gehört dir. Nur dir. Du kannst auch sicher sein, dass sie sich nicht wiederholen wird. Denn jedes Mal läuft Sexualität zwischen zwei Partnern anders ab. Und du stehst erst am Anfang.

Oskar (14):

Stimmt es, dass es ohne Geschlechtsverkehr gar kein richtiger Sex ist?

Nein, das stimmt nicht. Sex heißt nicht unbedingt auch Geschlechtsverkehr. Es gibt viele Paare, die regelmäßig intim sind, ohne dass der Mann mit seinem Penis in die Scheide der Frau eindringt. Sie erregen sich auf andere Art und der Orgasmus, den sie erleben, ist genauso befriedigend wie beim Geschlechtsverkehr. Oft ist er sogar noch schöner, weil der Druck wegfällt, dass damit eine Schwangerschaft ausgelöst wird. Das wird auch oft als »Safer Sex« bezeichnet.

Siehe dazu auch Abschnitt »Wie geht ›Safer Sex‹?«, S. 220

Was macht einen guten Liebhaber aus?

Diese Frage stellen sich viele Jungen, denn nichts nagt so sehr am Selbstbewusstsein wie Aussagen von Mädchen, man bringe im Bett nicht viel und sei eine Niete. Möglich, dass sogar der eine oder andere Junge sich denkt: Bevor ich mich blamiere, lasse ich lieber gleich die Finger von Mädchen. Jungen, die schon einmal Opfer von solch geschwätzigen Mädchen wurden, leiden oft so sehr darunter, dass sie kaum noch andere Girls an sich ranlassen. Aus Angst, danach würde wieder eine erzählen, er sei kein guter Liebhaber. Ganz abgesehen davon, dass ein Mädchen, das solch intime Dinge erzählt, wenig Benimm und Stil hat, wird es die nächste, die es ehrlich meint und dich danach sicher nicht in die Pfanne haut, schwer haben, deine Blockade zu durchdringen. Versperre dich also im Falle des Falles nicht ganz!

Dabei gibt es keine Richtlinien dafür, was ein guter Liebhaber wirklich ist und mit welchen Tricks man ein solcher werden kann. Was heißt es schon, wenn behauptet wird, der oder die seien beim Sex besser als andere? Wer will das tatsächlich ernsthaft beurteilen? Mit Technik hat das alles gar nichts zu tun, sondern vielmehr mit Einfühlungsvermögen, Aufgeschlossenheit und gegenseitigem Verständnis. Im Übrigen ist Leistungsdruck im Bett total out. Ungefähr 80 Prozent aller Jugendlichen gaben kürzlich bei einer Umfrage an, Sexualität sei für sie nur dann von Bedeutung, wenn auch Liebe und Vertrauen stimmten. Das ist ein Beweis dafür, dass junge Leute von heute sich für ihre Partner in erster Linie als Mensch interessieren und sich auf sie einlassen. Wie jedes Paar die körperliche Liebe entdeckt und praktiziert, ist eine höchst individuelle Sache.

Es gibt keine Richtlinien dafür, wann ein Junge ein guter Liebhaber ist und welche Tricks er anwenden kann, um einer zu werden. Wer will so etwas schon ernsthaft beurteilen?

161

Viele Pärchen orientieren sich jedoch am ersten Mal und meinen, so müsse es nun immer ablaufen. Damit setzen sie sich selbst unnötige Grenzen und verzichten auf neue Erfahrungen und erotische Spiele. Das aber führt auf Dauer zu Frust, Langeweile und Unzufriedenheit im Bett. Um nicht in diese Situation zu geraten, solltest du von Anfang an mit deiner Freundin offen über neue Varianten sprechen.

Siehe auch Abschnitt »Liebkosen, Streicheln und ein bisschen mehr: Ab wann ist man reif für Petting?«, S. 137

Ihr könnt leicht herausfinden, was jedem von euch besonders gut tut, indem ihr euch an allen möglichen Körperstellen mit Händen und Zunge streichelt und dem anderen durch Worte und Stöhner zeigt, wo es die schönsten Gefühle hervorruft. Du kannst deiner Freundin auch sanft die Hand führen, wenn sie sich nicht traut. Auf diese Weise könnt ihr gegenseitig euere Körper erforschen. Besonders schön ist es, wenn ihr abwechselnd den Körper des anderen »erfühlt und erküsst«. So kann immer einer passiv genießen und dem Partner zu verstehen geben, was ihm gefällt und was nicht. Nur wer seine eigenen Lustgefühle und den Körper seiner Freundin kennt, wird befriedigenden Sex erleben. Dabei muss es weder zum Geschlechtsverkehr kommen noch zu einem Orgasmus. Diese Streichelspiele sind nicht minder wertvoll, man kann sie beliebig ausweiten und genießen und damit höchste Lustgefühle haben.

Wichtig: Um in die richtige Stimmung zu kommen, solltet ihr die passende Kuschelmusik bereit haben, eine sturmfreie Bude, Kerzenlicht und endlos Zeit ...

Ivan (15):

Was genau ist eigentlich ein »Quickie«?

Bei einem »Quickie« praktiziert man kurzen, schnellen Sex.

Dabei handelt es sich um kurzen, schnellen Sex (engl. »quick« = schnell) und nur wenige Minuten Lust, in denen sich ein Paar aber durch intensive und gezielte Streicheleien und Küsse bis zum Gipfel der Lust bringen kann. Meist geschieht das zwischen Tür und Angel und unter Zeitdruck. Viele Paare müssen aufpassen, dass niemand dazwischenkommt, z. B. ein Liebespaar am Arbeitsplatz. Doch genau all das bietet oft den zusätzlichen Reiz.

Warum mögen es Mädchen nicht, wenn man mit ihnen gleich ins Bett will?

Oliver (16):

> Jetzt bin ich schon über zwei Monate mit meiner Freundin zusammen. Sie hat mir schon mehrmals versprochen, mit mir zu schlafen, aber jedes Mal, wenn es so weit war, machte sie einen Rückzieher und erzählte, sie wäre noch nicht so weit. Mich nervt das voll. Wie lange brauchen denn Mädchen, bis sie endlich wissen, was sie wollen? Ich habe bald keine Lust mehr, noch länger zu warten. Lieber nehme ich mir 'ne andere, die nicht so zickig ist.

Im Allgemeinen ist es so, dass bei Mädchen die Lust auf Sex erst viel später kommt als bei Jungs. Ob dies eine Folge der Erziehung oder im Kopf von Haus aus so programmiert ist, konnte bisher nicht eindeutig geklärt werden. Die Frage des ersten Mals ist für Mädchen auch deshalb von so hoher Bedeutung, weil noch ihre Großmütter vielfach mit Sex bis zur Hochzeitsnacht warten mussten. Das heißt, sie mussten in der Ehe die Katze im Sack kaufen und litten oft ein ganzes Leben darunter. Dies hat sich zum Glück total geändert. Heute können Paare schon vor der Hochzeit feststellen, ob sie sexuell zusammenpassen oder nicht. Wenn dies nicht der Fall ist, trennt man sich lieber, was bestimmt die bessere Lösung ist. Trotz dieser sexuellen Freiheit müssen sich Mädchen nicht jederzeit für ein intimes Zusammensein mit einem Jungen entscheiden.

Da es sich gerade für Mädchen beim ersten Mal um ein sehr einschneidendes Erlebnis handelt, das auch mit einer Schwangerschaft enden kann, überlegen sie lange: Soll ich oder soll ich nicht? Auch wenn sie körperlich reif genug wären für Sexualität, so sind sie oft seelisch noch lange nicht so weit. Deshalb ist es wichtig, dass du deine Freundin nicht drängst. Nur wenn sie es wirklich selbst will, wird es für euch beide auch schön und richtig erfüllend sein.

Auch wenn Mädchen körperlich reif sind für Sex, so sind sie seelisch noch lange nicht so weit. Deshalb ist es wichtig, dass du sie nicht drängst.

163

Viele Mädchen fühlen sich zum Sex gedrängt, auch wenn sie dazu noch nicht bereit sind.

Viele Mädchen meinen immer noch, sie müssten irgendwann mit dem Jungen schlafen, wenn dieser das nun unbedingt will. Dabei springen sie über ihren eigenen Schatten und überlegen gar nicht mehr, ob sie das auch wollen. Aus lauter Angst, dass er sie sonst verlässt oder sauer ist, übergehen sie ihre eigenen Gefühle. Leider scheinen Jungen und Männer das auch von Frauen zu erwarten. Dieses Missverständnis kommt daher, dass sich bei sexueller Erregung des Mannes sein Glied versteifen muss, während Frauen scheinbar immer zur Sexualität in der Lage sind. Die starke seelische Bereitschaft, die Frauen aber aufbringen müssen, um intim zu werden, wird von Männern häufig unterschätzt.

Einem Jungen, dem das egal ist, ob seine Freundin wirklich Lust hat, sollte ein Mädchen sofort den Laufpass geben. Als einfühlsamer und moderner Junge solltest du die Bereitschaft des Mädchens auf jeden Fall berücksichtigen. Es kommt hinzu, dass Mädchen eine Übergangszeit brauchen, um von den Gedanken des Alltags auf romantisches, sinnliches Zusammensein umzuschalten. Schon das Klingeln des Telefons, irgendwelche schulischen Probleme oder Stress mit den Eltern können sie sofort aus ihrer schönen Stimmung reißen. Deshalb ist es immer gut, sich gemütlich und mit viel Zeit einzustimmen.

Wenn du ihr sagst, du wolltest mit ihr nur kuscheln, und am Ende versuchst du, sie für mehr rumzukriegen, ist das ziemlich unfair.

Der Erfolg wird dir vielleicht einmal oder zweimal beschieden sein, wenn du versuchst, deine Freundin zur Sexualität zu überlisten. Letztlich aber wird es einen bitteren Beigeschmack haben. Lass es also sein, ihr vorzuhalten, sie sei total verklemmt, wenn sie nicht mit dir schliefe, oder sie würde dich nicht genug lieben. Absolut durchsichtig und doof ist es, wenn du ihr weismachen willst, sie sei die große Liebe deines Lebens, obwohl ihr euch erst ein paar Tage kennt. Dass es sich bei solchen Sprüchen um Lügen handelt, weiß jedes vernünftige Mädchen. Auch wenn du ihr sagst, du wolltest nur mit ihr kuscheln, und am Ende versuchst du, sie rumzukriegen, ist das ziemlich unfair.

Natürlich ist es für einen Jungen in deinem Alter, dessen Sexualtrieb jetzt besonders stark ausgeprägt ist, auch verständlich, wenn er versucht, auf irgendeine Weise an sein Ziel zu kommen. Wenn es trotz aller Bemühungen dann nicht klappt, weil das Mädchen nicht bereit dazu ist, tritt der große Frust auf und du fühlst dich an der Nase herumgeführt und gelinkt. Vor allem dann, wenn sie

erst auf Teufel komm raus mit dir geflirtet hat und dann kneift. Doch solltest du wissen, dass dies auch für Mädchen ein Testen ihrer Attraktivität ist. Sie wollen wissen, wie gut sie beim anderen Geschlecht ankommen, nicht mehr und nicht weniger. Ein solches Flirt-Spiel der Mädchen wird von Jungen häufig missverstanden. Eine Ablehnung tut jedem Menschen weh und Jungen sind diesem Risiko, wenn es um Mädchen geht, permanent ausgesetzt. Das kratzt am Ego. Auch aus einem Gespräch mit der Angebeteten werden sie oft nicht schlau, da sich Mädchen in solchen Situationen gerne ein bisschen unklar ausdrücken, um ihre Chancen bei dir nicht ganz auf null zu fahren.

Diese Kluft zwischen der Furcht vor Ablehnung und dem Wunsch nach Sexualität ruft bei Jungen oft Aggressionen und Zorn hervor. Damit wollen sie sich in ihrer Machtlosigkeit davor schützen, dass die Abfuhr nicht gar so wehtut. Das Mädchen oder die Frau wird dann schnell als Flittchen oder Betthase hingestellt, der Wunsch nach Zärtlichkeiten mit ihr auf eine »schnelle Nummer« reduziert. Gelingt es einem Mann, die Frau, die ihn abgelehnt hat, mit Worten klein zu machen, scheint die Abfuhr schon gar nicht mehr so wehzutun. Aus Angst, nicht landen zu können, reden viele Jungen sehr flapsig und negativ über Mädchen.

Es ist gemein, wenn sie dich mit einem Flirt fast zum Wahnsinn bringt, obwohl sie kein Interesse hat, mehr mit dir anzufangen. Aber auch du solltest nicht davon ausgehen, dass auf Anmache, Augenzwinkern und ein anregendes Gespräch auch gleich Sex folgen muss.

Maximilian (15):

> Ich bin seit einiger Zeit mit einem türkischen Mädchen zusammen, das ich sehr liebe. Sie ist hier geboren und läuft total westlich rum. Nur ihre Eltern, die sind halt aus Anatolien und haben etwas gegen unsere Beziehung. Wir müssen uns heimlich treffen, weil sie Angst hat, dass sie sonst mit ihrem Vater große Probleme kriegt. Deshalb traut sie sich auch nicht, mit mir zu schlafen, obwohl sie eigentlich will. Wie soll das bloß weitergehen?

Leider reden viele Jungen aus Angst, nicht landen zu können, über Mädchen sehr flapsig und negativ. Du musst dich nicht wundern, wenn dann wirklich keine anbeißt.

Du solltest nie davon ausgehen, dass nach einem heftigen Flirt auch gleich Sex mit dem Mädchen folgt.

165

Mädchen, deren Familien aus der Türkei oder südeuropäischen Ländern kommen, sind oft strengen Sitten unterworfen. Jungfräulichkeit bedeutet eine ganze Menge und wenn Mädchen vor der Hochzeit mit einem Jungen schlafen, empfindet das ihre Familie als große Schande. Es kann passieren, dass sie deshalb aus dem Clan verstoßen werden. Um diese Schmach zu verhindern, wird das Mädchen meistens von allen männlichen Familienmitgliedern streng bewacht.

Jungfräulich-keit bedeutet z. B. für Türkinnen noch sehr viel. Willst du mit einem Mädchen aus diesem Kulturkreis intim werden, bringst du sie wahrscheinlich in schwere Gewissens-konflikte.

Wenn du dich so einem Mädchen zu weit näherst oder gar intim mit ihr werden willst, bringst du sie in schwere Gewissenskonflikte. Einerseits will sie ja, andererseits hat sie Angst und will nicht unangenehm auffallen. Wenn es dir nur um Sex mit ihr geht, lass die Finger von ihr! Ansonsten handelst du fahrlässig und lebst unter Umständen auch gefährlich, sofern dir Bruder oder Vater einen Denkzettel verpassen wollen. Hast du aufrichtiges Interesse an ihr, dann versuche, dich langsam und rücksichtsvoll in ihre Familie einzuführen. Setze dich mit den Gepflogenheiten des anderen Kulturkreises auseinander und versuche, sie zu verstehen. Wird die Beziehung zu dir von der Familie des Mädchens völlig abgelehnt, musst du das akzeptieren.

Welche Stellung ist am besten?

Das lässt sich im Grunde nicht beantworten. Jedes Paar macht es so, wie es gerade will und Spaß daran hat. Zwei Liebende werden sich da sehr schnell einig. Lass dich nicht irremachen von all den Liebesstellungen, die in vielen Büchern beschrieben werden. Letztlich sind sie alle nur geringe Abwandlungen einiger weniger Grundstellungen, die der Körperbau des Menschen zulässt. All die anderen »Turnübungen« kannst du natürlich aus Spaß mit deiner Freundin ausprobieren, aber zu ernst nehmen solltest du sie nicht. Wer will schon auf Dauer im Kopfstand miteinander verkehren, wie die klassischen Liebes-Lehrbücher Arabiens und Indiens es empfehlen? Es reicht auch, wenn man z. B. den Kopf etwas über die Bettkante hängen lässt. In der Regel findet jedes Paar seine Lieblingsstellungen bald ganz von selbst, ohne zuvor daraufhin zu trainieren.

Lass dich nicht irre-machen von all den Liebes-stellungen, die in vielen Büchern beschrieben werden!

Die meisten Paare schlafen in der **Missionarsstellung** miteinander, weil man sich dabei ansehen und küssen kann. Die Frau liegt mit gestreckten und leicht gespreizten Beinen auf dem Rücken, der Mann auf ihr. Er dringt von vorne in sie ein, die Klitoris wird dabei kaum gereizt. Zieht die Frau aber ihre Beine an und legt sie um den Mann, kann er mit seinem Glied tiefer in die Scheide eindringen. Auch der Kitzler der Frau wird dabei stärker gereizt. Schließt die Frau nach Einführen des Penis die Oberschenkel und streckt die Beine aus, die dann zwischen denen des Mannes liegen, kann er zwar nicht so tief eindringen, aber dafür wird die Klitoris besser stimuliert.

Eine andere Variante, bei der die Frau die Kontrolle übernimmt: Der Mann liegt auf dem Rücken, die Frau setzt sich auf ihn, sodass sie ihn anschauen kann. Man nennt diese Position auch **Reitlage**. Dabei kann sie sich frei bewegen und er kann tiefer eindringen. Diese Stellung ist besonders für müde und dickere Jungen gut geeignet, die Probleme haben, bei der Missionarsstellung ihr Gewicht mit den Armen aufzufangen. Beugt sich die Frau nach vorne über den Mann, kann sich das Paar küssen und umarmen, und sie behält die aktive Rolle.

Die Klitoris wird auch besonders stark gereizt, wenn beide seitlich aneinander liegen und sich das Gesicht zuwenden. Allerdings kann das Glied nicht sehr tief eindringen. Liegt das Paar hintereinander und sie hat die Beine zu ihrem Körper hochgezogen, wird der Kitzler kaum mit einbezogen, und das Glied kann auch nur im schwach erigierten Zustand eingeführt werden.

Viele Frauen glauben, für Männer sei Sexualität hauptsächlich eine Sache der persönlichen Befriedigung. Das mag früher überwiegend so gewesen sein, doch modernen Jungen von heute liegt in der Regel sehr viel daran, dass auch ihre Partnerin sexuelle Erfüllung mit ihnen findet. Leider geben Männer nur viel zu selten zu, dass es ihnen eine Menge bedeutet, genau mit dieser einen Frau intim zu verkehren. Sie fürchten oft, unmännlich zu wirken, wenn sie sich dazu bekennen und trennen nach außen körperliche und seelische Hingabe. Wenn sie jedoch in der Lage sind, beides zu vereinen, so wie Frauen das meistens tun, dann erleben natürlich auch Männer eine extra Qualität an sexuellem Hochgefühl.

Siehe auch Abschnitt »Was passiert beim Geschlechtsverkehr? Wie macht man's richtig?«, S. 157

Leider bekennen sich Männer viel zu selten dazu, dass es ihnen eine Menge bedeutet, genau mit dieser einen Frau intim zu verkehren.

167

Ein paar Verhaltensregeln fürs Liebesspiel

- Besprecht möglichst vorher, was ihr alles tun wollt!

- Tu nichts, wofür du dich schämst. Es ist dann nicht das Richtige für dich.

Die Gefühle und Wünsche des anderen sollten stets respektiert werden.

- Lass dich zu nichts breitschlagen, was du eigentlich nicht willst. Wenn du dich irgendwelchen Experimenten nicht gewachsen fühlst, stehe dazu und sage das auch!

- Versuche nicht, deine Partnerin zu etwas zu verführen, worauf sie keine Lust hat.

- Höre auf sie, wenn sie möchte, dass du an irgendeinem Punkt nicht weitermachst. Gefühle und Wünsche des anderen sollten in der Sexualität immer respektiert werden.

- Was dem anderen wehtut, in irgendeiner Form gefährlich oder schädlich sein könnte, solltest du lassen und umgekehrt auch für dich ablehnen.

Weitere Formen des Geschlechtsverkehrs

Akzeptiere es, wenn ein Mädchen bestimmte sexuelle Praktiken nicht ausprobieren will.

Oft beklagen sich Jungen und Männer, dass ihre Partnerinnen ihnen bestimmte sexuelle Wünsche nicht erfüllen wollen. Dabei meinen sie meistens, dass sich viele Mädchen und Frauen weigern, scheuen oder ekeln, ihren Penis zu küssen oder in den Mund zu nehmen. Auch nicht alle Frauen wollen ihren Partner am After anfassen oder es zulassen, dass er sein Glied in ihren Anus einführt. Beide Vorgänge erscheinen sehr vielen Mädchen und Frauen äußerst gewöhnungsbedürftig und hemmen sie.

Dennoch – wie bereits mehrfach erwähnt: Am wichtigsten ist, dass keiner von euch beiden etwas tut und zulässt, was er eigentlich nicht will. Nur wenn du sie damit nicht immer wieder nervst, wird deine Freundin vielleicht ganz von selbst Lust auf Experimente beim Liebesspiel bekommen, die sie unter Drängen möglicherweise ablehnt.

Wenn das Mädchen den Penis eines Jungen mit dem Mund lieb-kost, nennt man das allgemein **Oralsex**; in dem speziellen Fall, dass sie dich mit dem Mund befriedigt, spricht man von **Fellatio**. Zeige deiner Freundin sehr behutsam, wie sie deinen Penis küssen darf. Sie weiß ja nicht, was du dabei empfindest und was sie genau machen soll. Achte darauf, dass dein Penis sauber ist, auch unter der Vorhaut. Das ist nicht nur hygienischer, sondern beugt auch der Übertragung von Krankheitskeimen aus dem Smegma vor.

Wenn du deine Freundin im Intimbereich küssen und oral liebko-sen willst, und sie mag das auch, nennt man das **Cunnilingus**. Manche Jungen trauen sich nicht, es zu tun, weil sie dem Mädchen nicht zu nahe treten wollen oder zu schüchtern sind. Am besten ist es, du tastest dich vorsichtig voran, und wenn sie nicht will, dass du ihre Klitoris mit deiner Zunge stimulierst, wird sie dir das in irgendeiner Form sicher zu verstehen geben. Manchmal haben Mädchen auch nur Angst, dass sie unten herum übel riechen. Doch bei täglicher Intimwäsche haben sie einen ganz natürlichen weiblichen Körpergeruch, den die meisten Jungen sogar anregend finden. Sag deiner Freundin einfach, dass du sie gerne riechst. So kannst du ihr die Hemmungen nehmen.

Es ist nicht Pflicht, alles mal auspro-biert zu haben. Findest du aber mit deiner Partnerin Gefallen an gewissen Praktiken, dann seid ihr weder abartig noch pervers.

Eine weitere Form des Geschlechtsverkehrs ist der **Analsex**. Vielleicht kommt das für dich überhaupt nicht in Frage, dennoch wollen wir es hier nicht ausklammern. Viele Menschen empfinden nämlich große Lust dabei, wenn sie im Bereich um oder direkt am und im After berührt werden. Sie mögen es auch, wenn Penis oder Finger in die kleine Öffnung eindringen. Da der After aber nicht für den Geschlechtsverkehr geschaffen ist, und damit dies keine Schmerzen oder Verletzungen verursacht, ist es sinnvoll, eine Gleitcreme zu verwenden. Die Darmschleimhaut ist sehr empfind-lich, es kommt daher bei Analverkehr oft zu Rissen im Gewebe. Dadurch können leicht Infektionen entstehen, vor allem aber wird das AIDS-Risiko stark erhöht. Deshalb sollte bei dieser Form der Sexualität immer ein Kondom benutzt werden.

Siehe auch Abschnitt »Wie wird AIDS übertragen?«, S. 214

Mädchen stehen auf diese Praktik meist überhaupt nicht. Wenn deine Freundin es ablehnt, »von hinten« mit dir sexuell zu ver-kehren, dann nimm das hin und bequatsche sie nicht immer wie-der von neuem damit. Hat sie aber Lust dazu, solltest du deinen Penis danach waschen, vor allem dann, wenn du mit deiner Freun-

169

din gleich weitermachen willst. Du könntest sonst Bakterien oder andere Krankheitserreger in die Scheide einschleppen. Es ist nicht Pflicht, alles mal ausprobiert zu haben. Findest du mit deiner Partnerin aber Gefallen an den soeben beschriebenen Praktiken, dann grübelt nicht darüber nach, ob ihr etwa abartig oder pervers seid. Nehmt es, wie es ist, und genießt es. Mit den nötigen Vorsichtsmaßnahmen seid ihr gut gewappnet. Analsex ist ebenso wenig verboten oder »schmutzig« wie Oralsex.

Was kannst du tun, damit sie dir deine intimsten Wünsche erfüllt?

Der erste Schritt dazu kostet dich sicher Überwindung. Denn du musst ihr sagen, welche intimen Wünsche du überhaupt hast. Dabei musst du einkalkulieren, dass sie etwas dagegen hat. Oft bleiben erotische Wünsche aus Angst oder Scham unausgesprochen, doch der Gedanke daran geht dir trotzdem nicht aus dem Kopf. Also, leg lieber gleich die Karten auf den Tisch, damit du Bescheid weißt. Viele Jungen merken auch instinktiv, dass ihre Freundin bestimmte Dinge nicht will. Überreden hat da keinen Sinn, sie würde sich nachher nur von dir überrumpelt fühlen und das gemeinsame Erlebnis wäre nicht besonders schön.

In der Liebe ist nur erlaubt, was beiden gefällt. Alles, was deine Partnerin nicht will, ist infolgedessen auch nicht erlaubt. Selbst wenn es dir noch so schwer fällt, musst du ihre Gefühle akzeptieren. Es gibt einige Dinge, die für ein Mädchen gewöhnungsbedürftig sind, und die es lieber lassen sollte, wenn es sich noch nicht frei und reif dafür fühlt. Dazu gehören vor allem Oral- und Analsex. Deinen Penis mit dem Mund zu liebkosen, sich »von hinten« lieben zu lassen oder deinen Po anzufassen, dafür muss ein Mädchen sehr viele Hemmschwellen überwinden. Sogar die meisten erwachsenen Frauen haben damit Schwierigkeiten, was Männer auch immer wieder beklagen. Nichts ist beim Sex wichtiger als gegenseitiges Einfühlungsvermögen. Wenn du auf deine Freundin liebevoll – nicht fordernd – eingehst, wird sie am ehesten bereit sein, sich gemeinsam mit dir an neue Spielarten heranzutasten.

Siehe auch Abschnitt »Weitere Formen des Geschlechtsverkehrs«, S. 168

In der Liebe ist nur erlaubt, was beiden gefällt. Wenn also deine Freundin etwas nicht mag, musst du das akzeptieren.

170

Wenn dein Glied nicht so will wie du

Einer der größten Alpträume für einen Jungen ist es, wenn sich sein Glied nur teilweise oder gar nicht versteift, wenn er es möchte. Dies empfindest du als eine sehr beschämende Situation, die auch das ganze Einfühlungsvermögen eines Mädchens erfordert. Wenn sie dich deshalb auslacht oder dumme Bemerkungen macht, dann lass sie gleich wieder laufen. Mit so einer Frau wirst du auf Dauer ohnehin nicht happy.

Wie es zu einer Gliedversteifung kommt, weiß man bis heute noch nicht so genau. Sicher ist, dass es sich dabei um einen unwillkürlichen Reflex handelt, der vom Nervensystem gesteuert wird. Im Klartext heißt das, dass sich die Erektion oder Versteifung des Penis weder herbeidenken noch erzwingen lässt. Das Glied tut, was es will und hat seine eigenen Gesetze. Du kannst ihm nichts diktieren. Infolgedessen musst du auch nicht beunruhigt sein, wenn es mal nicht tut, was du möchtest. Vielleicht versteift sich dein Penis jetzt öfter als dir lieb ist, und dann, wenn du es dringend erwartest, will er plötzlich nicht. Das ist ganz normal und passiert jedem Mann von Zeit zu Zeit. Ursache dafür ist meistens irgendein psychischer Druck, aber auch sehr oft »keine Lust«.

Viele Männer meinen, ihr Glied müsste eine bestimmte Länge und Dicke haben und immer einsatzbereit für einen weiteren Orgasmus sein. Dadurch setzen sie sich selbst so unter Druck und erwarten oft Unmögliches von sich, dass es am Ende überhaupt nicht mehr klappt. Von diesen Zwängen sollte man sich auf jeden Fall freimachen.

Sexualität ist nicht gleich Geschlechtsverkehr. Das heißt, dass du deinen Penis nicht immer in die Scheide des Mädchens »reinstecken« musst – diese Variante ist nur ein Teil davon und lange nicht so wichtig, wie viele meinen. Frauen schätzen ohnehin körperliche Nähe und Zärtlichkeiten viel mehr als das reine »Steckdosenspiel«. Befriedigenden Sex mit deiner Freundin, z. B. in Form eines ausgedehnten Pettings, kannst du also auch haben, wenn sich dein Glied zu keiner Erektion hinreißen lässt. Es funktioniert eben nicht auf Kommando, das musst du lernen und akzeptieren. Viel wichtiger ist es, dass ihr beide bereit seid, euch aufeinander einzulassen. Und jedes kluge und aufgeklärte Mäd-

Die Erektion deines Glieds lässt sich weder herbeidenken noch erzwingen. Es tut, was es will und lässt sich nichts diktieren.

Befriedigenden Sex mit deiner Freundin kannst du auch haben, wenn dein Penis sich nicht versteift. Wie wäre es dann mit einem ausgedehnten Petting?

171

chen weiß, dass es überhaupt nichts mit Männlichkeit zu tun hat, ob du eine Erektion bekommst oder nicht. Meist haben Mädchen damit weniger Probleme als Jungen.

Im Übrigen ist Sex kein Leistungssport, auch wenn in den Medien immer wieder so getan wird, als wäre jeder Mann jederzeit in Hochform. Das ist wirklichkeitsfremd und setzt dich nur unnötig unter Druck.

Warum komme ich bloß immer so früh?

Stress in der Schule oder die Angst davor, das Mädchen könne schwanger werden, begünstigen einen vorzeitigen Samenerguss.

Es kann passieren, dass du beim Sex mit deiner Freundin so schnell erregt bist, dass es bereits zum Samenerguss kommt, bevor du in sie eindringen kannst. Dies ist für dich ein kleines, peinliches Missgeschick, aber nichts, weshalb du dir ernsthaft Sorgen machen müsstest.

Gerade unter Jungs in deinem Alter ist die vorzeitige Ejakulation ein sehr häufiges Problem, das vor allem dann auftritt, wenn sie sich lange nicht selbst befriedigt oder mit einer Frau geschlafen haben. Ein schneller Samenerguss ist auch ein Zeichen dafür, dass du unter außergewöhnlichem Druck stehst. Etwa dann, wenn du zum ersten Mal mit einem Mädchen intim wirst, sie besonders toll findest oder Stress in der Schule oder im Job hast. Aber auch die Angst davor, dass sie schwanger werden könnte, dass sie eine zu starke Nähe oder gar eine Bindung erwartet und du noch ein bisschen durchhalten musst bis zur Ejakulation, könnte den zu frühen Samenerguss auslösen. Jede Art von Stress regt die Ausschüttung eines Hormons an, das die Gefäße der Schwellkörper erweitert und alles wie im Zeitraffer ablaufen lässt.

Es geht ziemlich schnell, dass du wieder erregt bist. Intensives Kuscheln mit deiner Freundin trägt dazu bei.

Wenn du einmal zu früh gekommen bist, dauert es ein bisschen, bis du wieder so weit bist. In der Zwischenzeit kannst du ausführlich mit deiner Freundin kuscheln und sie mit Mund und Händen verwöhnen, was ihr oft ohnehin wichtiger ist als der reine Geschlechtsverkehr. Das erregt auch dich selbst wieder. In deinem Alter geht das ziemlich schnell. Wichtig ist, dass ihr euch genug Zeit nehmt für euer intimes Zusammensein, damit deine Freundin wenigstens beim zweiten oder dritten Anlauf voll auf ihre Kosten kommt.

Es gibt noch einen kleinen Trick, den du anwenden kannst, sobald du spürst, dass du wieder mal zu früh dran bist: Einer von euch beiden kann dann auf einen bestimmten Punkt am Penis drücken. Dazu muss der Daumen auf das Vorhautbändchen gelegt und die Gliedspitze zwischen Daumen und Zeigefinger zusammengedrückt werden. Dieser Druck verhindert die Ejakulation. Wenn der Drang nachgelassen hat, kann es weitergehen.

Wie läuft ein Orgasmus ab?

Das erste Mal mit einem Mädchen zu schlafen ist sicher ein sehr aufregendes Erlebnis für dich. Denn gerade für junge Männer ist der Augenblick des Orgasmus, in dem sich die Muskel- und Nervenanspannung entlädt, ein irres Gefühl der Erleichterung und des Wohlempfindens, das bereits in frühen Jahren sehr ausgeprägt ist. Frauen dagegen erleben zu Beginn ihres Sexuallebens nur selten berauschende Höhepunkt. Später werden sie in der Regel viel orgasmusfähiger und überholen in diesem Punkt im Laufe der Jahre die Männer. Weil beide Geschlechter so unterschiedlich auf sexuelle Erregung reagieren, muss ein junges Paar erst lernen, sich richtig aufeinander einzustellen.

Die körperlichen und seelischen Reaktionen beim Orgasmus sind bei beiden Geschlechtern in vielen Punkten gleich. Die Atmung und der Herzschlag werden schneller, die Durchblutung des Körpers wird stärker, die Brustwarzen richten sich auf. Sowohl bei der Frau als auch beim Mann wird der sexuelle Höhepunkt von lustvollen, pulsierenden Gefühlen und rhythmischen Muskelkontraktionen begleitet. Der große Unterschied besteht darin, mit welcher Geschwindigkeit die zwei Geschlechter den Gipfel der Lust erreichen.

Wissenschaftler haben den Ablauf der sexuellen Erregung in *vier Phasen* unterteilt, die du jedoch kaum bemerkst, weil sie fließend ineinander übergehen. Zuerst ist da die *Erregungsphase*, in der sich Spannung und Lust aufbauen. Der Penis des Jungen wird steif, die Scheide des Mädchens feucht. Diese Phase dauert bei deiner Partnerin viel länger als bei dir. Deine Erregungskurve geht steil nach oben, ihre dagegen entwickelt sich flacher und gemächlicher. Danach folgt die *Plateauphase*, in der die sexuelle An-

Weil beide Geschlechter so unterschiedlich auf sexuelle Erregung reagieren, muss ein junges Paar erst lernen, sich richtig aufeinander einzustellen.

173

Sowohl Jungen als auch Mädchen kommen in vier Phasen zum sexuellen Höhepunkt.

spannung am intensivsten ist. Ihre Brüste und deine Hoden schwellen an. Wird die Stimulation des Penis oder der Klitoris fortgesetzt, entlädt sich diese Phase in einem sexuellen Höhepunkt, bei dem es bei Jungen zum Samenerguss und bei Mädchen zu rhythmischen Muskelzuckungen kommt. Man nennt dies *Orgasmusphase*. Auch sie dauert bei Frauen länger als bei Männern. Vor allem sinkt die Kurve nach dem Orgasmus nicht sofort ab, sondern hält noch an, weshalb Frauen auch mehrere Höhepunkte hintereinander erleben können. Das ist Männern meistens nicht möglich. Sie brauchen eine kleine Pause, bis sie wieder bereit sind. In der abschließenden *Rückbildungsphase* schrumpft der Penis zusammen, der Junge hat keine Lust mehr. Bei Mädchen erfolgt der Abbau der erotischen Spannung langsamer, sie haben länger das Bedürfnis nach Zärtlichkeiten und freuen sich über ein schönes Nachspiel, in dem sie bei entsprechender Stimulierung erneut zum Orgasmus kommen können.

So empfindet ein Mädchen den Orgasmus.

Weil ihr Höhepunkt weniger spektakulär abläuft als erträumt, denken oft viele Mädchen, dass sie gar keinen hatten. Denn das Gefühl, das sich dabei einstellt, wird gerade von jungen Frauen, die noch keine sexuelle Erfahrung haben, leicht überschätzt. Wie ein Orgasmus genau sein muss, dafür gibt es keine Regel, und es lässt sich auch nicht so generell beschreiben. So ein Höhepunkt ist etwas sehr Persönliches, von Mal zu Mal, von Partner zu Partner und von Alter zu Alter verschieden. Manche Frauen sagen, dass sich ihr Orgasmus ähnlich wie das Niesen aufbaue. Erst die totale Anspannung, dann die wohlige Erleichterung. Das ist aber nicht allgemein gültig. Vielleicht empfindet deine Freundin diesen Moment ganz anders.

So empfindet ein Junge den Orgasmus.

Im Gegensatz zum Mädchen entlädt sich die Spannung bei einem Jungen innerhalb weniger Sekunden. Sein Orgasmus wird durch das Reiben des Gliedes an den Scheidenwänden und das rhythmische Vor- und Zurückschieben der Vorhaut ausgelöst. Durch das Zusammenziehen der weiblichen Beckenmuskeln wird das Gefühl noch verstärkt. Die Ejakulation verschafft dem Mann Erleichterung und Lust. Der Samen wird durch die krampfartigen Muskelkontraktionen aus den Nebenhoden durch die Samenleiter zur Harnröhre gestoßen. Am stärksten und angenehmsten für den Mann sind dabei die ersten Zuckungen. Danach werden sie schwächer. Nach dem Samenerguss schlafft der Penis ab.

Wenn ein Junge frühzeitig lernt, seine sexuelle Erregung und Ungeduld zu zügeln – was seine Lust und sein Vergnügen in keiner Weise beeinträchtigt – dauert es umso länger und umso schöner kann das Liebeserlebnis eines Paares auch werden. Mädchen können ebenfalls ihren Teil dazu beitragen, um das intime Zusammensein für beide so angenehm und harmonisch wie möglich zu gestalten. Sie sollten das Steuer nicht alleine ihrem Partner überlassen, der meist genauso wenig Erfahrung hat wie sie. Animiere also deine Freundin ruhig dazu, ihre Ideen einzubringen und dir deutlich zu zeigen, wann sie bereit ist, deinen Penis aufzunehmen. So könnt ihr eine Menge Missverständnisse und Frust vermeiden.

Animiere deine Freundin ruhig dazu, ihre Ideen einzubringen und dir deutlich zu zeigen, wann sie bereit ist, deinen Penis aufzunehmen.

Ingo (15):

> Ist es wichtig, dass man den Orgasmus gemeinsam erlebt?

Nein, das ist nicht wichtig. Vielen Menschen ist es sogar sehr viel lieber, wenn sie den Höhepunkt ihres Partners bewusst mitkriegen und dann erst ihren eigenen erleben (oder auch umgekehrt).

Sex ist auch ohne Orgasmus möglich und schön. Die verbissene Jagd nach einem sexuellen Höhepunkt kann euch unter Umständen den ganzen Spaß verderben. Der Orgasmus ist nicht notwendigerweise der wirkliche Höhepunkt. Das gesamte Vorspiel mit zärtlichen Liebkosungen ist mindestens genauso erregend. Für junge Mädchen mit keinerlei Erfahrung ist es außerdem sehr schwierig, zum Orgasmus zu kommen. Sie müssen ihre Erlebnisfähigkeit erst noch trainieren. Du bist also noch lange kein schlechter Liebhaber, wenn sie nicht zum Gipfel der Lust kommt. Das solltest du wissen. Durch die liebevolle Stimulation ihrer Klitoris kannst du ihr jedoch entscheidend dabei helfen, einen Höhepunkt zu erreichen. Mädchen, die Erfahrungen mit Selbstbefriedigung haben, bekommen leichter einen Orgasmus.

Siehe auch Abschnitt »Was passiert beim Geschlechtsverkehr? Wie macht man's richtig?«, S. 157

175

Die Schwangerschaftsverhütung

Gute Gründe für das Verhüten

Schiebe das schöne Ereignis, Vater zu werden, lieber noch ein paar Jahre auf. Du bist jetzt noch nicht reif dafür.

So sehr sich erwachsene Frauen und Männer freuen, wenn sie erfahren, dass ein Baby unterwegs ist, so wichtig ist es für Mädchen und Jungen in deinem Alter, dieses schöne Ereignis noch ein paar Jahre aufzuschieben. Ein Kind bedeutet Verantwortung, hohe Kosten, viel Zeit, Geduld und Zuwendung – und all das habt ihr nicht, wenn ihr noch zur Schule geht oder mitten in der Ausbildung steckt. Es würde euer Leben außerdem total umkrempeln, und eure Wünsche und Pläne müsstet ihr erst einmal ganz hinten anstellen. Dass man dies in der heutigen Zeit unter zwanzig einfach so kann, ist ziemlich unwahrscheinlich. Sogar erwachsene Paare, die ihr Baby lange geplant haben, machen oft große Augen, wie sehr sich ihr Leben mit dem Zuwachs doch verändert. Und meistens ist es sogar so anders, wie man es sich in seiner Phantasie gar nicht vorstellen kann.

Im Falle eines Falles solltest du dich keinesfalls aus dem Staub machen und das Mädchen mit dem Baby in ihrem Bauch alleine lassen. Dies wäre höchst verantwortungslos von dir.

Erfahrungsgemäß fühlen sich blutjunge Eltern oft schnell überfordert mit ihrem Kind, sodass es zu Problemen, Gereiztheit und meistens auch Existenzsorgen kommt. All diese Belastungen kriegt ein Kind mit, es leidet darunter und kann bleibende Schäden davontragen. Mit anderen Worten: Ihr verpfuscht euch mit einer allzu frühen und unüberlegten Schwangerschaft nicht nur euere eigene Jugend, sondern halst auch euerem Kind gleich von Beginn an eine große Bürde auf, mit der es leben muss. Dabei sollten Kinder möglichst unbeschwert aufwachsen.

Nicht selten kommt es vor, dass der werdende Vater vor der Verantwortung flieht und das Mädchen mit dem Baby allein lässt. Dies ist sehr gemein und egoistisch von einem Jungen; er war schließlich gleichermaßen daran beteiligt, dass es zu einer Schwangerschaft gekommen ist. Im Falle des Falles solltest du dazu stehen und gemeinsam mit deiner Freundin überlegen, wie

176

ihr die Sache in den Griff kriegen wollt. Am besten wäre es, wenn ihr auch eure Eltern einweihen würdet. Das Mädchen braucht in dieser Situation deinen Beistand sehr dringend. Also, steck nicht den Kopf in den Sand, sondern sei für sie da!

Es spricht eine ganze Menge gegen eine zu frühe Elternschaft. Deshalb solltet ihr aus Liebe zu euerem eigenen Leben und aus Verantwortung für das Leben eines Kindes das Thema Schwangerschaftsverhütung sehr ernst nehmen. Wer nachlässig damit umgeht, riskiert zu viel, und wer es darauf ankommen lässt, ist noch nicht reif für Sexualität. Wenn ihr sehr religiös seid, wisst ihr, dass Verhütungsmittel und Spaß am Sex heikle Themen für euch sind. Entscheidet selbst, ob ihr lieber ganz enthaltsam leben wollt, bis ihr mit dem richtigen Partner ein Baby möchtet, oder doch verhüten wollt, um Erfahrungen zu sammeln.

Wie kannst du es verhindern, gleich Vater zu werden?

Obwohl Verhütung ein allgegenwärtiges Thema ist, kommt es immer wieder vor, dass junge Paare ungewollt und zufällig Eltern werden. Grund: Sie hatten ungeschützt Geschlechtsverkehr miteinander. Im Liebestaumel und im Rausch sexueller Lust und Gefühle werden allzu leicht Bedenken verdrängt und unwichtig. Oft genügt es, ein einziges Mal miteinander zu schlafen – und das Mädchen wird dabei schwanger. Es kann auch passieren, wenn es das allererste Mal für euch beide ist.

Welche Belastung eine Schwangerschaft für Mädchen und Jungen in deinem Alter bedeutet, wurde schon im vorangegangenen Abschnitt genauer beschrieben. Und es belastet nicht nur Mädchen, sondern auch Jungen. Ein Abbruch ist keine Verhütungsmethode, sondern ein schwerer Eingriff in Körper und Seele eines Mädchens, an dem sie oft ein Leben lang zu knabbern hat. Du trägst Mitverantwortung dafür, dass es so weit gekommen ist. Auf keinen Fall darfst du deine Partnerin dazu überreden oder gar zwingen, eine Abtreibung vornehmen zu lassen. Wenn sie sich für das Baby entscheidet, hast auf jeden Fall auch du eine lebenslange Verantwortung.

Siehe auch Abschnitt »Der Abbruch – alleinige Entscheidung des Mädchens?«, S. 199

177

Adressen
siehe Anhang,
ab S. 242

Um all das zu verhindern, ist Vorsorge in Form von Verhütung angesagt. Wenn du dich diesbezüglich genauer beraten lassen willst, dann kannst du dich jederzeit an die Beratungsstellen der Pro Familia wenden, die alle der Schweigepflicht unterliegen. Ihr braucht euch vor dem Berater oder der Beraterin nicht zu schämen. Die Fachleute sind dafür da, euch weiterzuhelfen und nehmen euere Bitte um Rat sehr ernst. Damit du für alle Fälle gewappnet bist, solltest du immer ein paar Kondome bei dir haben. Diese kannst du in Apotheken, Drogerien oder Großmärkten kaufen oder in den Toiletten der meisten Kneipen und Restaurants (mittlerweile auch in Damen-WCs) an Automaten ziehen. In großen Städten gibt es sogar spezielle Kondom-Shops mit extralangen Öffnungszeiten. Die Adressen der Läden in deiner Nähe kannst du auch bei Pro Familia erfragen. Kondome sind auch ein wesentlicher Schutz vor der tödlichen Viruskrankheit AIDS.

Wer richtig informiert ist, kann körperliche Liebe ungezwungen genießen.

Ein Baby kann heutzutage geplant werden und hat ein Recht darauf, erwünscht zu sein. Am wohlsten wird es sich fühlen, wenn seine Eltern ihm hervorragende Lebensbedingungen bieten können. Das könnt ihr aber nicht in euerem Alter. Dennoch müsst ihr euere sexuellen Erfahrungen machen. Wer sorgfältig verhütet, kann dies ohne Angst vor einer Schwangerschaft tun. In den folgenden Abschnitten kannst du noch mehr über viele andere Arten der Verhütung nachlesen.

Die richtige Wahl des Verhütungsmittels

Verhütungsmittel sind dazu da, eine ungeplante Schwangerschaft zu verhindern. Vom ersten Mal an übernimmst sowohl du als auch deine Partnerin die Verantwortung dafür, dass euer Liebesspiel keine Folgen hat. Leider kümmert sich immer noch über die Hälfte aller Paare beim ersten Geschlechtsverkehr nicht um die entsprechende Verhütung. Manche treffen auch danach keine Sicherheitsmaßnahmen, weil sie nicht wissen, welche für sie die richtigen sind, und vor allem, wie sie angewandt werden.

Vielen jungen Leuten ist es peinlich, sich darüber zu informieren, und sie haben oft auch gar keine Ahnung, wo sie sich beraten lassen können, z. B. bei Pro Familia. Wieder andere vertrauen darauf, dass schon nichts passieren wird: Ohne Verhütungsmittel ist die Wahrscheinlichkeit einer Schwangerschaft sehr groß, denn die Fruchtbarkeit ist in so jungen Jahren besonders hoch. Wenn ein Mädchen körperlich ausgewachsen ist und einen stabilen Zyklus hat, dann ist für sie die Pille das sicherste Verhütungsmittel. Die bekommt sie jedoch nur auf ärztliches Rezept. Für Jungen empfiehlt sich das Kondom, das nicht nur vor einer ungewollten Schwangerschaft, sondern auch vor AIDS schützt. Auch wenn du noch nicht sexuell aktiv bist, kannst du dich ruhig schon mal mit den einzelnen Verhütungsmethoden beschäftigen; denn irgendwann kommt es auf dich zu und dann bist du gut vorbereitet. Schließlich ist Verhütung nicht nur Sache des Mädchens, du als Junge trägst die gleiche Verantwortung.

Verhütung ist nicht nur Mädchensache, auch du trägst Verantwortung.

Wie du ein Kondom richtig anwendest

Das Kondom oder Präservativ ist das am zweithäufigsten gebraucht Verhütungsmittel und das einzige, das vom Mann angewandt werden kann. Es schützt – wie nichts anderes – gleichzeitig vor unerwünschter Schwangerschaft, sexuell übertragbaren Krankheiten und AIDS, wodurch es in den letzten Jahren auch wieder mehr an Bedeutung gewonnen hat. In der Umgangssprache werden Kondome auch »Präser«, »Pariser«, »Fromms«, »Gummis« oder »Verhüterli« genannt. Wenn sie richtig angewendet werden, bieten sie einen ziemlich sicheren Schutz. Ihr größter Vorteil liegt darin, dass sie keinerlei Nebenwirkungen haben und jederzeit leicht, ohne Arztbesuch, zu bekommen sind.

Kondom, zusammen- gerollt

Siehe auch die Kapitel »Sexualität und Gesundheit«, ab S. 204, und »HIV und AIDS«, ab S. 214

Kondom, entrollt

Wo gibt es Kondome und was kosten sie?

Kondome gibt es inzwischen nicht nur aus Automaten in Herrentoiletten, sondern auch in den Damen-WCs von Kneipen, Discos, Restaurants, auf Bahnhöfen, in Drogerien, Supermärkten, Apotheken, und in speziellen Kondom- oder Sex-Shops. Man kann ein Päckchen, in dem meistens zwischen zwei und zehn Stück enthalten sind, auch in der kleinsten Tasche unterbringen. Ein einzelnes Kondom kostet zwischen einer und zwei Mark, ist also preiswert. Je größer die Packung, desto billiger ist ein Stück. Dabei sollte man allerdings nicht vergessen, dass Kondome schnell alt, brüchig und rissig werden und dann auch kein zuverlässiger Schutz mehr sind. Wenn die Packung nicht innerhalb eines Jahres verbraucht wird, sollte man sie lieber wegwerfen.

Worauf muss man beim Kauf besonders achten?

Es ist wichtig, dass du beim Kauf eines Kondoms immer auf das dlf-Gütesiegel und das Verfallsdatum achtest.

- Jedes einzelne Kondom muss in Folie eingeschweißt und verpackt sein. Pass auf, dass sie nicht durch scharfe Gegenstände eingerissen wird.

- Achte auf das Verfallsdatum auf der Packung und das „dlf"-Siegel der Deutschen Latexforschung. Eine sechsstellige Prüfnummer weist das Kondom als zuverlässigen Markenartikel aus, dem du vertrauen kannst. Auch der Name der Herstellerfirma sollte angegeben sein.

- Bei Kondomen aus Automaten solltest du berücksichtigen, dass die Päckchen nicht zu starker Lichteinwirkung oder Wärme (Heizung) ausgesetzt waren. Auch pralle Sonnenhitze tut den Gummis nicht gut, weil sie dadurch leicht spröde werden. Bewahre sie am besten bei Zimmertemperatur in einer Schublade oder in einer Hosentasche auf.

- Neben »trockenen« sind »feuchte« Kondome sehr beliebt. Hierfür wird vorwiegend ein reines, latexverträgliches Gleitmittel verwendet, wodurch auch Hautreizungen bei der Frau verhindert werden können, falls ihre Scheide zu trocken ist. Eine samenabtötende Beschichtung bietet zwar zusätzlichen Schutz vor Schwangerschaft und auch Krankheitserregern, macht das Kondom aber nicht sicherer.

- Fun- oder Reiz-Kondome mit Mickey Mouse, Donald Duck, Noppen, Stacheln oder sonstigen schrillen Sachen drauf haben öfter Materialfehler als normale Gummis. Diese »Verzierungen« bestehen natürlich aus weichem Material und können die Scheide nicht verletzen. Achte auf jeden Fall auf das Qualitätssiegel »dlf«, dann sind auch diese Kondome okay. Fehlt das Siegel, dann benutzt die Dinger höchstens zum Spielen und Herumalbern, aber nicht als Verhütungsmittel beim Geschlechtsverkehr.

Fun- und Reizkondome haben öfter Materialfehler als normale Gummis.

- Weniger Bedenken bestehen bei Kondomen in leuchtenden Farben oder mit Geschmack. Hierbei werden normale Latex-Präservative mit Aromastoffen beschichtet. Bitte, für den, der's mag ... aber auch hier auf das »dlf«-Siegel achten!

- Ein Kondom durch Aufblasen oder Wassereinfüllen auf Dichtigkeit zu überprüfen, bringt außer Spaß nichts weiter. Eher wird es dadurch beschädigt, als dass man einen Herstellungsfehler findet. Entsorgt es nach dem Spiel; ihr könnt es nicht mehr verwenden! Ein Präservativ, das euch schützen soll, muss immer frisch und ungebraucht sein!

In der Regel werden gute Kondome aus Latex hergestellt. Das ist der Milchsaft von Kautschukpflanzen, aus dem beispielsweise auch Schaumgummi, Matratzen oder Schuhsohlen fabriziert werden. Kautschukpalmen gibt es u. a. in Malaysia oder Indonesien, also in tropischen Ländern. Latex ist ein natürliches Material.

Gute Kondome werden aus Latex hergestellt.

Wie benutzt man Kondome richtig?

Um mit einem Kondom vertraut zu werden, sollte ein Junge das Überziehen zunächst einmal für sich allein in Ruhe ausprobieren, z. B. wenn er sich selbst befriedigt. Aber auch das Mädchen kann ihm helfen. Gemeinsam könnt ihr daraus ein richtiges Ritual machen und sogar euren Spaß dabei haben. So kann das Kondom zu einem festen Bestandteil eures Vorspiels werden. Ihr könnt dabei noch einmal über eure sexuellen Wünsche und Ängste sowie euere Einstellung zu dieser Verhütungsmethode sprechen.

Die Benutzung eines Kondoms kann durchaus Spaß machen.

Wie macht man es richtig?

- Benutzt das Kondom erst, wenn das Glied steif ist, aber bevor es die Scheide in irgendeiner Form auch nur annähernd berührt. Denn schon in den »Vortröpfchen« die sich durch die Erregung beim Jungen bilden, können Spermien sein, die in der Lage sind, die Scheide der Frau zu durchwandern.

- Reißt die Siegelfolie auf und nehmt auf keinen Fall eine Schere oder ein Messer, um das Präservativ nicht zu beschädigen. Achtet auch darauf, dass ihr keine zu spitzen oder kantigen Fingernägel habt.

A

- Wenn du dir das Kondom nun überziehst, drücke das Reservoir (das ist die kleine Ausbuchtung am oberen Ende, die den Samen auffängt) zusammen, damit es keine Luft mehr enthält. Setze es auf die Eichel auf (siehe Zeichnung A). Wenn ihr ein Kondom ohne Reservoir habt, dann drücke es auch an diesem Ende zusammen, und achte darauf, dass zwischen Gummihaut und Eichelspitze etwas Platz bleibt.

B

- Nun schiebe die Vorhaut sanft zurück und rolle das Kondom – mit der Rolle nach außen – bis zum Ende über dein steifes Glied ab (siehe Zeichnung B). Am besten hältst du dabei mit einer Hand das Kondom an der Eichel fest und mit der anderen Hand rollst du es ab. Du kannst es aber auch mit beiden Händen sanft abrollen. Es schmiegt sich eng an die Haut an und kann nicht verrutschen. Ein falsch herum aufgesetztes Kondom nicht umdrehen, sondern ein neues verwenden!

- Du solltest unbedingt den Kondomrand am Gliedansatz festhalten, wenn du in deine Partnerin eindringst. Sonst besteht die Gefahr, dass es abrutscht.

- Nach dem Samenerguss darfst du nicht zu lange damit warten, den Penis wieder aus der Scheide zu ziehen. Dein Glied darf noch nicht schlaff sein, sonst könnte das Kondom abrutschen und Samenflüssigkeit auslaufen – und der ganze Schutz wäre umsonst gewesen. Das gebrauchte Kondom darf auch nicht zwischen ihren Schamlippen hängen bleiben.

C

- Nimm das Kondom vorsichtig ab und halte es dabei am Penis fest (siehe Zeichnung C). Zur vollständigen Sicherheit solltest du dir danach die Hände waschen. Denn wenn du deine Partnerin an der Scheide anfasst und es sind noch Samenspuren an deinen Fingern, kann das unter Umständen noch zu einer Befruchtung führen.

- Das Präservativ gehört nach der Benutzung in den Müll, nicht in die Toilette! Ein zweites Mal kann man es nicht verwenden. Für jeden weiteren Geschlechtsverkehr ist ein neuer Überzieher nötig.

Risiken bei der Anwendung eines Kondoms

Die einzig möglichen Risiken von Kondomen liegen in der falschen Anwendung. Die zwei häufigsten Fehler: Der Überzieher wird zu spät angezogen, die Spermien des »Vortröpfchens« haben sich bereits auf den Weg in die Gebärmutter gemacht. Oder: Der Penis mit dem Kondom wird nach dem Geschlechtsverkehr zu spät aus der Scheide gezogen, sodass es abgleitet und auf diese Weise Samen austreten können. Werden diese Fehler aber vermieden, sind Präservative recht sichere Verhütungsmittel, die jedem anderen vorzuziehen sind.

Wer zum ersten Mal einem Partner nackt gegenüber steht, gibt sein Intimstes vor ihm preis und bibbert innerlich, dass der andere ihn so annimmt, wie er ist.

Warum manche Paare Kondome nicht mögen

Viele Paare können Kondome nicht leiden, weil sie glauben, die Anlegeprozedur zerstöre die ganze Romantik. Doch – wie in diesem Abschnitt schon erwähnt – daraus kann man auch ein durchaus schönes Ritual machen. Du solltest nicht schnell mal auf der Toilette verschwinden, sondern ihr könnt euch beide damit beschäftigen und eure Freude daran haben. Wenn ihr das einige Male so praktiziert, gehört es für euch dazu und wird selbstverständlich.

183

Probiert erst einmal beim Petting Kondome aus, ohne miteinander zu schlafen. Wenn es dann so weit ist, steht ihr nicht so unter Druck.

Wenn man sich noch nicht so gut kennt, spielen oft Schamgefühle und Unsicherheit dem anderen gegenüber eine große Rolle. Wer zum ersten Mal einem Partner nackt gegenübersteht, gibt sein Intimstes vor ihm preis und bibbert innerlich, dass der andere ihn hoffentlich so annimmt, wie er ist. Ein nackter Mensch kann nichts mehr verbergen. Um Hemmungen abzubauen und euch körperlich kennen zu lernen, tut es gut, wenn ihr Kondome erst einmal beim Petting gemeinsam ausprobiert, ohne miteinander zu schlafen. Wenn es dann wirklich so weit ist, steht ihr nicht so unter Druck und könnt schon viel vertrauter miteinander umgehen.

Manche Jungen bemängeln, durch ein Kondom wäre ihre Empfindungsstärke beim Geschlechtsverkehr eingeschränkt. Meistens kommen solche Gefühle auf, wenn sie grundsätzliche Vorbehalte gegen dieses Verhütungsmittel haben. Tatsache ist, dass man sich gut daran gewöhnen kann und solche Gedanken mit der Zeit dann auch verschwinden. Der Orgasmus wird durch ein Kondom nicht beeinträchtigt. Du kannst nicht von deiner Freundin wie selbstverständlich verlangen, dass sie die Pille nimmt – nur weil du Kondome nicht leiden kannst. Ein Kondom hat keinerlei Nebenwirkungen und wäre auch ein Zeichen dafür, dass du bereit bist, Verantwortung mit zu übernehmen und nicht alles auf sie abzuwälzen. Und – zum wiederholten Male: Kondome schützen gleichzeitig vor der Übertragung von AIDS und Geschlechtskrankheiten.

Timo (16):

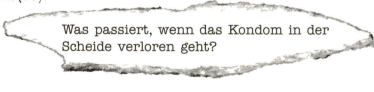

Was passiert, wenn das Kondom in der Scheide verloren geht?

Siehe auch Übersichtstabelle »Verhütungsmittel« in der vorderen Umschlagklappe

Ist das Präservativ in der Scheide abgerutscht, solltet ihr ganz vorsichtig versuchen, es herauszuholen und dabei aufpassen, dass kein Sperma ausläuft. Sicherheitshalber sollte deine Freundin gleich zum Frauenarzt gehen und checken lassen, ob eine Schwangerschaft möglich ist. Sollte das der Fall sein, wird ihr der Gynäkologe wahrscheinlich innerhalb von 48 Stunden nach der Panne die »Pille danach« verordnen.

Klappt fast nie: Der Coitus interruptus oder die »Aufpasser-Methode«

Neben dem Kondom ist dies die einzige Methode, bei der der Mann die Verantwortung für die Verhütung trägt. »Ich pass schon auf«, versprechen viele, die kein Präservativ benutzen wollen, doch darauf ist überhaupt kein Verlass. Der *Coitus interruptus*, was so viel heißt wie »unterbrochener Geschlechtsverkehr«, ist nämlich eine der unsichersten Methoden überhaupt. Die Versagerquote liegt bei 40 Prozent und ist damit enorm hoch. Da wundert es einen schon, dass dies in Deutschland immer noch das meistverbreitete Verhütungsmittel ist, denn es ist dafür eigentlich total ungeeignet. Am wenigsten passt es für junge Paare, die noch nicht so viel Routine im sexuellen Umgang miteinander haben.

»Aufpassen« ist eine total unsichere Methode, auf die ihr euch keinesfalls verlassen solltet. Die Versagerquote liegt bei 40 Prozent!

Beim Coitus interruptus zieht der Junge beim Geschlechtsverkehr kurz vor dem Samenerguss seinen Penis aus der Scheide des Mädchens. Umgangssprachlich nennt man das auch den »Rückzieher«. Das Ejakulat läuft dann auf den Bauch der Partnerin oder auf die Bettwäsche. Doch schon vor dem Samenerguss tritt unbemerkt Samenflüssigkeit aus, was du auch nicht verhindern kannst. Denn gleich nach Versteifung des Glieds benetzt das so genannte »Vortröpfchen« die Eichel, um sie gleitfähig zu machen. Und in dieser Flüssigkeit sind in der Regel Samenzellen enthalten, die trotz der geringen Menge eine Schwangerschaft wahrscheinlich machen, sofern die Frau gerade ihre fruchtbaren Tage hat.

Der Coitus interruptus ist nicht nur unsicher, sondern auch unromantisch und ungesund, weil ihr beide ständig unter Druck steht.

Selbst wenn du den festen Willen hast, dein Glied rechtzeitig aus der Scheide zu ziehen, so garantiert das keinerlei Sicherheit. Der Coitus interruptus, der vorzeitige Abbruch des Geschlechtsaktes, ist aber nicht nur eine äußerst unsichere Sache, sondern auch höchst ungesund und unromantisch. Das Mädchen kann sich nicht richtig fallen lassen und genießen, weil sie ständig Angst hat, dass dabei doch eine Schwangerschaft herauskommt. Und du stehst unter dem Druck, den entscheidenden Zeitpunkt nicht zu versäumen und kannst somit das intime Zusammensein auch nicht auskosten. Außerdem geschieht es nicht selten, dass der Mann die Kontrolle verliert und dann eben doch in der Scheide ejakuliert. Und dann kommen die Tage des Zitterns und Bangens bis zur nächsten Regelblutung.

Zukunftsmusik: Die Pille für den Mann

Die Spritze für den Mann soll mindestens so sicher sein wie die Pille für die Frau und soll demnächst erprobt werden.

Viele Versuche wurden bisher unternommen, etwas ähnlich Wirksames wie die Pille der Frau auch für den Mann zu entwickeln. Dass dies bisher scheiterte, hat mehrere Gründe: Einer der wichtigsten ist laut Forschungen der, dass der Hormonhaushalt des Mannes, was Sexualität und Fortpflanzungsfähigkeit betrifft, sehr einfach angelegt ist. Daher kann er nur durch extrem hohe Dosen außer Kraft gesetzt werden. Dies hat sehr viele Nebenwirkungen zur Folge, die gar nicht oder nur unter großen Schwierigkeiten zu vermeiden sind. Bei Tests stellte sich heraus, dass Männer damit auf Dauer impotent und unfruchtbar werden können.

Nun wird seit einigen Jahren an der Universität Münster an der Spritze für den Mann gearbeitet, die mit Hilfe eines künstlichen Hormons, das dem Testosteron ähnelt, jeweils drei Monate lang wirken und nur wenig Nebenwirkungen haben soll. Die Injektion muss alle drei Monate neu gegeben werden. Ab der zweiten Spritze soll der Mann nicht mehr zeugungsfähig sein, aber Bartwuchs, sexuelle Empfindungsfähigkeit, Potenz und Muskelkraft bleiben dabei völlig erhalten. Will ein Paar dann ein Baby, braucht er nur auf die nächste Spritze zu verzichten und schon vier Monate später könnte es klappen. Die Forscher halten die Spritze für den Mann für mindestens so sicher wie die Pille für die Frau. Die Suche nach einem Pharmakonzern, der die notwendigen und teueren klinischen Studien übernimmt und das Präparat auf den Markt bringt, läuft. Wenn das Präparat ausgereift ist, wird es eine echte Alternative zur Pille sein.

Die meisten Frauen befürworten die Pille für den Mann, vertrauen aber nicht auf die Zuverlässigkeit ihres Partners.

Ein ganz bedeutender Grund, weshalb es außer Kondomen noch keine weiteren Verhütungsmittel für den Mann gibt, ist wohl die Tatsache, dass die meisten Männer sie ablehnen, also die Pharmaindustrie ein schlechtes Geschäft mit ihnen machen würde. Auch wenn die meisten Frauen es befürworten, wenn endlich auch etwas auf dem Markt käme, das dem Mann die Verantwortung für die Verhütung überträgt, so vertrauen nur die wenigsten auf die Zuverlässigkeit ihres Partners und behalten die Sache lieber in eigener Hand. Denn schließlich wird am Ende immer die Frau schwanger, was aber keinen Mann von seiner Verantwortung entbindet.

186

Die Sterilisation beim Mann oder bei der Frau

Die Sterilisation ist eine weitgehend endgültige Sache und daher für junge Menschen, die das Leben noch vor sich haben und irgendwann Kinder wollen, mit Sicherheit ungeeignet. Bei der Sterilisation werden Mann oder Frau unfruchtbar gemacht, was zur Folge hat, dass die Frau nicht mehr schwanger werden und der Mann keine Kinder mehr zeugen kann.

In den USA, der Schweiz, in Großbritannien, den Niederlanden und Japan ist die Sterilisation weit verbreitet. In den Vereinigten Staaten verhüten sogar mehr Paare dadurch als mit der Pille. In Deutschland sind dagegen nur sechs Prozent aller Frauen und Männer sterilisiert, was mit der Geschichte des Dritten Reichs zu tun hat, wo es so viele furchtbare Zwangssterilisationen gab.

Die Sterilisation beim Mann ist im Gegensatz zur Sterilisation einer Frau ein vergleichsweise harmloser Eingriff – man nennt ihn auch *Vasektomie*. Dabei werden vom Urologen die Samenleiter durchtrennt und verschlossen. Es ist nur eine örtliche Betäubung nötig, der Eingriff kann ambulant vorgenommen werden und dauert etwa eine halbe Stunde. Gleich danach kann der Mann heimgehen. Er sollte sich zwei bis drei Tage schonen und körperliche Anstrengungen vermeiden. Männer werden dadurch nicht, wie so viele von ihnen befürchten, impotent. Sie werden nur zeugungsunfähig gemacht. Sonst bleibt alles, wie es war. Im Gegensatz zu einer Frau kann die Sterilisation beim Mann in sehr vielen Fällen wieder rückgängig gemacht werden.

Die Sterilisation bei der Frau ist ein Eingriff nicht ganz ohne Risiko und dauert unter Vollnarkose etwa eine Stunde. Dabei werden die Eileiter operativ durchtrennt und verschlossen. So kann sich das Ei nur noch bis zu dieser Stelle fortbewegen und löst sich dort auf. Es wird verhindert, dass sich Eizelle der Frau und Samenzelle des Mannes treffen und vereinigen können. Hin und wieder wird ambulant sterilisiert, aber es ist besser, ein bis fünf Tage Klinikaufenthalt einzukalkulieren, falls nachträglich Blutungen oder andere Probleme auftreten. Oft lassen sich Frauen gleich nach einer Entbindung sterilisieren.

Sterilisation beim Mann: Im Gegensatz zur Sterilisation der Frau ein vergleichsweise harmloser Eingriff unter örtlicher Betäubung.

Am besten ist, man informiert sich bei einem Arzt über die Risiken.

Es handelt sich um einen Schritt mit weit reichenden Folgen. In deinem Alter wird dich kein Arzt sterilisieren.

Dennoch sollten sich sowohl Männer als auch Frauen eine solche Entscheidung sehr gut überlegen, da es sich um einen Schritt mit weit reichenden Folgen handelt und man sich damit etwas nimmt, was man später vielleicht wieder möchte, aber nicht mehr rückgängig machen kann. Die Erfahrung zeigt, dass drei Prozent aller Menschen, die diesen Eingriff vornehmen ließen, ihren Entschluss bald bereuten. Andere aber sind danach sehr glücklich und können endlich befreit von der Angst, ungewollt Vater oder schwanger zu werden, ihr Sexualleben genießen.

Sterilisation darf nicht mit einer **Kastration** verwechselt werden. Bei letzterer werden der Frau die Eierstöcke, dem Mann die Hoden entfernt. Daraufhin werden keine Geschlechtshormone mehr produziert, die für Fruchtbarkeit, Geschlechtsleben, Aussehen und Verhalten von großer Bedeutung sind. Wer kastriert ist, ist entfraut oder entmannt. Dadurch wird der Mensch zum Neutrum, was ihn natürlich auch verändert. Bei der Sterilisation bleiben aber alle diese Organe im Körper, und weder sexuelle Lust noch Potenz werden in irgendeiner Form beeinträchtigt.

Sterilisation darf nicht mit einer Kastration verwechselt werden.

In der Regel nehmen Ärzte so einen Eingriff ohnehin nur vor, wenn man in einer stabilen und festen Partnerschaft lebt, über 30 Jahre alt ist und bereits zwei oder mehr Kinder hat. Wer keinen eigenen Nachwuchs hat, sollte 35 oder älter sein. Aber auch Singles, die über 35 sind und von ihrer Entscheidung überzeugt, können sich aufgrund einleuchtender Argumente sterilisieren lassen. Die meisten Beratungsstellen befürworten diese gängige Praxis, die katholischen nicht.

Was bedeutet es für einen Jungen, Vater zu werden?

Wenn deine Freundin auf ihre Tage wartet, und sie kommen und kommen nicht, dann bibberst du als liebender Junge wahrscheinlich mit ihr. Wenn sie schließlich von ihrem Frauenarzt die Bestätigung über eine Schwangerschaft bekommt, dann scheint vielleicht die Welt über euch einzustürzen. Am besten ist, ihr sprecht offen und ehrlich darüber, ob ihr das Baby wollt oder nicht, und ob ihr überhaupt eine gemeinsame Zukunft seht. Und dann gebt euch etwas Bedenkzeit! Die habt ihr beide dringend nötig. Ein Kind verändert euer bisheriges Leben radikal. Selbst wenn ihr euch trennt, und das Mädchen erzieht euer Baby allein – ab diesem Moment ist für euch zwei nichts mehr wie vorher.

Hattet ihr nur ein flüchtiges Abenteuer, so ist das sehr hart, wenn dieses gleich mit einer Schwangerschaft endete. Deine Partnerin befindet sich in einer sehr schwierigen Situation, in der du sie nun nicht allein lassen solltest, auch wenn sie nicht deine große Liebe ist. Es ist ein schlechter Charakterzug, wenn sich ein Junge vom Mädchen abwendet, wenn sie schwanger ist. Schließlich hat sie das nicht alleine zu verantworten, du warst auch beteiligt! Ihr solltet euch nun auch nicht wegen des Babys gezwungenermaßen zusammentun, das wäre keine gute Ausgangsbasis für eine Familiengründung. Eine Schwangerschaft sollte nie ausschlaggebend sein für so einen entscheidenden Schritt. Der Wunsch, zusammenzubleiben und vielleicht sogar zu heiraten, sollte freiwillig und von beiden Seiten gerne erfolgen.

Eltern reagieren oft geschockt und verständnislos, wenn sie aus heiterem Himmel erfahren, dass das Thema Schwangerschaft für Sohn oder Tochter aktuell geworden ist. In den meisten Fällen beruhigen sie sich auch sehr schnell wieder, akzeptieren die Situation und helfen schließlich, so weit sie können. Du darfst nicht vergessen, dass deinen Eltern bei so einer Nachricht auch bewusst wird, dass sie Oma und Opa werden und damit eben auch älter. Am besten ist es, wenn Mädchen und Junge gemeinsam den Elternpaaren erklären, was Sache ist. So haben sie das Gefühl, dass hier zwei junge Menschen sind, die Verantwortung tragen wollen und der Kinderrolle still und leise entschlüpft sind. Oftmals ist es für Eltern am schlimmsten zu begreifen, dass ihre Kleinen nun erwachsen sind.

Wenn das betroffene Pärchen trotz Schwangerschaft getrennte Wege gehen will, sollte es vor den Eltern die Karten klar auf den Tisch legen und sie offen mit der neuen Situation vertraut machen. Nur so kann man vernünftig zu einer Lösung kommen. Heimlichkeiten schaden nur. Ein Mädchen kann ohnehin nicht dauerhaft verbergen, was los ist, und bei einem Jungen, der noch zur Schule geht, werden die Eltern spätestens bei Geburt des Kindes von der Sache erfahren. Schließlich müssten sie dann unter Umständen die Unterhaltskosten bezahlen.

Siehe auch Abschnitt »Gute Gründe für das Verhüten«, S. 176

Es ist ein schlechter Charakterzug, wenn sich ein Junge vom Mädchen abwendet, wenn sie schwanger ist. Schließlich hat sie es nicht alleine zu verantworten, du warst auch beteiligt!

189

Adressen
siehe Anhang,
ab S. 242

Wenn ihr mit euren Eltern aus irgendwelchen Gründen nicht darüber reden könnt oder wollt, dann wendet euch an eine der **Beratungsstellen** von Pro Familia. Es ist wichtig, dass ihr euch jemand anvertraut – unabhängig davon, ob deine Freundin das Baby bekommen kann und will oder nicht. Es wäre falsch, jetzt den Kopf in den Sand zu stecken und zu denken, es regle sich schon von allein. Ihr braucht jetzt beide Hilfe, seelische und praktische.

Daniel (17):

> Mit meinen Eltern habe ich mich bisher immer prima verstanden. Doch als ich ihnen sagte, dass meine Freundin Iris schwanger ist, sind sie total durchgeknallt und beschimpften mich. Sie meinen, ich würde mir damit meine ganze Zukunft verbauen, und sie als Erziehungsberechtigte hätten da auch noch ein Wörtchen mitzureden. Sie wollen, dass Iris unser Kind abtreibt. Dabei freuen wir uns nach dem ersten Schock darauf und wollen auch zusammenbleiben. Können meine Eltern uns zur Abtreibung zwingen?

Nein, deine Eltern können euch weder zur Abtreibung zwingen noch dazu, das Kind zu bekommen. Nicht einmal du als Vater dürftest auf einen Abbruch drängen. Allein deine Freundin entscheidet darüber, was sie machen will.

Wie wird eine Vaterschaft festgestellt?

Der Tag, der einen Jungen zum Vater macht, kann ihn teuer zu stehen kommen. Wer ohne zu heiraten als Vater anerkannt werden will, muss sich durch Ämter und Behörden quälen und Unmengen von Formularen ausfüllen. Wer die Vaterschaft und Verantwortung ablehnt, weil er es partout nicht glauben will, macht der Mutter und dem Neugeborenen oftmals größte Schwierigkeiten. Sicher kommt es auch mal vor, dass sich nach einem Vaterschaftstest herausstellt, dass der Betreffende gar nicht der Vater des Babys ist, doch überwiegend wird er als solcher bestätigt.

Wenn du insgeheim weißt, dass du der Vater bist, dann stehe dazu! So ersparst du dir und deinen Eltern unnötige und noch höhere Kosten.

Bei einem Vaterschaftstest werden die roten Blutkörperchen von Vater und Kind verglichen. Der Bluttest bringt zu 99 Prozent Gewissheit, der moderne Gentest sogar 100-prozentige Sicherheit. Dazu genügt ein Haar, ein Hautstückchen oder ein Bluttropfen des mutmaßlichen Erzeugers. Jungen, die partout nicht glauben wollen, dass sie der Erzeuger sind, können vor Gericht ziehen. Wird nach dem medizinischen Gutachten (Bluttest) die Vaterschaft festgestellt und eindeutig geklärt, dass der Geschlechtsverkehr mit diesem Mann zur Empfängniszeit stattgefunden hat, lautet das Urteil des Gerichts meistens: Er ist der Vater! Wenn du also insgeheim weißt, dass du es warst, dann ist es besser, dazu zu stehen.

Ein Bluttest bringt zu 99 Prozent Gewissheit, der moderne Gen-Test sogar zu 100 Prozent!

Medizinische Gutachter nutzen folgende Verfahren, um eine Vaterschaft festzustellen:

• Das Fertilitäts-Gutachten. Dabei wird beim in Frage kommenden Vater untersucht, ob er zur Zeugung überhaupt in der Lage war. Werden etwa Verwachsungen im Samenleiter festgestellt, gilt der Beklagte als unfruchtbar und scheidet als möglicher Vater aus.

• Das Anthropologie-Gutachten. Hierbei werden äußere Erbmerkmale von Kind und mutmaßlichem Vater verglichen, z. B. Ohren, Nase, Haut-, Haar- und Augenfarbe. Ist die Mutter blass und blond, der Beklagte auch, scheidet er als Vater eines Babys von dunklem Typ mit ziemlicher Sicherheit aus.

• Das Tragzeit-Gutachten. Dem Entwicklungsstand des Babys (Größe, Gewicht) entsprechend, wird der Zeugungszeitpunkt auf den Tag genau errechnet. War der beklagte Mann da nachweislich gar nicht im Lande, muss es ein anderer gewesen sein.

• Das Blutgruppen-Gutachten. Die Blutgruppe mit all ihren genetischen Merkmalen vererbt sich nach festen Regeln. Ein Vergleich zwischen Babyblut und dem Blut des Mannes liefert daher einen klaren Beweis. Deshalb fordern Gerichte im Zweifelsfall dieses Gutachten. Es kann aber erst acht Monate nach der Geburt erstellt werden, da die Blutgruppe des Kindes vorher noch nicht endgültig festliegt.

Wer ein gerichtliches Verfahren vermeiden will, kann durch eine öffentlich beurkundete Erklärung die Vaterschaft anerkennen. Erfährt er später, dass er doch nicht der Erzeuger war, kann er seine Anerkenntnis anfechten.

191

Wie viel kostet der Unterhalt für ein Kind?

Ein Kind zu haben, bedeutet nicht nur eine große Verantwortung, sondern in deinem Alter auch eine finanzielle Belastung.

Die Rechte eines Vaters gegenüber seinem nichtehelichen Kind sind sehr wenige, die Pflichten dafür desto mehr. Nach dem neuen Kindschaftsrecht (ab 1.7.98) sollen endlich auch unverheiratete Väter ein verbessertes Umgangsrecht haben, die Kinder selbst ein Kontaktrecht mit beiden Eltern. Sogar das gemeinsame Sorgerecht steht nun auch unverheirateten Eltern zu, sofern beide dies wünschen. Bisher war für die elterliche Sorge des Kindes ausschließlich die Mutter zuständig. Sie musste zustimmen, wenn der Vater seinen Sohn oder seine Tochter sehen wollte.

Wenn du mit der Mutter deines Kindes nicht verheiratet bist, musst du in jedem Fall Unterhalt bezahlen. Kommst du deinen Zahlungen nicht pünktlich nach, kann dein Gehalt gepfändet werden. Regeln getrennt lebende Eltern die Zahlungen unter sich, also ohne Überwachung des Jugendamtes, so solltest du dir das von der Mutter quittieren lassen. So können evtl. Streitereien ums Geld vermieden werden. Gibt es Probleme mit den Alimenten, kann sich die Mutter jederzeit ans Jugendamt wenden, welches dann für das Kind die Raten vom Vater eintreibt. Wenn du minderjährig bist, wird sich das Jugendamt an deine Eltern wenden.

So viel Mindestunterhalt pro Monat muss ein Vater für sein Kind bezahlen
(Stand: 1.1.96)

Kommt der Mann seinen Zahlungen nicht nach, kann sein Gehalt gepfändet werden.

Von der Geburt bis zum vollendeten 6. Lebensjahr:
     West: DM 349.–, Ost: DM 314.–

Vom 7. bis vollendeten 12. Lebensjahr:
     West: DM 424.–, Ost: DM 380.–

Vom 13. bis vollendeten 18. Lebensjahr:
     West: DM 502.–, Ost: DM 451.–

Der Unterhalt richtet sich nach dem Einkommen des Vaters. Wer mehr verdient, muss auch mehr löhnen. Geht das Kind über das 18. Lebensjahr hinaus zur Schule, macht ein Studium oder eine Berufsausbildung, muss der Vater weiterbezahlen.

Wie verläuft eine Schwangerschaft?

Wenn du ungeschützt während der Zeit des Eisprungs mit einem Mädchen schläfst, kann es zu einer Befruchtung der weiblichen Eizelle durch die männliche Samenzelle kommen. Dies kann auch dann geschehen, wenn ihr gar keinen richtigen Geschlechtsverkehr habt, aber du an deinen Händen noch Samenflüssigkeit hast und deine Partnerin in ihrem Intimbereich berührst.

Benjamin (16):

Wird meine Freundin auch schwanger, wenn sie sich nach dem Samenerguss gleich die Scheide ausspült?

Ja! Scheidenspülungen sind kein Schutz vor Schwangerschaft, denn die Spermien wandern ja durch die Scheide in die Gebärmutter und in die Eileiter.

Etwa 400 Millionen Samen werden bei einem Samenerguss in die Scheide ausgestoßen. Nur ganz wenige schaffen es, bis zum Ei vorzudringen. Und eine Einzige kommt eben öfter noch weiter: Ihr gelingt es, die Eiwand zu durchbrechen und mit der Eizelle zu verschmelzen. Man nennt das Empfängnis, womit eine Schwangerschaft ausgelöst ist.

Nun beginnt ein rasantes Wachstum: Die befruchtete Eizelle teilt sich immer weiter, in vier, acht, sechzehn Zellen und so fort. Am Ende hat sich eine Zellkugel gebildet, die zur Gebärmutter wandert, wo sie sich etwa eine Woche nach der Befruchtung für die Zeit der Schwangerschaft in der gut gepolsterten Schleimhaut einnistet. Folge: Die Schleimhaut blutet nicht ab wie sonst, das heißt: die Monatsblutung des Mädchens bleibt aus. Dies ist wohl das markanteste Zeichen dafür, dass eine Befruchtung stattgefunden hat. Weitere typische Veränderungen, die eine schwangere Frau als Erstes feststellt: Übelkeit, besonders morgens nach dem Aufstehen, Heißhunger oder Appetitlosigkeit, kribbelnde Brüste oder starker nächtlicher Harndrang.

Wenn ein Mädchen schwanger ist, bleibt zunächst die Monatsblutung aus. Weitere Anzeichen sind morgendliche Übelkeit und Heißhunger auf bestimmte Lebensmittel.

Siehe auch
folgender
Abschnitt
»Wie schnell
wächst ein
Baby im
Mutterleib?«,
S. 196

Eine Schwangerschaft dauert vom ersten Tag der letzten Periode an gerechnet etwa 266 Tage oder vierzig Wochen oder neun Monate. Zehn Tage vor dem errechneten Ende und zehn Tage danach ist die Phase, in der es zur Geburt kommen sollte. Die ersten drei Monate nennt man das werdende Kind **Embryo**. Es wächst in der Fruchtblase, die sich ebenso wie der Mutterkuchen aus den Eihäuten entwickelt hat. In dieser Zeit kann ein unsolider Lebenswandel der Mutter für das Kind böse Folgen haben. Denn zu Beginn der Schwangerschaft entwickeln sich Organe und Gliedmaßen. Zum Ende der 12. Woche sind sie alle in der Anlage geformt, wenn auch noch nicht endgültig ausgebildet.

Ab dem vierten Monat wird das kleine Wesen **Fötus** genannt. Es schwimmt im Fruchtwasser und ist durch die Nabelschnur mit dem Mutterkuchen (Plazenta) verbunden. Insgesamt zwei Milliarden Zellen wachsen in den neun Monaten im Mutterleib heran. Aus ihnen werden im Laufe der Zeit Nerven, Muskeln, vollständige Organe. Welche Gesichts- und Körperform, Größe oder Haarfarbe der werdende Mensch einmal haben wird, ist in der Erbanlage bereits festgelegt. Obwohl das Geschlecht des Babys von Anfang an feststeht, entwickeln sich sowohl Junge als auch Mädchen etwa bis zur siebten Woche gleich. Dann jedoch kommen Sexualhormone ins Spiel, und ihre Wege teilen sich. Die Geschlechtsorgane bilden sich heraus. Die Hoden entsprechen den Eierstöcken, das Glied der Klitoris. Sie sind aus demselben Gewebe und daher auch in ihrer Empfindlichkeit ähnlich.

Billy (14):

Wie entscheidet es sich, ob es ein Junge oder ein Mädchen wird?

Siehe auch
Abschnitt
»Wie entstehen die Samen?
Das Fortpflanzungssystem
des Mannes«,
S. 104

Die Samenzelle entscheidet das Geschlecht des Babys. Alle Eizellen tragen X-Chromosomen, die Samenzellen dagegen können X- und Y-Chromosomen haben. Stößt also eine X-Samenzelle zur Eizelle, sind die Zellen des Babys XX, sodass ein Mädchen geboren wird. Kommt eine Y-Samenzelle zur Eizelle, sind die Zellen des Babys XY und es wird ein Junge.

Ab der 16. Woche wird eine Schwangerschaft sichtbar. Der Bauch des Mädchens wölbt sich nach außen. Ab der 20. Woche kann die Mutter schon die ersten Bewegungen spüren. Ist das Baby reif für die Geburt, setzen die Wehen ein. Dabei zieht sich die Gebärmutter in einem bestimmten Rhythmus zusammen. Von regelmäßigen Wehen bis zur Geburt dauert es beim ersten Mal etwa sechs bis neun Stunden. Die Geburt selbst geht meistens nicht länger als eine halbe Stunde. Zuerst kommt normalerweise der Kopf des Kindes. Bis es so weit ist, kann es für die Frau sehr schmerzhaft sein.

Immer mehr Männer wollen bei der Geburt ihres Kindes dabei sein. Dies kann für die Frau eine große Stütze sein. Du solltest es aber auch akzeptieren, wenn sie dabei alleine sein möchte. Für viele Väter ist eine Geburt ein Erlebnis, das sie sehr beeindruckt und das sie niemals vergessen. Auf diese Weise bekommen sie oft einen besseren und innigeren Bezug zu ihrem Kind und sind sehr stolz auf ihre Partnerin.

Nicht nur für das Baby, auch für die Frau ist die Geburt eine enorme Leistung, die mit großen Schmerzen verbunden sein kann. Das kommt daher, weil Gebärmuttermund und Scheide sehr eng sind, und der Kopf des Kindes ziemlich groß ist. Mit Gymnastik und Entspannungsübungen während der Schwangerschaft kann man vorbeugen.

Die erste Zeit nach der Geburt nennt man **Wochenbett**. Die Milchdrüsen in der Brust der Frau haben sich während der Schwangerschaft ausgebildet, sodass das Baby gestillt werden kann. Je stärker es an der Mutterbrust saugt, desto mehr Milch gibt die Brust. Manche Mütter fühlen sich nach der Geburt auch völlig ausgelaugt und depressiv. Sie schämen sich dafür, dass sie nicht glücklich sind, obwohl sie ein gesundes Kind zur Welt gebracht haben. Diese Verstimmung liegt am plötzlichen Absinken des Hormonspiegels und durch das Gefühl der Leere, das nach der Geburt entstehen kann. Man spricht diesbezüglich auch vom **Baby-Blues**. Doch diese Depressionen sind in der Regel nach einem Monat vorüber. Du erfährst in diesem Buch eine ganze Menge über Befruchtung, Schwangerschaft und Geburt. Es handelt sich dabei um wunderbare und einzigartige Vorgänge der Natur, die denkende Menschen immer wieder aufs Neue faszinieren.

Die Geburt eines Kindes ist ein einzigartiges Erlebnis, das mit nichts vergleichbar ist. Wenn du das miterlebst, wird das Verhältnis zu deinem Kind sicher inniger sein.

Wie schnell wächst ein Baby im Mutterleib?

1. Monat:
Wenn die Regelblutung der Frau ausbleibt, steht schon fest, welches Geschlecht das Baby haben wird, welches Temperament und welche Augen- und Haarfarbe. Auch seine zukünftige Größe ist schon klar. Schließlich ist der werdende Mensch bereits zwei Wochen alt.

2. Monat:
Jetzt hat das Baby schon Gesicht, Augen, Nase, Ohren, Mund, Arme und Beine. Es ist etwa drei Zentimeter groß und kann sich gegen schädliche Einflüsse von außen nicht wehren. Die werdende Mutter sollte dringend das Rauchen aufhören und keinen Alkohol trinken.

3. Monat:
Das Baby beginnt nun, seinen Kopf zu drehen, Grimassen zu schneiden und die Stirn in Falten zu legen. Es strampelt bereits leicht herum, aber die Mutter spürt es nicht, weil es noch zu klein ist.

A

4. Monat:
Nun ist das Kind nahezu vollständig entwickelt (siehe Zeichnung A). Ab jetzt muss es nur noch wachsen. Das Kleine hat auch bereits seine Lieblingsspeisen: frisches Obst und Gemüse und viel Eiweiß!

5. Monat:
Aufgepasst! Baby hört mit! Es nimmt den Herzschlag der Mutter wahr, Nachrichten und Musik. Immer mehr kann die Schwangere nun die Bewegungen des Ungeborenen spüren. Wenn sie liebevoll mit ihm spricht, kriegt es das Baby mit.

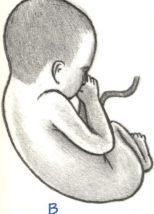

B

6. Monat:
Das kleine Gehirn arbeitet bereits auf Hochtouren, die ersten Haare wachsen und Baby trainiert schon fürs Leben draußen: Es lutscht kräftig am Daumen und übt dabei das Saugen und Trinken (siehe Zeichnung B).

7. Monat:

Am Ende des Monats wiegt das Baby zwei Pfund und ist über dreißig Zentimeter groß. Es legt immer mehr zu, aber die werdende Mutter sollte deshalb nicht für zwei essen. Während der Schwangerschaft darf sie nicht mehr als zehn bis zwölf Kilo zunehmen.

8. Monat:

Langsam bereitet sich das Kleine darauf vor, den kuschligen Mutterleib zu verlassen (siehe Zeichnung C). Es schläft viel, und wenn es wach ist, strampelt es immer kräftiger. Die Lunge ist so weit entwickelt, dass es selbst atmen könnte.

9. Monat:

Das Baby bereitet sich auf die erste große Reise seines Lebens vor. Der Weg aus Mutters Bauch ist manchmal nicht gerade bequem, sodass das erste Bad nach der Geburt ein wahrer Genuss ist. All die neuen Eindrücke und Gesichter sind dem Baby erst einmal zu viel. Es hängt sich erwartungsvoll an Mamas Brust und schläft sich nach dem Stress, in diese Welt zu kommen, erst einmal richtig aus.

C

Schwangerschaftsabbruch nach dem § 218: Die aktuelle rechtliche Lage

Lange wurde darum im deutschen Bundestag gestritten, am 28. Mai 1993 beendete das Karlsruher Bundesverfassungsgericht das Hickhack um den Abtreibungsparagraphen 218 mit einem Kompromiss. Demnach gilt Schwangerschaftsabbruch bis zur 12. Woche nicht als strafbar, aber als »rechtswidrig«. Ein Zwitter-Urteil, das bedeutet: Du kannst dafür zwar nicht bestraft werden, sollst es aber trotzdem nicht tun. Damit bleibt dir zunächst das Recht zur eigenen Entscheidung. Gleichzeitig werden dir mit den gültigen Vorschriften Steine in den Weg gelegt, die dir bei deinem Konflikt nicht helfen.

Was erwartet ein Mädchen, wenn es einen Abbruch vornehmen lassen will?

• Wenn sie sich schweren Herzens dazu durchgerungen hast, die Schwangerschaft abbrechen zu lassen, muss sie sich nach der aktuellen Regelung spätestens drei Tage vor dem Eingriff beraten lassen und den Nachweis-Schein darüber dem Arzt, der den Abbruch ausführen wird, vorlegen.

Dritte dürfen die Frau nicht zu einem Schwangerschaftsabbruch drängen. Auch du nicht.

• Dritte, wie z. B. du als ihr Partner, ihre oder deine Eltern, können wegen Nötigung bestraft werden, wenn sie die Frau zum Abbruch drängen oder ihr drohen, keinen Unterhalt zu bezahlen.

• Die Beratung erfolgt in einer Beratungsstelle (Adressen siehe Anhang ab S. 242) ihrer Wahl und ist der schwierigste Teil der gesetzlichen Kompromisslösung. Im »Schwangerschaftskonfliktgesetz« steht: »Die Beratung ist ergebnisoffen zu führen. Sie geht von der Verantwortung der Frau aus, soll nicht belehren oder bevormunden.« Dennoch soll das Ziel der Beratung sein, dass die Schwangere ihr Kind austrägt. Es müssen ihr alle Hilfen und die Risiken einer Abtreibung aufgezeigt werden. Eine Beraterin: »Ja, wir müssen darauf hinwirken, dass Schwangerschaften fortgesetzt werden. Aber die Entscheidung trifft letztlich allein die Frau, nicht wir.«

Weil Abtreibungen rechtswidrig sind, muss man sie selbst bezahlen. Du solltest deiner Freundin nach Möglichkeit einen Teil des Geldes zuschießen.

• Die Frau muss dem oder der Mitarbeiterin der Beratungsstelle nicht ihr ganzes Herz ausschütten, wenn sie/er ihr nicht sympathisch ist. Hat sie aber Vertrauen, kann sie natürlich mit ihr über die momentane Lebenssituation sprechen. Über das Gespräch muss die Beraterin ein Protokoll anfertigen, ohne den Namen der Betroffenen zu nennen. Die Anonymität der Schwangeren muss gewahrt werden, Daten dürfen nicht behalten oder gespeichert werden. Die Frau erhält dann einen Schein und kann in den ersten drei Monaten der Schwangerschaft bei einem Frauenarzt den Abbruch straffrei vornehmen lassen.

• Weil Abtreibungen (außer in Sonderfällen, wie z. B. bei schwerer Krankheit oder nach einer Vergewaltigung) rechtswidrig sind, muss man sie grundsätzlich selbst bezahlen. Nur Mädchen und Frauen, deren Einkommen unter dem Sozialhilfesatz liegt oder die sich in einer Notlage befinden, bekommen den Abbruch bezahlt. Die Beraterin weiß sicher einen Weg und kann auch helfen, eine Klinik oder einen Arzt zu finden. Wenn du der Vater bist, solltest du dich nach Möglichkeit finanziell beteiligen. Das wäre deiner Partnerin bestimmt eine Hilfe bei diesem belastenden Eingriff.

Ein Abbruch ist grundsätzlich eine Entscheidung des Mädchens, denn sie muss das Kind austragen und gebären. Du solltest ihre Entscheidung akzeptieren und ihr in jedem Fall zur Seite stehen.

- Damit die Ärzte die Notsituation der Frau nicht ausnutzen können, wurden die Gebühren für einen Abbruch festgelegt und auf ca. 250 bis 350 Mark begrenzt.

- Auch wenn das Mädchen noch nicht volljährig ist, kann sie ohne vorherige Einwilligung ihrer Eltern alles Nötige in die Wege leiten. Zum Abbruch selbst aber braucht sie die Zustimmung der Erziehungsberechtigten. Wer ohne diese Erlaubnis abbrechen will, muss vom behandelnden Arzt darauf geprüft werden, ob er einsichts- und urteilsfähig ist. Das heißt, ob er die Tragweite des Eingriffs begreift und das Für und Wider abwägen kann, um verantwortlich zu entscheiden. Bei Mädchen, die 16 sind, wird das in der Regel bejaht. Letztlich sind also auch Minderjährige in ihrer Entscheidung ganz frei.

- Wenn ihr streng katholisch seid, werdet ihr sicher wissen, dass die Kirche Abtreibung generell ablehnt. Ihr müsst für euch, vor allem das Mädchen für sich, entscheiden, wie ihr damit umgehen wollt.

Der Abbruch –
alleinige Entscheidung des Mädchens?

Die Entscheidung für oder gegen eine Schwangerschaft kann der betroffenen Frau letztlich niemand abnehmen, sie muss sie ganz allein treffen. Nur sie kann die Verantwortung für sich und das Kind übernehmen, ganz egal, wie ihr Entschluss ausfällt. Es betrifft nur sie, sonst niemand. Sie muss auch alleine mit den Folgen fertig werden, die sich sowohl aus einer Mutterschaft als

Die Entscheidung für oder wider einen Schwangerschaftsabbruch betrifft nur die Frau. Sie muss auch alleine mit den Folgen fertig werden, die sich aus Mutterschaft oder Abbruch ergeben.

auch aus einem Schwangerschaftsabbruch ergeben. Dabei kann ihr niemand helfen, also sollte sie sich auch in ihrer Entscheidung nicht manipulieren lassen. Sie stellt die Weichen für ihr künftiges Leben und sollte am besten nur auf ihre innere Stimme hören. Es ist eine einsame Entscheidung für oder gegen das werdende Leben, das in ihrem Körper wächst, und das können Männer – auch wenn sie es noch so gerne möchten – nicht nachempfinden. Ein bisschen Einfühlungsvermögen und Verständnis, das ist alles, was du in dieser Phase für deine Freundin tun kannst.

Selbst wenn du ihr versprichst, zu ihr zu stehen, so weißt du nicht, was die Zeit bringen wird und ob du die Belastung auf Dauer tatsächlich erträgst. Viele Männer machen sich oft allzu leicht aus dem Staub, wenn sie eine andere Beziehung finden, wo es weniger Probleme gibt und bequemer für sie ist. Eine Frau mit Kind dagegen wird nicht so einfach gehen wie ihr Partner, wenn es ihr mal zu viel wird. Sie denkt in der Regel erst einmal an ihr Kind, dann an sich. Mit anderen Worten: Die Frau muss damit rechnen, dass sie am Ende alleine ist.

Bis zu zehn Prozent der Frauen, die einen Schwangerschaftsabbruch vornehmen ließen, werden danach von schweren psychischen Störungen geplagt. Sie leiden darunter, werdendes Leben getötet zu haben, und machen sich oft so schwere Vorwürfe, dass sie sogar selbstmordgefährdet sind und ohne Hilfe eines Therapeuten mit ihrem Leben gar nicht mehr klarkommen.

Bis zu 27 Prozent der Betroffenen weisen »leichte bis mäßige« seelische Reaktionen auf, darunter Depressionen mit Selbstvorwürfen, Ängste vor Sterilität, sexuelle Probleme und psychosomatische Krankheiten. Genauere Zahlen kann das Bundesfamilienministerium nicht nennen, weil die immer noch anhaltende Tabuisierung des Themas die meisten Mädchen und Frauen davon abhält, offen über ihre Schuldgefühle zu sprechen.

Tatsache ist, dass keine Frau sich leichtfertig für einen Abbruch entscheidet.

Tatsache ist, dass keine Frau sich – entgegen der Meinung vieler Männer – leichtfertig für einen Schwangerschaftsabbruch entscheidet. Die seelische Belastung vor und nach dem Eingriff ist enorm. Nicht umsonst ziehen sich viele Frauen in dieser Situation völlig zurück und stellen ihren Partner ganz hinten an. Dafür solltest du Verständnis haben.

Auch körperlich ist eine Abtreibung nicht ungefährlich für eine Frau. Immer wieder kommt es dabei zu starken Nachblutungen, zum Teil auch zu Gebärmutterverletzungen.

Die Kanderen Seiten

reizend u.

BA PARA

SEX

SE

SAUNA Club

Posei

Cafe Keese

HOTEL HANSEAT
Preiswerte Touristenzimmer

EROTICA-KAUFHAUS

§ex-8

SAUNA

Sexualität und Gesundheit

Wann muss man zum Männerarzt gehen?

Für Mädchen ist es üblich, regelmäßig zum Frauenarzt zu gehen und die Fortpflanzungsorgane kontrollieren zu lassen. Für Jungen dagegen ist es die Ausnahme, wenn sie einen Männerarzt aufsuchen. Man nennt solche Fachleute auch *Andrologen*, und davon gibt es bis jetzt nur sehr wenige. Sie sind überwiegend an den großen Universitätskliniken beschäftigt und spezialisiert darauf, Männer mit hormonellen Problemen oder Zeugungsschwierigkeiten zu behandeln.

Auch du hast möglicherweise viele Fragen, was deine Geschlechtsorgane betrifft. Doch dafür brauchst du keinen Spezialisten. Der *Hausarzt* kann dir sicher auch beantworten, was du wissen willst. Wenn du unsicher bist, ob sich bei dir alles normal ausgebildet hat, dann bitte ihn darum, sich deine Geschlechtsorgane mal anzusehen. Du kannst offen mit ihm sprechen, für ihn ist das Alltag und er wird nichts daran komisch finden.

Wenn du zum Hausarzt kein Vertrauen hast oder aus einem anderen Grund nicht hingehen willst, dann suche einen *Urologen* (Facharzt für Nieren- und Blasenkrankheiten) oder einen *Kinderarzt* auf. Wenn du irgendwelche Rötungen oder Ausschlag an den Geschlechtsorganen feststellst, könnte es sich um eine Infektion handeln. In so einem Fall ist ein *Dermatologe* (Hautarzt) der richtige Ansprechpartner für dich. Adressen findest du im Branchen-Telefonbuch unter »Ärzte«. Auch Pro Familia bietet teilweise spezielle Beratungen für Jungen an.

Noch eine Möglichkeit: Du kannst auch mit deiner Freundin zum *Frauenarzt* gehen. Er weiß auch über Männer gut Bescheid, und sollte tatsächlich eine medizinische Behandlung nötig sein, kann er dir sicher sagen, an wen und wohin du dich wenden kannst.

Siehe auch die Abschnitte »Phimose – wenn sich die Vorhaut nicht zurückschieben lässt«, S. 104 und »Beschneidung – ja oder nein?«, S. 103

Vier Gründe, wann ein Besuch beim Männerarzt nötig ist:

- Wenn du Probleme mit der Erektion (Versteifung des Glieds) und dem Samenerguss (Ejakulation) hast und unbedingt ärztlichen Rat brauchst

- Wenn sich deine Vorhaut nicht ganz zurückschieben lässt (Phimose) und es erforderlich ist, dass der Arzt sie operativ entfernt oder löst

- Wenn sich deine Hoden nicht vollständig ausgebildet haben

- Wenn sich die Keimdrüsen entzündet haben

Adressen
siehe Anhang,
ab S. 242

Sexuell übertragbare Krankheiten: Eine Übersicht

Was sind sexuell übertragbare Krankheiten?

Dabei handelt es sich um ansteckende Krankheiten, die hauptsächlich durch sexuelle Kontakte übertragen werden. Einige der sexuell übertragbaren Krankheiten, nämlich Syphilis, Tripper, Weicher Schanker und die venerische Lymphknotenentzündung, sind meldepflichtig. Das heißt: Der feststellende Arzt muss eine solche Krankheit anonym, ohne den Namen des Patienten, melden. Dies dient allein der Statistik über die Verbreitung solcher Krankheiten. Medizinisch-offiziell und umgangssprachlich nennt man sie auch »Geschlechtskrankheiten«.

Sexuell übertragbare Krankheiten beginnen manchmal harmlos, doch sie können schwerwiegende Folgen haben.

Wie kommt es zu einer Infektion?

Eine Infektion entsteht, wenn der Erreger (Bakterien, Viren oder andere Mikroben) einer sexuell übertragbaren Krankheit in den Körper gelangt. In der Regel geschieht dies durch Geschlechtsverkehr. Bei manchen Erregern genügen allerdings auch andere enge körperliche Kontakte, wie z. B. Küssen oder Petting. Die Erreger fühlen sich besonders in den Mundschleimhäuten sowie den weiblichen und männlichen Geschlechtsorganen und im Darm wohl, können sich hier gut entwickeln und von da aus auch verbreiten.

Woran erkennt man, ob man sich angesteckt hat?

Je länger eine Geschlechtskrankheit unerkannt bleibt, desto eher verursacht sie ernsthafte und teilweise unheilbare Schäden.

Sexuell übertragbare Krankheiten beginnen manchmal harmlos oder mit kaum merklichen Anzeichen. Doch können sie schwerwiegende Folgen haben, z. B. Kinderlosigkeit oder erhöhte Krebsgefahr. Aber auch fortschreitende Erkrankungen des Nervensystems – wie bei Syphilis – können vorkommen. Im Anfangsstadium sind fast alle diese Erkrankungen mit Aussicht auf Erfolg zu behandeln. Manche sind heilbar, andere – vor allem Viruserkrankungen – können zwar nicht geheilt, aber wenigstens zum Stillstand gebracht werden.

Eine rechtzeitige und erfolgreiche Behandlung von Geschlechtskrankheiten wird oftmals erschwert, weil die Betroffenen frühe Krankheitsanzeichen (Symptome) wie z. B. Brennen beim Wasserlassen oder Bläschen an den Genitalien, nicht genügend beachten. Oder sie schämen sich, mit jemandem darüber zu sprechen oder zu einem Arzt zu gehen. Doch je länger eine sexuell übertragbare Krankheit unerkannt und unbehandelt bleibt, desto eher verursacht sie ernsthafte und teilweise nicht mehr zu heilende Schäden, und desto höher ist auch das Infektionsrisiko für den Partner oder die Partnerin.

Mädchen merken meistens erst ziemlich spät, dass sie sich angesteckt haben. Im Gegensatz zu Jungen sind die Anzeichen einer Infektion bei ihnen oft nicht ganz so deutlich. Ausfluss, Juckreiz und Brennen beim Wasserlassen sind auf jeden Fall Anzeichen für einen begründeten Verdacht.

Wer bei sich die Anzeichen einer sexuell übertragbaren Krankheit oder Infektion feststellt, sollte umgehend seinen Intimpartner informieren. Ihr braucht nicht vor Scham im Boden zu versinken, dazu besteht kein Grund. So etwas kommt öfter vor als ihr denkt, man erfährt es nur nicht.

Angesteckt – was tun?

Wenn du vermutest, dich angesteckt zu haben, gehe sofort zu einem Arzt. Je früher dies geschieht, desto einfacher und erfolgreicher ist die Behandlung. Sowohl Hautärzte als auch Frauenärzte und Urologen behandeln sexuell übertragbare Krankheiten. Bei den Gesundheitsämtern kannst du dich übrigens kostenlos behandeln lassen. Deine Partnerin muss in jedem Fall immer mittherapiert werden! In dieser Zeit ist Geschlechtsverkehr tabu, auch mit einer neuen Partnerin. Erst wenn der Arzt Entwarnung gibt, könnt ihr wieder miteinander schlafen. Der Behandlungserfolg muss mehrmals überprüft werden. Die Ärzte unterliegen grundsätzlich der Schweigepflicht, sodass niemand etwas von euerer Erkrankung erfahren wird.

Niemand erfährt von der Erkrankung, der Arzt hat Schweigepflicht.

Springt jedoch ein Patient bei einer schwerwiegenden Geschlechtskrankheit wie beispielsweise Tripper oder Syphilis von der laufenden Behandlung ab, dann ist der Arzt verpflichtet, seinen Namen beim Gesundheitsamt anzuzeigen. Nur dadurch kann verhindert werden, dass die Verbreitung dieser Infektionskrankheit außer Kontrolle gerät. Solange man aber bis zur vollständigen Genesung unter der Aufsicht seines Arztes bleibt, geschieht dies nach außen völlig anonym.

Der Patient muss bis zur vollständigen Genesung unter Aufsicht seines Arztes bleiben.

Hier ein Überblick über die am häufigsten auftretenden Geschlechtskrankheiten:

Trichomoniasis gehört zu den am weitesten verbreiteten Genitalinfektionen. Ihre Erreger werden nicht ausschließlich durch Geschlechtsverkehr übertragen. Unsaubere, feuchte Wäsche (Handtücher, Waschlappen), infizierte Toiletten und gemeinsam benutztes Badewasser können auch zur Ansteckung führen.

Trichomoniasis

Anzeichen bei Jungen
Brennen beim Wasserlassen, weil die Trichomonaden die Harnröhre besetzen. Oft spürst du auch überhaupt nichts und erfährst erst über deine Partnerin von der Infektion. Trotzdem musst du genau wie sie behandelt werden, um eine vollständige Heilung zu erzielen.

Unsaubere, feuchte Wäsche und infizierte Toiletten sind ein Risiko.

207

Anzeichen bei Mädchen
Juckreiz, weißlich-gelblicher, schaumartiger Ausfluss, Rötungen und Schwellungen im Bereich des Scheideneingangs und der Schamlippen.

Behandlung bei Jungen
Mit Metronidazol-Tabletten. Wichtig: Jungen sollten ihren Penis immer sorgfältig waschen, besonders unter der Vorhaut, da sich dort schnell ein bakterienhaltiger Belag (Smegma) bildet.

Behandlung bei Mädchen
Mit Vaginaltabletten oder -zäpfchen.

Pilz-infektionen

Pilzinfektionen sind in ihren Anzeichen der Trichomoniasis nicht unähnlich. Sie kommen sehr häufig vor, und meistens sind Frauen davon betroffen. Bei den Pilzerkrankungen im Geschlechtsbereich handelt es sich überwiegend um ***Hefepilze***. Sie haben nichts mit den essbaren Pilzen zu tun und sind nur unter dem Mikroskop zu erkennen.

Der Hefepilz kommt im gesunden Körper im Darm vor und vermehrt sich bei allgemeiner Abwehrschwäche.

Der Erreger ist ***Candida albicans***, weshalb der Arzt auch von einer ***Candida-Infektion*** spricht. Er kommt im gesunden Körper im Darm vor und vermehrt sich unter bestimmten Bedingungen wie allgemeine Abwehrschwäche, Diabetes, Behandlung mit Cortison oder Antibiotika oder nach Durchfällen durch Schmierinfektionen vom Darm aus so, dass er Krankheitserscheinungen hervorruft. Auch die Hormone der Pille regen das Wachstum des Hefepilzes an. Ansteckungsgefahr besteht nicht nur beim Geschlechtsverkehr, sondern auch in Toiletten, Saunen und Schwimmbädern.

Anzeichen bei Jungen
Viel milder und geringer als bei Mädchen. Eventuell leicht gerötete Haut auf der Eichel, ein bisschen Brennen beim Wasserlassen und auf der Penishaut. Oft treten gar keine Beschwerden auf.

Anzeichen bei Mädchen
Unangenehm riechender, bröckliger Ausfluss, starker Juckreiz, trockene und sehr gerötete Scheide, Brennen beim Wasserlassen.

Behandlung bei Jungen
Sie müssen mitbehandelt werden, um ihre Partnerin nicht immer wieder aufs Neue anzustecken. Der Penis muss lediglich mit pilztötender Creme eingeschmiert werden.

Behandlung bei Mädchen
Neuerdings mit einer einmaligen oralen Dosis eines Anti-Mykotikums. Auch mit Anti-Pilz-Salben und Vaginalzäpfchen.

Während der Behandlung dürft ihr nicht miteinander schlafen!

Chlamydien sind bakterienähnliche **Kleinstlebewesen**, die sich in den letzten Jahren immer mehr ausgebreitet haben. Sie befallen meist nicht nur die Scheide, sondern auch die Blase. Du kannst dich sowohl beim Geschlechtsverkehr als auch auf Toiletten und in Schwimmbädern damit anstecken. In der Regel sind Frau und Mann gleichzeitig infiziert, empfinden aber gleich nach der Infektion mit Chlamydien keinerlei Beschwerden. Diese treten meist erst Tage oder Wochen später auf.

Chlamydien

Anzeichen sowohl bei Jungen als auch bei Mädchen
Brennen und Schmerzen beim Wasserlassen und beim Stuhlgang, heller Ausfluss (auch bei Jungen!), möglicherweise Schmerzen beim Geschlechtsverkehr.

Behandlung bei Jungen und Mädchen
Grundsätzlich mit Antibiotika.

Mögliche Folgen, wenn ihr nichts dagegen unternehmt:

In den letzten Jahren haben die gefährlichen Chlamydien-Infektionen stark zugenommen. Meist sind Mann und Frau gleichzeitig infiziert.

Bei Jungen
Nebenhodenentzündungen, evrntuell auch Prostata-Entzündungen (noch nicht ganz erforscht).

Bei Mädchen
Eileiterentzündungen und Blutungsstörungen bis hin zur Unfruchtbarkeit. Bei Schwangeren kann eine Chlamydien-Infektion sogar zur Frühgeburt führen. Der Erreger kann auf das Neugeborene übertragen werden und eine Augen- oder Lungenentzündung hervorrufen.

209

Du siehst, wie wichtig eine schnellstmögliche Behandlung der Chlamydien-Infektion ist. Wenn du irgendwelche der angegebenen Symptome spürst, zögere nicht, sondern gehe sofort zum Arzt, und schicke auch deine Partnerin hin!

Herpes, Typ 1

Herpes, Typ 1 ist ein Leiden, das viele Menschen, Männer wie Frauen, als »Lippenbläschen« kennen. Bevor sie sichtbar werden, spürst du ein leichtes, unangenehmes Kribbeln unter der Hautoberfläche, oft verbunden mit Juckreiz. Nach etwa ein bis zwei Tagen wird die Stelle, an der es juckt, rot, und eine winzige Erhebung, die wenig später druck- und berührungsempfindlich wird, taucht auf und tut weh. Wieder zwei Tage später kannst du weißliche Bläschen erkennen, die bald aufplatzen und ein klares Sekret freisetzen. Danach wird aus der befallenen Stelle eine offene unblutige Wunde. Nach zwei Tagen ist sie verschwunden. Doch sofort können sich an anderen Stellen, z. B. wieder auf den Lippen, aber auch irgendwo im Gesicht, rund um den Mund und am Zungenrand, neue Bläschen bilden, die genauso entstehen.

Herpesbläschen sind eine akute Infektionsquelle! Jede Art von Küssen ist bis zur völligen Abheilung streng verboten.

Offene Herpesbläschen sind eine akute Infektionsquelle! Deshalb sind bis zu ihrer vollständigen Abheilung Mund- und Hautkontakte, also jede Art von Küssen, strengstens verboten. Auch der gemeinsame Gebrauch von Gläsern und Besteck ist während dieser Zeit unbedingt zu vermeiden.

Herpes, Typ 2

Herpes, Typ 2 befällt fast ausschließlich die Geschlechtsorgane und kann sich bis hin zu kleinen schmerzhaften Geschwüren entwickeln. Man spricht auch von *Herpes genitalis*. Die Anzeichen dafür sind ganz ähnlich wie die für Lippenbläschen. Der Heilprozess kann sich über Wochen hinziehen, das Ausmaß der Schmerzen ist bei jedem Menschen unterschiedlich.

Herpes genitalis im Intimbereich tritt vor allem in Stresssituationen auf und dann, wenn dein Abwehrsystem durch andere Ereignisse oder Erkrankungen schon geschwächt ist. Wenn die Abwehr es z. B. schafft, eine Erkältung zu verhindern, ist es gut möglich, dass stattdessen Herpes ausbricht.

210

Herpes-Viren werden durch Geschlechtsverkehr übertragen. Dabei müssen die offenen Bläschen, die die Viren freisetzen, nicht immer deutlich zu sehen sein. Bei Jungen treten die Bläschen an der Eichel auf, am Penis oder am After. Bei Mädchen können sie innerhalb der Scheide am Muttermund liegen und verursachen dort kaum oder gar keine Beschwerden. Erst wenn sie sich auf der Haut bilden und aufplatzen, z. B. auf den Schamlippen, am Scheideneingang oder am After, spürt sie sie deutlich und schmerzhaft. Wenn einer von euch eine akute Herpes-Infektion hat, solltet ihr unbedingt ein Kondom benutzen oder überhaupt nicht miteinander schlafen. Die offenen Bläschen sind in hohem Maße ansteckend!

Inzwischen gibt es eine sehr stark wirksame Salbe (Zovirax) mit der Substanz Aciclovir, die die Herpes-Viren direkt bekämpft. Man sollte sie aber nicht sofort bei jeder Kleinigkeit oder beim geringsten Anzeichen benutzen. Die Viren können durch den zu häufigen Gebrauch resistent gegen den Wirkstoff werden, der dann keinerlei Wirkung mehr zeigt.

Wer das Herpes-Virus einmal in sich trägt, muss immer damit rechnen, dass es wieder ausbricht. Bis heute ist nicht eindeutig erforscht, weshalb das so ist.

Herpes tritt besonders in Stresssituationen auf, wenn das Abwehrsystem durch andere Ereignisse oder Erkrankungen schon geschwächt ist.

Filzläuse leben fast ausschließlich in den Schamhaaren von Männern und Frauen, nur in seltenen Fällen auf Körper- oder Kopfhaaren. Diese winzigen, flachen Tiere kann man mit bloßem Auge erkennen. Die Läuse befestigen ihre Eier an den menschlichen Haaren, ihre Stiche führen zu unangenehm juckenden Hautreizungen.

Meistens werden sie durch intime Kontakte übertragen, aber auch durch infizierte Bettwäsche, Bettlaken und Handtücher. Aus diesem Grund muss während der Behandlung extrem auf Sauberkeit geachtet werden. Bereits getragene Wäsche muss auf jeden Fall ausgekocht werden. Filzläuse sind für ihre Hartnäckigkeit berühmt!

Filzläuse

Filzläuse sind Schmarotzer und äußerst hartnäckig.

Tripper Gonorrhöe

Tripper oder Gonorrhöe ist die häufigste Geschlechtskrankheit. Gerade unter Jugendlichen ist sie sehr verbreitet. Ihre Erreger sind die Gonokokken, eine Bakterienart. Außerhalb des menschlichen Körpers überleben sie nur kurz. Sie werden ausschließlich durch intimen Körperkontakt übertragen. Etwa ein bis zehn Tage nach der Infektion kommt es zu den ersten Krankheitszeichen.

Tripper ist besonders unter Jugendlichen weit verbreitet. Bei Früherkennung ist die Behandlung problemlos.

Anzeichen bei Jungen
Eitriger Ausfluss aus der Harnröhre, Schmerzen beim Wasserlassen. Sie spüren Tripper-Symptome viel früher als Mädchen.

Anzeichen bei Mädchen
Grünlich-gelblicher Ausfluss, Brennen beim Wasserlassen, leichte Entzündung am Scheideneingang. Der Beginn der Erkrankung verläuft bei ungefähr der Hälfte aller Frauen allerdings ganz ohne Symptome.

Behandlung bei Jungen und Mädchen
Mit Antibiotika, die zuverlässig eingenommen werden müssen. Bei Früherkennung des Trippers ist die Behandlung problemlos und innerhalb weniger Tage erledigt.

Vorbeugung: Kondome benutzen! Auch chemische Verhütungsmittel wie Schaumzäpfchen killen Bakterien und Viren.

Syphilis

Syphilis gilt als die gefährlichste Geschlechtskrankheit.

Syphilis wird auch Lues oder Harter Schanker genannt und ist die wohl hinterhältigste Geschlechtskrankheit. Zum Glück kommt sie heute nur noch sehr selten vor. Sie wird fast ausschließlich durch Geschlechtsverkehr übertragen oder durch Blut.

Eine Syphilis-Infektion verläuft in drei Stadien. Im ersten, etwa drei Wochen nach der Infektion, entwickelt sich an der Eintrittsstelle des Erregers im Genitalbereich ein schmerzloses, verhärtetes Geschwür. Wird diesem Symptom keine Aufmerksamkeit geschenkt, heilt dieses hochgradig ansteckende Ding wieder ab. Ein weiteres Anzeichen für eine Infektion im Frühstadium ist eine meist ebenfalls schmerzlose Schwellung der Lymphdrüsen nahe der Infektionsstelle.

212

Findet keine Behandlung statt, bleiben die Erreger im Körper, gelangen in die Blutbahn und breiten sich im ganzen Organismus aus. In diesem zweiten Stadium nach etwa neun Wochen kommt es zu einem fleckenförmigen Ausschlag, der wiederum keine Schmerzen bereitet. Es können aber genauso gut Fieberanfälle, Haarausfall und Schlaflosigkeit auftreten. Alle diese Symptome können durchaus wieder von selbst ohne irgendeine Behandlung abklingen.

Das dritte Stadium der Erkrankung kann sich bis zu 20 Jahren hinziehen. Es führt zu Veränderungen an Haut, inneren Organen, Knochen, Gehirn und Rückenmark. Die Folgen können Blindheit, Lähmungen, Gehirnschädigungen und sogar der Tod sein.

Syphilis kann heute durch eine gezielte Therapie mit Penicillin, die allerdings so früh wie möglich beginnen muss, gut und erfolgreich behandelt werden. Je eher eine Syphilis-Infektion erkannt wird, desto weniger Schaden kann sie anrichten. Deshalb wende dich bei dem geringsten Verdacht auf eine mögliche Ansteckung sofort an deinen Arzt.

Die Früherkennung ist die beste Voraussetzung für eine erfolgreiche Therapie.

Wie kann man sich vor Geschlechtskrankheiten schützen?

Wenn du beim Intimverkehr ein Kondom benutzt, verringert sich das Risiko der hier beschriebenen sexuell übertragbaren Krankheiten enorm. Aber auch Spermizide (chemische Verhütungsmittel) dämmen die Gefahr einer Ansteckung ein.

Am besten ist es natürlich, wenn man sich sicher sein kann, dass der jeweilige Sexualpartner nicht infiziert ist. Gerade wenn man einen neuen Partner oder eine neue Partnerin kennen lernt, sollte man keinesfalls auf den Schutz beim Intimverkehr verzichten.

Chemische Verhütungsmittel und Kondome verringern das Ansteckungsrisiko bei Geschlechtskrankheiten.

213

HIV und AIDS

Wie wird AIDS übertragen?

Als Hauptursache für AIDS (»**A**cquired **I**mmune **D**eficiency **S**yndrome« = erworbenes Immunschwäche-Syndrom) wird die Infektion mit dem HIV-Virus (»**H**uman **I**mmunodeficiency **V**irus« = menschliches Immunschwäche-Virus) angesehen.

Niemand ist anzusehen, ob er infiziert ist. Deshalb ist es überlebenswichtig, immer ein Kondom zu benutzen.

HIV kann übertragen werden, wenn Körperflüssigkeiten wie Blut, Sperma oder Vaginalflüssigkeit von infizierten Menschen in die Blutbahn eines anderen gelangen. Sex ohne Kondom ist daher der häufigste Infektionsweg. Durch Vaginal- und Oralverkehr kann das Virus in die Blutbahn einer Frau kommen, z. B. wenn kleine und oft nicht spürbare Verletzungen der Vagina oder eine Reizung der Gebärmutter (z. B. durch die Spirale) vorliegen. Die Abwehrzellen in der Scheidenhaut können das Virus sogar ins Blut transportieren, ohne dass die Scheide Verletzungen haben muss.

Frauen sind zwanzigmal mehr infektionsgefährdet als Männer!

Ein Mann ist über seinen mit fester Haut geschützten Penis längst nicht so stark gefährdet. Weil außerdem bei einer Infektion die Zahl der freien Viren oder der von Viren befallenen Abwehrzellen im Samen sehr viel höher ist als in der Scheidenflüssigkeit, stecken viel häufiger Männer Frauen an als umgekehrt. Eine besondere Risikogruppe sind junge Mädchen, denn ihre Scheidenwände sind noch durchlässiger als bei älteren Frauen. Forscher haben festgestellt, dass Mädchen besonders leicht angesteckt werden können, wenn sie von einem infizierten Mann entjungfert werden und dabei bluten. Infizierte schwangere Frauen können während der Geburt und beim Stillen ihr Baby anstecken.

Während der Periode ist das Infektionsrisiko sowohl für die Frau als auch für den Mann erhöht. Besonders gefährdet sind Paare, die ungeschützt (ohne Kondom) Analverkehr haben, da die Darmschleimhaut äußerst empfindlich ist. Bereits vorhandene

Geschlechtskrankheiten oder Verletzungen erleichtern die Ansteckung noch. Da Analverkehr besonders häufig von Homosexuellen praktiziert wird, ist das ihre größte Gefahrenquelle. Vor allem dann, wenn sie aggressive Sexspiele bevorzugen. Egal, ob du nun mit einem anderen Mann oder einer Frau verkehrst: Um einer HIV-Infektion zu entgehen, tue es niemals ohne Kondom!

AIDS nimmt unter den sexuell übertragbaren Krankheiten eine Sonderstellung ein. Es bringt die körpereigene Abwehr zum Erliegen, sodass keine Krankheitserreger, z. B. die eines grippalen Infekts, mehr abgetötet werden. Aus diesem Grund kann eine Erkältung, mit der ein gesunder Körper spielend fertig wird, für AIDS-Patienten tödlich sein.

HIV wurde zwar auch in Schweiß, Urin, Speichel und Tränenflüssigkeit nachgewiesen, jedoch in einer so geringen Menge, dass diese für eine Ansteckung nicht ausreicht. Weltweit ist kein einziger Fall bekannt, bei dem eine Infektion über diese Körperflüssigkeiten erfolgt wäre. Dass das Virus durch Küssen übertragen werden kann, ist ebenso unwahrscheinlich, aber nicht hundertprozentig geklärt.

Siehe auch Abschnitt »Weitere Formen des Geschlechtsverkehrs«, S. 168

Bereits eine einfache Erkältung kann tödlich sein.

Wie verläuft eine AIDS-Infektion?

Erstes Stadium: Zuerst dringt das Virus in den Blutkreislauf ein und befällt die T-Helfer-Zellen. Sie sind die »Polizei« im menschlichen Organismus und immer auf der Lauer, Bakterien zu ertappen und abzutöten. Werden sie vom HIV-Virus außer Gefecht gesetzt, fehlt ein wichtiger Bestandteil des körpereigenen Abwehrsystems. Ergebnis: Viren und Bakterien können sich ungestört tummeln. Meist macht sich diese Tatsache mit fieberhaften Erkältungen, Durchfall oder allgemeiner Müdigkeit bemerkbar. Nach ein paar Tagen klingen die Beschwerden wieder ab.

Die T-Helfer-Zellen sind ein sehr wichtiger Teil des körpereigenen Abwehrsystems.

In dieser ersten Phase der Infektion geschieht nichts weiter. Das Virus dämmert im Körper vor sich hin. Betroffene, die einen Test machen ließen, sind damit »HIV-positiv«, aber fühlen sich sonst so fit und gesund wie immer. Allerdings können sie nun andere bei ungeschütztem Geschlechtsverkehr mit AIDS anstecken.

Zweites Stadium: Bis zur zweiten Etappe des Infektes vergehen in der Regel Jahre. Wie viele es genau sind, kann niemand sagen. Es ist von Patient zu Patient unterschiedlich. Dann erwacht das Virus wieder aus seinem Schlaf und vermehrt sich. Was der Auslöser dafür ist, weiß die Forschung noch nicht. Erste typische Anzeichen der Immunschwäche treten auf: ständiger Durchfall, Schwäche, Lungenentzündung.

AIDS ist nach wie vor nicht heilbar. Weder ein wirksames Mittel dagegen noch ein Impfstoff sind in absehbarer Zeit in Sicht.

Drittes Stadium: Es sind wieder Monate oder gar ein paar Jahre vergangen. Der Patient befindet sich nun im »Vollbild AIDS«. Das heißt, er bekommt schwerere Virusinfekte, wird immer schwächer und die Gehirnfunktion ist stark beeinträchtigt. Auch mit Ausfällen des Nervensystems muss gerechnet werden. Mancher AIDS-Kranke leidet im Endstadium zudem noch an Hautkrebs. Irgendwann ist der Körper dann derart geschwächt, dass der Tod eintritt.

Zwischen Infektion und Tod liegen im Durchschnitt acht bis zwölf Jahre. Auch wenn AIDS nach wie vor nicht heilbar und auch im Moment kein wirksames Präparat dagegen in Sicht ist, so ist es in letzter Zeit sicher besser behandelbar geworden. Vor einiger Zeit hatte man noch gehofft, dass nicht bei jedem mit dem Virus infizierten Menschen die Krankheit auch wirklich ausbrechen müsste. Doch nach heutigem Kenntnisstand bleibt keiner davon verschont.

Immer mehr HIV-positive Menschen sind dank eines Medikamenten-Cocktails Langzeit-Überlebende.

Es gibt aber erfreulicherweise immer mehr HIV-positive Menschen, die zu den so genannten Langzeit-Überlebenden gehören. Experten bestätigen, dass sich die Lebenserwartung um ein bis zwei, manchmal sogar vier Jahre, verlängert hat. Durch einen Medikamenten-Cocktail, über dessen Nebenwirkungen man noch nicht viel sagen kann, geht es dem AIDS-Kranken oft so gut, dass Uneingeweihte niemals glauben würden, das derjenige wirklich an AIDS erkrankt ist. Auch die Inkubationszeit (also die Zeit von der Infektion bis zum Ausbruch der Krankheit) hat sich durch eine sehr frühzeitige, medikamentöse Virustherapie deutlich verlängert. Die Forschung hat damit bereits Teilerfolge erzielt, aber die Entwicklung eines wirksamen Impfstoffes gegen die tödliche Seuche wird wohl noch dauern. Kondome werden auch in den nächsten Jahren bei der AIDS-Verhütung unentbehrlich sein.

Wie geht man mit AIDS-Kranken um?

Angaben der Weltgesundheitsorganisation (WHO) zufolge gibt es derzeit weltweit rund 16 Millionen AIDS-Kranke. Manche Experten sprechen sogar von 20 Millionen. In Deutschland zählte man bislang etwa 80.000 HIV-Infizierte. Mehr als 12.000 Menschen starben bisher bei uns an der Immunschwäche-Krankheit, bei rund 15.000 ist sie ausgebrochen. Allein 1996 steckten sich über 2.000 Personen an. Tendenz steigend.

Die Hauptrisikogruppen, in denen die Infektion nach wie vor am weitesten verbreitet ist, sind Drogenabhängige, Prostituierte und Homosexuelle. Aber die Ansteckungen durch heterosexuelle Kontakte nehmen enorm zu. Bei den so genannten »normalen Leuten«, die weder mit der Fixerszene noch mit Homosexuellen oder dem Rotlicht-Milieu etwas zu tun haben, breitet sich die Seuche schneller aus, als man erwartete. AIDS ist schon lange keine Krankheit mehr, die nur Randgruppen befällt.

Mehr als 300.000 deutsche Männer und Familienväter reisen jedes Jahr ins Sexparadies Thailand, wo über die Hälfte der jungen Prostituierten mit dem HIV-Virus infiziert ist. Die wenigsten Sextouristen benutzen ein Kondom. Auch mit drogensüchtigen Prostituierten bei uns wird nicht selten darüber verhandelt, dass sie es ohne tun. Da die Partnerinnen in der Regel nichts davon wissen, ist ihr Risiko, sich unbemerkt anzustecken, stark erhöht. Auf diese Weise werden oft ganze Familien ausgelöscht. Besonders wenn die Frau nicht weiß, dass sie positiv ist und schwanger wird. Das Verhalten eines solchen Mannes ist unverständlich und in allerhöchstem Maße verantwortungslos.

HIV-infizierte Menschen sind keine Aussätzigen und du darfst sie auch nicht so behandeln. Man kann es keinem ansehen, dass er positiv ist, und wenn er nun schon so offen ist und sich dir gegenüber dazu bekennt, dann schätze das als einen Vertrauensbeweis. Geh mit einem AIDS-Kranken ganz normal um, genau wie du es vor seiner Erkrankung gemacht hast oder hättest. Er will kein Mitleid von dir, nur ein bisschen Verständnis und keine Ablehnung oder Ausgrenzung. Auch wenn die Gesellschaft oft aus Unwissenheit und Intoleranz heraus unerbittlich ist und Infizierte isoliert – so musst du dich dem nicht anschließen.

Siehe auch Kapitel »Homosexualität« ab S. 221, und den Abschnitt »Prostitution – das älteste Gewerbe der Welt«, S. 230

Immer mehr »normale Leute« stecken sich mit AIDS an. Es ist längst keine Krankheit mehr, die nur Randgruppen befällt.

Benimm dich einem AIDS-Kranken gegenüber ganz normal.

Nach heutigem Wissen wird AIDS auf folgenden Wegen nicht übertragen:

- durch Körperkontakte wie Händeschütteln, Umarmen, Streicheln oder Wangenküsse
- durch Anatmen oder Anhusten
- durch Besuche in Sauna oder Schwimmbad oder beim Sport
- durch gemeinsames Benutzen von Bad, Toilette oder Dusche
- durch Insektenstiche und Haustiere
- durch das Zusammenleben mit Infizierten oder Kranken
- durch das Arbeiten mit Infizierten
- durch Blutspenden.

Wie funktioniert ein AIDS-Test und wie viel Gewissheit bringt er?

Der Test sagt nur etwas über Sexual-kontakte aus, die drei Monate und länger zurückliegen.

Fälschlicherweise spricht man immer vom »AIDS-Test«, richtig muss er »HIV-Antikörper-Test« heißen. Denn der Bluttest weist lediglich die Antikörper nach, die sich im Blut bilden, um das Virus abzuwehren, aber nicht das Virus selbst. Diese Antikörper signalisieren, dass der Organismus Kontakt mit HIV hatte.

Der Test sagt immer nur etwas über Sexualkontakte aus, die drei Monate und länger zurückliegen. Wenn die Infektion gestern oder vor drei Wochen erfolgte, bleibt sie unerkannt, da die Zeitspanne zwischen Ansteckung und Test zu kurz war und sich noch nicht genug Antikörper bilden konnten. So glaubt die getestete Person, sie sei »negativ«, ist aber in Wirklichkeit vielleicht HIV-positiv.

Dieser Unsicherheitsfaktor beim AIDS-Test ist ein noch ungelöstes Problem. Du solltest dich also lieber nicht darauf verlassen, wenn dir ein Mädchen ihr Test-Ergebnis zeigt; denn wer weiß schon, was in den letzten paar Wochen passierte?

Hundertprozentige Sicherheit, ob man tatsächlich negativ ist, könnte man nur durch einen direkten Virus-Nachweis im Blut bekommen. Doch das ist im Moment noch sehr teuer, aufwändig und kompliziert.

Soll man selbst einen Test machen lassen?

Wenn du das Leben und die Liebe in vollen Zügen genossen hast, z. B. im Urlaub, dann könntest du dir die Frage stellen: Soll ich mich testen lassen? Insgeheim hoffst du natürlich stark, dass das Ergebnis negativ ist. Aber was ist, wenn es positiv ausgeht?

Experten raten nur in folgenden Fällen zu einem HIV-Antikörper-Test:

- wenn man zu einer der Hauptrisikogruppen (Homo- und Bisexuelle, Drogenabhängige und Bluter) gehört oder mit jemand aus dieser Gruppe Geschlechtsverkehr hatte

- wenn man in der letzten Zeit mit häufig wechselnden Partnern ungeschützt sexuellen Kontakt hatte und nur wenig über das Liebes-(Vor-)Leben dieser Menschen weiß

- wenn man ein Infektionsrisiko hatte und ein Baby erwartet oder plant. Jede dritte infizierte Frau steckt ihr Kind schon im Mutterleib an

- wenn man sich immer wieder fragt, ob man infiziert ist

- wenn man bei einer Operation Bluttransfusionen bekam.

Nur in ganz bestimmten Fällen soll man sich einem Test unterziehen.

Wie kann man sich vor einer HIV-Infektion schützen?

Bis eine HIV-Infektion erkennbare Veränderungen bewirkt, kann man niemand ansehen, ob er das Virus in sich trägt oder nicht. Es gibt Menschen, die selbst nicht wissen, dass sie positiv sind, was natürlich ein großes Ansteckungsrisiko für andere ist. Und wie vorher erwähnt, bietet auch der Test keine Garantie. Wer möglichst alle Risiken ausschließen will, kann sich mit *Safer Sex* vor einer Infektion schützen. Denn wenn bei sexuellen Kontakten weder Samen- noch Scheidenflüssigkeit noch Blut in den Körper des anderen gelangen (wie das bei der Verwendung von Kondomen der Fall ist), wird das Virus nicht übertragen.

Mit Safer Sex kann man sich vor Ansteckung schützen, siehe S.220

219

Hast du irgendwelche Zweifel, dann verzichte auf den Intimverkehr.

Auch durch infiziertes Blut, vor allem durch den gemeinsamen Gebrauch von Spritzen und Nadeln, kann man sich das tödliche Virus einfangen. Drogensüchtige sind deshalb besonders gefährdet. In Kliniken und Arztpraxen werden ausschließlich Einwegspritzen verwendet, sodass kein Grund zur Sorge besteht.

Ebenso wenig kann das HIV-Virus über medizinische Untersuchungsgeräte wie Ultraschall- oder Röntgen-Apparaturen in die Blutbahn eines Patienten gelangen. Besteht irgendein Risiko oder hast du Zweifel, dann verzichte lieber ganz auf Intimverkehr! Zwischen nicht angesteckten Partnern bietet sexuelle Treue das höchste Maß an Sicherheit.

Wie geht »Safer Sex«?

Es ist nicht einfach, auf Safer Sex zu bestehen, wenn man gerade frisch verliebt ist und am liebsten alles miteinander erleben würde, was Spaß macht. Dennoch: Denke daran, welche schrecklichen Folgen AIDS hat, dann dürfte es dir nicht mehr schwer fallen, ein Kondom zu benutzen. Du bist selbst für dich verantwortlich!

Beachte folgende Punkte und schon praktizierst du Safer Sex:

Kein Sex ohne Kondom! Dann seid ihr geschützt und könnt gleichzeitig verhüten!

- Wenn ihr grundsätzlich Kondome beim Geschlechtsverkehr benutzt, seid ihr nicht nur vor AIDS und anderen sexuell übertragbaren Krankheiten geschützt, sondern könnt zusätzlich damit noch verhüten.

- Wenn ihr »sichere« Sexualpraktiken pflegt, wie z. B. gemeinsame oder allein erlebte Selbstbefriedigung.

- Wenn ihr euch nicht oral (mit dem Mund) befriedigt. HIV kann nämlich über Zahnfleischverletzungen in den Blutkreislauf gelangen. Wollt ihr darauf nicht verzichten, solltet ihr ein Kondom benutzen.

- Bei Analverkehr unbedingt auf reißfeste, stabile Marken-Kondome achten!

Homosexualität

Wann ist man homosexuell oder schwul?

Als homosexuell werden Menschen bezeichnet, deren sexuelles Verlangen auf Angehörige des gleichen Geschlechts fixiert ist. Das Wort »homosexuell« kommt aus dem Altgriechischen: »homoios« heißt »gleich«. Der Gegensatz dazu ist »heterosexuell« – und »heteros« bedeutet im Altgriechischen so viel wie »anders, verschieden«. Alle, die also mit dem anderen Geschlecht sexuelle Kontakte haben, sind heterosexuell. Das ist die Mehrheit der Menschen. Wenn man von Homosexuellen spricht, meint die Wissenschaft zwar sowohl Frauen als auch Männer, die diese Form körperlicher und seelischer Zuneigung praktizieren, aber in der Umgangssprache werden damit fast immer Männer definiert. Die Frauen nennt man »Lesben«.

Die meisten Menschen wissen erst einmal gar nichts von ihrer Veranlagung. Sehr häufig kommt die so genannte *Entwicklungshomosexualität* vor, die in der Pubertät auftritt und durch Unentschiedenheit in der erotischen Zielrichtung gekennzeichnet ist. Sowohl Jungen als auch Mädchen, die das Neuland der Sexualität entdecken, stellen nicht nur körperliche Vergleiche miteinander an, oft nehmen sie auch Intimhandlungen mit Geschlechtsgenossen vor. Das schließt aber nicht aus, dass zur gleichen Zeit das Interesse für das andere Geschlecht erwacht. Die Entscheidung, welche Neigung die Oberhand behält, fällt im Laufe der weiteren Entwicklung ganz von selbst – und zwar meistens für das andere Geschlecht.

Viele Jugendliche machen ihre ersten sexuellen Erfahrungen auf gleichgeschlechtlicher Ebene: mit Geschwistern, Nachbarskindern, der besten Freundin, dem besten Freund oder mit Klassenkameraden. Dabei sind die einen die Verführer, die anderen die Verführten. Aber in der Mehrzahl all dieser Fälle ist weder der eine noch der andere wirklich homosexuell. Die panische Angst davor

Homosexuelle Menschen fühlen sich vom gleichen Geschlecht angezogen.

Viele Jugendliche machen ihre ersten sexuellen Erfahrungen mit dem gleichen Geschlecht.

221

und das anerzogene schlechte Gewissen, etwas »Schmutziges« getan zu haben, führt meist schnell dazu, diese »Macke« abzulegen. Damit will man nichts zu tun haben. Stattdessen klopfen viele starke Sprüche gegen Schwule und zeigen offen ihre Verachtung gegen sie.

Homosexuelle sind leider immer noch Feindseligkeiten und Diskrimierungen ausgesetzt.

Die Wissenschaft hat längst bewiesen, dass der Mensch zunächst einmal für beide Richtungen offen ist. Auch sind Jugendliche noch nicht so festgelegt wie Erwachsene. Dagegen müssen junge Erwachsene schon aufpassen, sich nicht am »anderen Ufer« erwischen zu lassen. Denn der Alltag homosexuellen Lebens ist geprägt von Feindseligkeiten und Diskriminierungen so genannter »braver Bürger«, die sich selbst gerne als ganz besonders »anständig« darstellen.

Woher stammen die Begriffe »schwul« und »lesbisch«?

In der Umgangssprache werden Homosexuelle als »Schwule« und »Lesben« bezeichnet.

Der Ausdruck »schwul« ist von den Wörtern »schwül« und »warm« abgeleitet. Früher herrschte der Irrglaube, dass sich die Haut homosexueller Männer wärmer anfühle als die ihrer heterosexuellen Geschlechtsgenossen. So entstand auch der Begriff »warmer Bruder«.

Frauen, die sich zu ihrem Geschlecht hingezogen fühlen, nennt man »lesbisch«. Der Ausdruck leitet sich vom Namen der griechischen Insel Lesbos ab, wo etwa 600 vor Chr. die Dichterin Sappho eine Gemeinschaft junger Frauen und eine Schule gründete, in der sie die Mädchen in den schönen Künsten, aber auch in der Liebe unterrichtete.

Was ist ein »Coming out«?

Darunter versteht man den Prozess, in dessen Verlauf ein Junge oder Mädchen feststellt, dass er/sie homosexuell veranlagt ist. *Coming out* kommt aus dem Englischen und bedeutet »herauskommen«.

Wie im ersten Abschnitt schon erwähnt, machen viele Jugendliche ihre ersten sexuellen Erfahrungen wie Küssen oder Petting mit demselben Geschlecht und fürchten vielleicht, dass sie deshalb »andersrum« sein könnten. Doch diese ganz normale Phase geht meist schnell vorbei und sie verlieben sich in einen andersgeschlechtlichen Menschen.

Wer sich aber auf Dauer vom eigenen Geschlecht angezogen fühlt, ahnt mit der Zeit, dass er (oder sie) homosexuell veranlagt sein könnte. Oft dauert es Jahre, bis diese Ahnung »herauskommt« und zur Gewissheit wird. Das Entdecken des Andersseins und die Reaktionen von Außenstehenden führen häufig zu einem bitteren inneren Kampf. Aber viele und immer mehr Homosexuelle akzeptieren nach dem Coming out ihre Veranlagung und stehen vor sich und ihrer Umwelt dazu. Es gibt Jugendliche, die ihr Coming out bereits mit 15 haben. Der größte Teil aber erlebt es erst im Alter zwischen 17 und 25 Jahren.

Wer sich dauerhaft vom eigenen Geschlecht angezogen fühlt, ahnt mit der Zeit, dass er homosexuell veranlagt sein könnte.

Warum viele Menschen mit Homosexualität immer noch ein Problem haben

Gleichgeschlechtliche Liebe gab es schon immer. Sie ist etwas völlig Normales. Und seit die Immunschwäche-Krankheit AIDS ausbrach, von der viele Schwule betroffen sind, geht die Gesellschaft mit dem Thema Homosexualität auch ein bisschen offener um. Viele Vorurteile sind geblieben, aber immerhin bemühen sich auch mehr Leute um Toleranz, selbst wenn sie es nicht ganz nachvollziehen können, weil sie zu wenig darüber wissen.

Siehe auch Kapitel »HIV und AIDS«, ab S. 214

Du als junger, aufgeschlossener Mensch solltest zu Homosexualität ein selbstverständliches Verhältnis haben. Sexuelle Neigungen sagen nichts über den Charakter eines anderen aus. Es ist völlig unwichtig in der Beurteilung eines Menschen, ob ein Mann andere Männer den Frauen vorzieht oder eine Frau Männer oder andere Frauen liebt. Ehepaare werden auch nicht gefragt, wie sie es im Bett am liebsten haben. Im Übrigen sind schwule Männer für Frauen oft die besten Kumpels und echte Freunde fürs Leben, weil jeder geschlechtliche Gedanke entfällt.

223

Homosexuelle Menschen sind weder krank noch abartig.

Trotzdem: Homosexuelle Menschen sind immer noch vielen Vorurteilen und auch Spott ausgesetzt. Um dies zu vermeiden, versuchen sie oft, ihre sexuelle Vorliebe zu verheimlichen. Schwulen spricht man gerne ab, dass sie »echte Männer« sind – was immer das auch sein mag. Und Lesben gelten als »Mannweiber« – was natürlich auch völliger Unsinn ist. Fest steht, dass Homosexuelle nicht schlechter oder besser sind als andere. Schon gar nicht sind sie »abartig«, »pervers« oder »krank«. Nach einer weithin anerkannten psychologischen Theorie haben diejenigen Menschen, die besonders fanatisch gegen Homosexuelle auftreten, selbst große Schwierigkeiten, mit eigenen homosexuellen Neigungen fertig zu werden.

In einer homosexuellen Liebe gibt es nichts, was nicht auch zwischen heterosexuellen Partnern vorkommen könnte.

Wer nicht viel über Homosexuelle weiß, stellt sich vielleicht vor, diese Menschen würden ständig wilde Orgien feiern und nur auf Sex aus sein. Das stimmt nicht. Schwule Männer und lesbische Frauen verlieben sich wie jeder Heterosexuelle, sind zärtlich und liebevoll zueinander, eifersüchtig und partnerschaftlich. Sie streiten und versöhnen sich wie alle Liebespaare. Diese Empfindungen sind für sie so normal, natürlich und selbstverständlich wie für heterosexuelle Partner. Es gibt in einer homosexuellen Liebe nichts, was nicht auch zwischen Partnern unterschiedlichen Geschlechts vorkommen könnte. Homosexualität ist eine gleichrangige Ausdrucksform körperlicher und seelischer Zuneigung, durch die sich Menschen sehr glücklich fühlen können.

Wenn du Jungen lieber magst

Manuel (17):

Die meisten Jungen in unserer Klasse machen schon ziemlich mit Mädchen rum. Ich sehe ganz gut aus und hätte auch schon ein paar haben können. Aber wenn ich mir vorstelle, dass sie dann mit mir knutschen wollen oder vielleicht noch mehr, dann wird mir ganz übel. Ich finde sie zwar nett, aber zum Streicheln wünsche ich mir einen Jungen. Es gibt einen, der mir sehr gut gefällt, aber er fährt auch voll auf Mädchen ab. Ich fühle mich so einsam, dabei könnte ich einem Freund so viel Liebe geben.

Für viele Jungen ist ihr bester Freund, sofern sie einen haben, in der Pubertät eine der wichtigsten Bezugspersonen. Das läuft nicht viel anders ab als bei Mädchen, die mit ihrer besten Freundin alles bequatschen. Die zwei Boys bleiben oft ein Leben lang Kumpels, unternehmen viel miteinander und helfen sich gegenseitig, aber mit Homosexualität hat das nichts zu tun.

Ob du wirklich nur auf Männer stehst, kristallisiert sich erst nach Jahren heraus.

Schwul sein heißt, Frauen unattraktiv und sexuell nicht anziehend zu finden. Für homosexuelle Männer sind ein männlicher Körper, Penis, Hoden und ein sinnlicher Po erotisch. Die meisten Jungen mit dieser Neigung schwärmen für einen anderen erwachsenen Mann und fühlen sich zu ihm hingezogen. Weil sie aber von ihren Gefühlen so hin- und hergerissen sind, ist der »Umweg« über eine oder mehrere Frauen sehr wahrscheinlich. Doch oft ist sie nur eine gute Gesprächspartnerin, mehr nicht. Vielleicht schläft er ja sogar mit ihr, weil er noch nicht genau über sich Bescheid weiß. Aber er merkt meist schnell, dass er sich mit Männern im Bett viel wohler fühlt. Oft ist es ein erwachsener Schwuler, der die Empfindungen des Jungen erkennt und weiß, wie ihm zumute ist. Möglicherweise hilft er ihm bei seinem Coming out.

Zum »Coming out« siehe S. 222

Wichtig: Nach dem Gesetz macht sich ein erwachsener Mann strafbar, wenn er sexuelle Handlungen an einem Mann unter 18 Jahren vornimmt oder von diesem an sich vornehmen lässt (§ 175). Diese Altersgrenze wird mit der Notwendigkeit des Jugendschutzes begründet. Homosexuelle Aktivitäten zwischen erwachsenen Männern sind straffrei. Auffällig ist, dass nur männliche Jugendliche vor der Verführung durch Homosexuelle gesetzlich geschützt werden. Homosexualität zwischen Frauen steht nicht unter Strafe.

Es kann sein, dass es schwer fällt, dir einzugestehen, dass du schwul bist. Vielleicht schämst du dich auch dafür, was im Übrigen völlig überflüssig ist. Du überlegst hin und her, wie du es deinen Eltern und Freunden sagen sollst, weil du Angst vor ihrer Reaktion hast. Sollten sie kein Verständnis zeigen, entsetzt aus der Rolle fallen, dich dumm anreden oder verspotten, dann sage ihnen klar, wie enttäuscht du von ihnen bist. Du hast ein Recht darauf, dass dir so nahe stehende Personen Toleranz und Großmut entgegenbringen. Wenn sie damit nicht klarkommen, dann ist das ein Zeichen von Schwäche und Kleinkariertheit. Gräme

Es ist völlig überflüssig, dich dafür zu schämen, schwul zu sein.

225

dich deshalb nicht; denn du hast deinen Weg gefunden und das Problem ist nun auf der Seite der anderen. Manchmal kann es auch besser sein, wenn du deine schwule Neigung für dich behältst. Vor allem dann, wenn du dir noch nicht hundertprozentig sicher und außerdem abhängig bist, wie z. B. von deinen Eltern, in der Schule oder am Arbeitsplatz. Es wäre falsch, sich zur Homosexualität zu bekennen, wenn man selbst noch nicht gefestigt genug ist, um den Reaktionen darauf zu begegnen. Man sollte vorher abwägen, ob man sich wirklich sicher ist, wenn man diesen Schritt unternehmen will.

Siehe auch Kapitel »HIV und AIDS«, ab S. 214

Jungen, die ihre schwulen Neigungen feststellen und auf dem Land oder in einer Kleinstadt leben, haben kaum Möglichkeiten, Gleichgesinnte kennen zu lernen. In Großstädten gibt es dagegen jede Menge Cafés, Bars und Lokale für homosexuelle Männer, wo auf lockere Art Kontakte geknüpft werden können.

Wenn sie mit ihrer Freundin lieber spielt als mit dir

Die meisten Mädchen, die in der Pubertät stecken, fühlen sich zu anderen Mädchen oder jungen Frauen hingezogen – seelisch, und oft auch körperlich. Sie bewundern und verehren sie, mögen ihre Art, ihre Kleidung, wollen ihnen nahe sein und streben nach einer Freundschaft mit ihnen. Auch kleine Zärtlichkeiten wie Umarmungen, Händchenhalten oder Küsse werden ausgetauscht, wenn es sich ergibt. Manchmal kommt es sogar zu leichten erotischen Schmusereien.

Zwei Freundinnen, die sich umarmen und küssen, müssen noch lange nicht lesbisch sein.

Damit probieren zwei Freundinnen etwas aus, was ihnen neu ist und testen, wie weit sie gehen können. So etwas macht man ausschließlich, wenn man sich wirklich sehr vertraut ist. Auf diese Weise kommt auch ihre Verbundenheit zum Ausdruck; schließlich ist die beste Freundin oft die wichtigste Bezugsperson im Leben eines Mädchens. Das ist ein ähnliches Verhältnis wie ein Junge mit seinem besten Freund hat. Mit Lesbischsein hat das allerdings nichts zu tun. Es handelt sich um eine Entwicklungsphase, die dann abgeschlossen ist, wenn sich die Interessen zum anderen Geschlecht hin verlagern.

Wenn ein Mädchen lesbische Neigungen hat, sind ihr Jungen total egal. Sie erscheinen ihr weder attraktiv noch anziehend, und das nicht nur kurzfristig, sondern auf Dauer. Dies wird sie aber nicht auf Anhieb wissen. Erst mit den Jahren kristallisiert es sich mehr und mehr heraus, ob ihr Herz tatsächlich nur für andere Frauen schlägt. Die endgültige Wahl zwischen homo- und heterosexuell fällt wahrscheinlich zwischen dem zwanzigsten und dreißigsten Lebensjahr. Gut möglich, dass sie sogar mit einigen Jungen schläft, um herauszufinden, dass dies doch nicht die Form von Sexualität ist, die sie erfüllt und glücklich macht.

Lesbische Neigungen kristallisieren sich erst im Laufe der Jahre heraus.

Wenn du merkst, dass deine Freundin dich zwar sehr mag, aber körperlich wenig bis gar nichts mit dir zu tun haben will, dann sprich mit ihr darüber. Sag ihr ehrlich, was dir aufgefallen ist. Das wird sie sicher erleichtern; vielleicht traut sie sich nur nicht, dir von ihren Gefühlen zu erzählen. Auch wenn du ein bisschen enttäuscht bist, dass es mit euch nicht so klappt, wie du es dir vorgestellt hast, so könnt ihr ja möglicherweise gute Freunde werden.

Was heißt »bi« und wie spielt es sich ab?

Es kann sein, dass du dich sowohl von Frauen als auch von Männern körperlich angezogen fühlst. Beide Geschlechter findest du gleichermaßen erotisch und genießt dies auch im Bett. Wenn du zu den Menschen gehörst, die nach beiden Seiten hin offen sind, dann bist du »bisexuell«, kurz »bi«.

Bisexualität, also Zweigeschlechtlichkeit, ist weiter verbreitet als viele denken. Es wird nur nicht darüber gesprochen. Viele leben nach außen hin in einer bürgerlichen Familie, und heimlich gehen sie ihren homosexuellen Neigungen nach. Andere bekennen sich dazu und auch ihre Partner akzeptieren es.

Bisexualität gibt es sehr viel öfter, als die meisten denken. Nicht wenige verheimlichen allerdings ihre Neigungen.

Oft handelt es sich auch nur um die Neugier, »es« einmal mit dem eigenen Geschlecht zu probieren. In diesem Fall ist es keine echte Bisexualität. Vor allem Frauen sind es, die die gleichgeschlechtliche Variante auch mal kennen lernen wollen. Heterosexuelle Männer sehen dagegen in einem bisexuellen Abenteuer eher eine Herabsetzung ihrer Männlichkeit.

Sexualität und Kriminalität

Was versteht man unter »sexuellen Straftaten«?

Mehr über »sexuelle Belästigung« auf S. 239, und zum Thema »Vergewaltigung«, siehe S. 241

Bestimmte Verhaltensformen sind immer ungesetzlich. Dazu gehört Sex zwischen nahen Verwandten, z. B. mit einem Elternteil, einem Bruder, einer Schwester, einem Onkel oder einer Tante – man nennt das *Inzest*. Es ist unabhängig vom Alter immer illegal. Wenn dich also jemand aus deinem näheren Familien-Umfeld sexuell berührt, dann begeht er eine Straftat, die du bei der Polizei anzeigen solltest.

Auch alles, was Körper oder Seele eines Menschen verletzt, ist ungesetzlich und somit strafbar. Gemeint sind die sexuelle Belästigung, der erzwungene Geschlechtsverkehr oder sexuelle Handlungen gegen den Willen des anderen. Wenn dir so etwas widerfährt, ist das Recht auf deiner Seite. Und wenn du selbst Mädchen oder Frauen gegen ihren Willen zum Sex zwingst, begehst du eine sexuelle Straftat.

Pornographie, Hardcore, Softcore: Was ist das?

Zu einem erfüllten Liebesakt gehören Gefühle, Phantasie, Zärtlichkeiten.

Pornographie ist Foto- oder Film-Material, in dessen Mittelpunkt immer der Geschlechtsakt steht. Die Geschlechtsteile von Frau und Mann werden meistens in Großaufnahme dargestellt. Es geht ziemlich hoch her auf diesen Bildern – Frauen treiben es mit anderen Frauen, Männer mit mehreren Frauen, Paare mit anderen Paaren. Sie »turnen« in allen möglichen und unmöglichen Stellungen auf den Betten herum. Zärtlichkeiten und intime

Liebesszenen finden nicht statt. **Softcore** oder Softporno nennt man Filme, in denen der Geschlechtsakt vorgetäuscht oder nur angedeutet wird. In **Hardcore**-Streifen dagegen geht es richtig zur Sache. Alles ist echt und wird in allen Einzelheiten gezeigt. Oftmals werden leider auch gewaltsame Praktiken angewandt. Die Frau wird dabei immer diskriminiert.

In so genannten Hardcore-Streifen wird die Frau grundsätzlich diskriminiert.

Mike (16):

> Ich schaue mir gern mal einen Porno an. Aus Neugier und weil man dabei Stellungen und Praktiken lernen kann. Und ich werde dadurch ziemlich erregt, obwohl ich die meisten dieser Filme vom Inhalt her total doof finde.

Sicher gibt es Menschen, überwiegend sind das Männer, die sich mit Pornoaufnahmen stimulieren. Das kann man akzeptieren. Andererseits wird dadurch ein total falsches Bild von Sexualität und Erotik vermittelt. Denn Frauen hecheln in solchen Filmen immer nur danach, dass der Mann seinen Penis in ihre Scheide einführt, um dann wilde Lustschreie loszulassen. Und der Penis der Männer scheint gar nicht – wie im wirklichen Leben – mal zu ermüden, sondern funktioniert wie ein Automat. Die Pornodarsteller täuschen Orgasmen vor, um ihre Zuschauer zu animieren. Aber zu einem erfüllten Liebesakt, wie ihn sich ein junges Paar vorstellt, gehören Gefühle, Phantasie, Streicheleinheiten und Leidenschaft. Dies alles gibt es im Pornofilm nicht.

Pornos vermitteln ein völlig falsches Bild von Sexualität und Erotik.

Nils (17):

> In den Sexfilmen, die ich gesehen habe, wird alles so plump dargestellt, dass es mich überhaupt nicht antörnt. Da ist doch für eigene Phantasien gar kein Platz mehr.

Die einfachste Möglichkeit, sich eine eigene Meinung zu bilden: Sieh dir einen Porno an.

Wenn du neugierig bist, dann schau dir einfach mal einen solchen Streifen an. Vielleicht mit Freunden zusammen, mit deiner Partnerin oder – falls sie modern und aufgeschlossen sind – mit deinen Eltern. Bilde dir dann selbst deine eigene Meinung darüber. So lange es sich nur um normale Pornofilme handelt, in denen Menschen miteinander sexuell verkehren, ist das nicht so schlimm. Jeder will es mal gesehen haben. Daran gibt es nichts auszusetzen. Aber frage dich auch kritisch und ehrlich, ob Frauen durch diese Pornos nicht in ihrer Würde verletzt und zum Sexobjekt degradiert werden.

Christian (15):

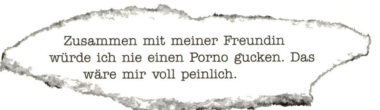

Zusammen mit meiner Freundin würde ich nie einen Porno gucken. Das wäre mir voll peinlich.

Was du zu sexuellem Missbrauch wissen solltest, findest du ab S. 235

Als kriminell bekämpft werden Pornofilme und -fotos, auf denen Kinder oder Minderjährige zu sexuellen Handlungen gezwungen oder missbraucht werden. Das ist die schlimmste Art der Pornografie. Allein der Besitz solcher Videos ist in Deutschland seit Juli 1994 verboten und wird strafrechtlich verfolgt. Auch extrem »harte« Pornographie (Hardcore), wo Menschen als Objekte dargestellt werden, die gewaltsam erniedrigt oder beherrscht werden, ist illegal. Die Herstellung und Verbreitung solchen Materials steht unter Strafe. Dennoch blüht der Schwarzmarkt. Leider gibt es sehr viele Menschen, die sich am Leid anderer ergötzen.

Prostitution – das älteste Gewerbe der Welt

Überall auf der Welt und von jeher gibt es Prostitution. Das heißt: Frauen und Männer bieten ihren Körper gegen Geld an. Liebe ist da nicht im Spiel, es ist ein reines Geschäft. Die Bezeichnung »Prostitution« kommt aus dem Lateinischen: »prostituere« bedeutet »verkaufen«.

Wahrscheinlich kennst du das Rotlicht-Viertel deiner Stadt, hast davon schon gehört oder eines als Kulisse in einem Fernsehkrimi gesehen. In diesem bestimmten Bereich stehen Frauen in aufreizender Kleidung am Straßenrand (das nennt man »Straßenstrich«) und bieten vorbeifahrenden Autofahrern ihre »Liebesdienste« an. Aber es gibt auch in manchen Städten spezielle »Dirnen-Standplätze«, wo die Frauen – man nennt sie Huren oder Dirnen – in ihren Autos auf Kunden warten. Die Kunden sind in der Regel Männer – sie nennt man Freier. Manche Huren stehen in so genannten »Massage-Salons« oder in Stundenhotels zur Verfügung. »Call-Girls« arbeiten in einer Wohnung und können nach Anruf gebucht werden. »Edel-Nutten« sind in speziellen Bars oder Clubs beschäftigt.

Prostitution gibt es in jeder Stadt, meist in einem bestimmten Viertel.

Außerhalb ihrer Tätigkeit als Liebesmädchen führen die meisten dieser Frauen ein normales, bürgerliches Leben. Einige sind sogar verheiratet und haben Kinder. Sie sehen in ihrem Job ein Geschäft wie jedes andere auch und üben ihn aus, um Geld zu verdienen. Viel Geld, das sie sparen wollen, um später einmal aussteigen zu können. Die Realität sieht jedoch oft anders aus: Die meisten Prostituierten werden von Zuhältern betreut, die dafür den größten Teil ihrer Einnahmen kassieren. Zwar achten Zuhälter einerseits darauf, dass ihren Mädchen nichts passiert; andererseits aber wissen sie mit häufig größter Brutalität zu verhindern, dass die Frauen, die ja ihr Kapital sind, aus diesem Geschäft aussteigen. Es ist außerdem keine Seltenheit, dass Zuhälter sich gegenseitig ihre Dirnen verkaufen. Für die Mehrheit der Frauen erfüllt sich also der Traum von einem ganz normalen Leben außerhalb des Milieus nicht. Wer einmal hineingeraten ist, kommt meistens nicht mehr heraus.

Wer einmal ins Milieu geraten ist, kommt selten wieder heraus.

Prostituierte tragen ein besonders hohes Risiko, sich mit einer sexuell übertragbaren Krankheit anzustecken oder auch mit AIDS. Das kommt daher, dass viele Freier trotz aller Warnungen immer noch darauf bestehen, ohne Kondom »bedient« zu werden. Umgekehrt besteht auch für die Männer das Risiko, sich bei einer Prostituierten zu infizieren. Da viele Männer heimlich zu einer Prostituierten gehen, ist auch die Frau oder Partnerin gefährdet, sich unwissentlich anzustecken. Besonders groß ist die AIDS-Gefahr auf dem Drogenstrich, wo sich viele minderjährige, süchtige Mädchen das Geld für ihren Stoff verdienen. Ihre Körper sind

231

Siehe Kapitel »HIV und AIDS«, ab S. 214, und Abschnitt »Sexuell übertragbare Krankheiten: Eine Übersicht«, S. 205

durch das Rauschgift geschwächt, und die Umstände, in denen sie leben, sind hygienisch meist sehr mangelhaft. Dies macht sie zu idealen Opfern für das tödliche Virus. Sie können sich mit einer gebrauchten Nadel ebenso wie bei der Ausübung der Prostitution infizieren und beim Geschlechtsverkehr ohne Kondom natürlich ihren Freier anstecken. Der größte Teil der Junkie-Mädchen ist auch HIV-positiv, was ihren Kunden bekannt ist. Männer, die dann für zwanzig Mark extra Geschlechtsverkehr ohne Kondom wollen, handeln fahrlässig. Wenn sie in einer festen Partnerschaft leben, können sie ihre Frau unbewusst und ungewollt infizieren, und sie kann sich nicht dagegen schützen, weil sie in der Regel nicht weiß, dass ihr Mann zu Prostituierten geht. Sicher ist das mit ein Grund, weshalb sich AIDS auch immer mehr unter Frauen und so genannten »normalen Leuten« ausbreitet. Obwohl Prostituierte der Gesellschaft große Dienste erweisen, indem sie für Männer ein sexuelles Ventil sind, das viele sonst womöglich in Form von Vergewaltigungen ihrer oder fremder Frauen suchen würden, sind sie nur geduldet, aber nicht anerkannt. Sie werden leider von vielen grundlos geächtet und als »Abschaum« betrachtet.

Strichjungen sind männliche Prostituierte, die ihre Kundschaft unter homosexuellen Männern suchen: in einschlägigen Bars, auf öffentlichen Plätzen und Toiletten, vor Kinos und auf Bahnhöfen. Ähnlich wie bei ihren Kolleginnen, ist der Straßenstrich die unterste Klasse der Prostitution. »Call-Boys«, die auf Bestellung arbeiten, gehören dagegen zur »gehobenen« Schicht. Das Geschäft der Strichjungen resultiert aus der Einsamkeit vieler homosexueller Männer und daraus, dass ältere Schwule in dieser extrovertierten und körperbetonten Szene häufig keinen richtigen Anschluss finden, weil sie nicht mehr gut und frisch genug aussehen. Allein lebende Homosexuelle suchen in einem Strichjungen einen Partner, mit dem sie ihren Sexualtrieb ausleben können. Oft haben Strichjungen selbst gar keine homosexuellen Neigungen. Viele von ihnen lehnen ihre Kunden innerlich zutiefst ab und wollen nur ihr Geld.

Mehr über »Homosexualität« ab S. 221

AIDS ist für männliche Prostituierte ein noch größeres Problem als für weibliche. Denn auch in dieser Szene gibt es viele Männer, die Verkehr ohne Kondom wollen. Da dies in der Regel anal abläuft, wobei es sehr leicht zu blutigen Rissen kommt, ist die Gefahr, sich zu infizieren, für beide Sexualpartner extrem groß. Es kann ein tödliches Spiel sein.

Ist es eine Schande, zu einer Prostituierten zu gehen?

Keiner tut es offiziell, dennoch ist die Prostitution von jeher ein blühendes Geschäft. Zuverlässigen Schätzungen zufolge gehen täglich mehr als eine Million Männer in Deutschland zu Huren. Dabei gibt es keine bestimmte Gruppe, die die Dienste der Prostituierten in Anspruch nimmt. Politiker, TV- und Filmstars, arme und reiche Männer, Singles, Familienväter sowie ganz junge und ältere Herren sind da gleichermaßen vertreten. Die meisten Männer lügen, wenn sie gefragt werden, ob sie zu Huren gehen oder Pornos ansehen. Das läuft alles heimlich ab. Diese Doppelmoral ist die eigentliche Schande, nicht das Geschäft, das die Frauen mit den sexhungrigen Männern machen, die häufig – wie schon mehrfach erwähnt – sogar extra dafür bezahlen, dass sie keine Kondome zu benutzen brauchen. Und das angesichts der AIDS-Gefahr!

Wenn du auch mal das Bedürfnis hast, zu einer Prostituierten zu gehen, dann ist das weder unmoralisch noch eine Schande. Informiere dich aber vorher, vielleicht bei deinen Freunden. Den Straßenstrich solltest du in jedem Fall meiden.

Zu deinem Selbstschutz solltest du allerdings die Grauzonen zum Drogenkonsum meiden und dich vor einer Ansteckung mit AIDS schützen. Prostitution und Kriminalität sind eng miteinander verknüpft, und die Gefahr, dass man dir nur das Geld aus der Tasche zieht oder dich in einer anderen Form übers Ohr haut, ist sehr groß. Fast hinter jeder Hure steckt ein Zuhälter, und diese Typen kennen kein Pardon, wenn ihnen etwas nicht in den Kram passt. In jedem Fall: ***Du darfst niemals auf das Kondom verzichten!*** Vernünftige und professionelle Huren werden sogar von dir verlangen, dass du eines überziehst und sich ohne auf kein Geschäft mit dir einlassen.

Besuche bei Prostituierten sollten die Ausnahme sein, nicht die Regel. Dort lernst du nur schnelle und oberflächliche Sexualität kennen, die mit einer echten Partnerin meist nicht funktioniert. Frauen reagieren meist verletzt und gekränkt, wenn sie erfahren, dass ihr Partner zu einer Prostituierten geht. Sie empfinden es als Verrat an ihrer Liebe. Das kann zu großen Konflikten in der Beziehung führen.

Wenn du das Bedürfnis hast, zu einer Hure zu gehen, dann verzichte niemals auf das Kondom! Es ist überlebenswichtig!

Siehe auch Kapitel »HIV und AIDS«, ab. S. 214

Frauen empfinden es oft als Verrat ihrer Liebe, wenn sich ihr Partner Sex kauft.

Weshalb gehen Männer eigentlich zu Huren?

Viele Männer gehen wegen der sexuellen Freizügigkeit zu Prostituierten.

Eine Ursache liegt sicher in ihrem stärkeren Sexualtrieb. Manche Männer suchen bei Prostituierten die sexuelle Freizügigkeit, die sie zu Hause vermissen oder sie haben einen Hang zu außergewöhnlichen Praktiken. Andere suchen einfach die schnelle Befriedigung oder eine Abwechslung. Häufig wollen Männer bei einer Prostituierten auch nur ihr Herz ausschütten.

Nur wenige Männer wollen normalen Sex von Prostituierten, auch keine Zärtlichkeiten und Nähe. Viele werden nicht von ihrer Lust getrieben, sondern stehen unter einem inneren Zwang. Liebesdienerinnen erzählen, dass sie die Männer häufig erniedrigen und demütigen müssen. Die Gründe dafür liegen meist in der Kindheit begraben. Jedenfalls haben diese Männer wenig Selbstwertgefühl und große Minderwertigkeitskomplexe. Sie haben oft als Jungen Schläge als einzige Zuwendung bekommen und dies mit Liebe gleichgesetzt. Bei einer Hure kaufen sie sich dann, was sie aus der Kindheit kennen. Wenn sie etwas falsch machen, werden sie sofort dafür bestraft, ohne sich damit auseinandersetzen zu müssen.

Prostitution mit Kindern: Die schändlichste Form

In der dritten Welt werden Kinder sexhungrigen Touristen wie Ware angeboten. Sie sind damit oft die einzige Einnahmequelle für ihre Familie.

Eine der schändlichsten und verabscheuungswürdigsten Formen der Prostitution ist die mit Kindern. Sie wird ausschließlich von erwachsenen Männern genutzt. Die Kinder sind nichts anderes als bedauernswerte Opfer, deren Eltern mit ihnen Geld verdienen wollen. Dies wird in Deutschland mit bis zu zehn Jahren Gefängnis bestraft. Das gilt für den Fall, dass Kinder für Pornofilme missbraucht werden. Dennoch blüht das schreckliche Geschäft. Vor allem in Ländern der dritten Welt landen Minderjährige häufig in der Prostitution und sind damit für ihre Familien die einzige Einnahmequelle. Dies kann nur funktionieren, weil die Freier der Wohlstandsgesellschaft auf diese Angebote eingehen. Sie leben ihre Vorliebe bevorzugt in diesen Ländern aus, weil sie hier anonym bleiben. Auch bei uns gehen immer mehr Kinder aus sozial schwachen Verhältnissen auf den Strich. Sie hauen von zu Hause ab, weil sie es dort nicht mehr aushalten, drogensüchtig sind oder niemand haben, der sich um sie kümmert. Selbst wenn sie so tun, als würden sie das ganz cool wegstecken, bleiben doch tiefe seelische Wunden zurück. Oft sind sie nach ein paar Jahren so kaputt, dass sie selbst nicht mehr in der Lage sind, in ein normales bürgerliches Leben zurückzufinden.

Auch bei uns gehen immer mehr Kinder aus sozial schwachen Verhältnissen auf den Strich.

Sexueller Missbrauch: Was versteht man darunter?

Alexander (16):

Bei uns zu Hause war immer die Hölle los. Mein Vater schlug meine Mutter, und wenn wir sie verteidigen wollten, kriegten wir auch eine drauf. Meine zwei älteren Schwestern liefen sofort weg, wenn er ausrastete. Erst vor vier Jahren, als alles aufflog, erfuhr ich, dass er sie jahrelang missbraucht hatte. Dabei dachte ich, meine kleinere Schwester und ich seien die Einzigen, die er für seine widerlichen Spiele benutzte.

Ich musste unter seiner Anleitung meiner achtjährigen Schwester den Finger reinstecken. Die Frauen seien alle Huren und müssten deshalb vergewaltigt werden, wollte er mir einreden. Wenn ich Hemmungen hatte, weil meine Schwester wimmerte, dann haute er mir sofort eine runter und beschimpfte mich, ich sei kein richtiger Kerl.

Ich war richtig erleichtert, als meine Mutter endlich dahinterkam. Jetzt gehe ich in eine Therapie und werde sowohl als Opfer wie auch als Täter behandelt. Ich wollte mich vor die S-Bahn werfen, aber meine Mutter erwischte mich rechtzeitig. Bald kommt mein Vater wieder aus dem Knast. Ich habe panische Angst davor. Wir überlegen, ob wir auswandern sollen.

Alexanders Vater wurde wegen sexuellen Missbrauchs seiner Kinder zu lächerlichen drei Jahren und sieben Monaten Gefängnis verurteilt. Er streitet nach wie vor alles ab, fühlt sich unschuldig und hat gedroht, sich nach seiner Entlassung aus der Haft an seiner Familie zu rächen.

Was ist sexueller Missbrauch?

Sexueller Missbrauch ist eine vorsätzliche und fast immer auf Wiederholung ausgerichtete Straftat an Kindern unter 14 Jahren. Man spricht davon,

Weil die Täter ihre Opfer bedrohen, wird sexueller Missbrauch oft lange nicht entdeckt.

• wenn das Kind an und im Genital- und Analbereich oder an der Brust sexuell berührt wird

• wenn jemand vor einem Kind onaniert

• wenn Kinder obszönen Redensarten ausgesetzt sind

• bei Geschlechts-, Oral- und Analverkehr mit Kindern

• wenn Kindern Pornomaterial gezeigt oder welches von ihnen angefertigt wird.

Wer sind die Täter?

Siehe auch »Sexueller Missbrauch«, S. 235

Sexueller Missbrauch beginnt oft schon, wenn Jungen oder Mädchen noch nicht älter als fünf oder sechs Jahre sind. In diesem Alter ist ein Kind noch bereit, alles zu akzeptieren, was Erwachsene sagen, und alles zu tun, was sie verlangen. Also wehrt es sich nicht, wenn Vater, Großvater, Onkel, Tante, ein Freund der Mutter oder auch die Mutter selbst es zu sexuellen Handlungen zwingen. Die Erwachsenen haben also leichtes Spiel.

In der Regel sind es männliche Bezugspersonen, die kleine Mädchen missbrauchen. Davon ist hier überwiegend die Rede. Frauen spielen dabei meistens die Rolle des Handlangers, machen sich damit aber ebenso schuldig. Es kommt jedoch auch vor, dass sich

Mütter an ihren kleinen Söhnen sexuell vergreifen. Im Gegensatz zum Missbrauch von Mädchen durch ihre Väter, Opas oder Onkels ist das aber eher eine Seltenheit.

Jungen, die von einem Mann missbraucht wurden, trauen sich oft nicht, darüber zu reden, weil sie Angst haben, etwas Verwerfliches zu tun und daran mitschuldig zu sein. Viele Eltern übertragen ihre eigene unverständliche Angst vor Homosexualität unbewusst auf ihren Sohn, sodass dieser Angst hat, für homosexuell gehalten zu werden. Dieses Gefühl verstärkt sich, je älter der Junge zum Zeitpunkt des Missbrauchs ist. Überwindet er sich gar und vertraut sich jemand an, kann es passieren, dass er deshalb noch beschimpft wird. »Erzähl nicht so einen Quatsch!«, heißt es dann nicht selten. Das ist eine Verletzung, die zusätzlich wehtut.

Mehr über »Homosexualität« ab S. 221

Der Missbrauch dauert oft viele Jahre. Jungen und Mädchen halten ihn auch deshalb so lange aus und verschweigen ihn, weil sie sich schämen. Sie fühlen sich mitschuldig, weil der Täter ihnen Geschenke gemacht hat oder ihnen ständig sagt, dass er sie eben so liebe. Und sie haben Angst, dass die Drohungen des Mannes Wirklichkeit werden: »Wenn du etwas erzählst, musst du ins Heim!« Oder: »Sei still, sonst wird deine Mami krank! Das ist unser Geheimnis!« Weil sie ihre Familie nicht verlieren wollen, schweigen Kinder lieber. Viele denken auch, dass ihnen sowieso niemand glauben würde. Sie sind verwirrt, unsicher und trauen ihren eigenen Gefühlen nicht mehr.

Die Opfer eines Missbrauchs fühlen sich oft mitschuldig.

Was kannst du tun, wenn du missbraucht wirst oder wurdest?

Wenn du selbst solche oder ähnliche Dinge wie Alexander erlebt hast oder noch erlebst, dann brauchst du dringend Hilfe. Es gibt mittlerweile sehr viele Stellen, an die du dich mit deinem Problem wenden kannst und die dich auch ernst nehmen. Auch wenn du ein Mädchen kennst, das so etwas Schreckliches durchmacht und darunter leidet, unterstütze sie darin, etwas dagegen zu unternehmen und mit jemand darüber zu sprechen. Solange du schweigst, bleibst du mit deinem Problem allein und es wird sich nichts

Adressen siehe Anhang, ab S. 243

237

Solange du schweigst, bleibst du mit deinem Problem allein und es wird sich nichts ändern.

ändern. Im Gegenteil: Es kann alles immer noch schlimmer werden. Körperliche und sexuelle Gewalt ist immer Unrecht und auch in der Familie strafbar. Je länger du in der passiven Opferrolle bleibst, desto mehr psychische Schäden wirst du davontragen. Versuche auf jeden Fall, dich jemand anzuvertrauen, auch wenn du Angst vor den Folgen hast. Mache dir bewusst, dass bei Missbrauch die Schuld immer beim Erwachsenen liegt, niemals beim Kind.

Du brauchst viel Kraft, um das zu überstehen und zu verarbeiten. Manche knabbern ein ganzes Leben lang daran. Es kann dauern, bis du dich davon erholst und wieder gut fühlst. Aber Tatsache ist, dass du nichts dafür kannst, wenn dir so etwas passiert ist. Gib dir also keinesfalls eine Mitschuld! Du bist einem unerlaubten Übergriff zum Opfer gefallen und dabei handelt es sich um eine kriminelle Straftat. Auch dann, wenn sie dein eigener Vater, Bruder oder deine Mutter begangen hat.

Wenn du außer missbraucht auch noch geprügelt wirst, dann lass dir vom Arzt ein Attest geben und zeige den Täter an!

Wenn es dir ergeht wie Alexander (siehe letzter Abschnitt, S. 235), dann musst du auch dein Verhältnis zu Mädchen und Frauen überdenken und wieder verbessern. Jungen, die selbst benutzt wurden und den Unsinn beigebracht bekamen, dass Frauen vergewaltigt werden müssten, laufen Gefahr, dies zu verinnerlichen und sind vielleicht die Täter von morgen. Auch deshalb ist es sehr wichtig, dass du mit einem Therapeuten oder einer Therapeutin an dir arbeitest. Es geht um dich und deine Zukunft! Wenn du missbraucht, geprügelt oder sonst irgendwie misshandelt wirst, dann zögere nicht und zeige den Täter sofort an! Anzeigen nimmt jede Polizeidienststelle entgegen. Aber auch die einzelnen Beratungsstellen können dir wertvolle Helfer sein. Mache davon unbedingt Gebrauch!

Was geschieht, nachdem du einen Missbrauch gemeldet hast?

Wenn die Polizei oder das Jugendamt darüber informiert wird, dass ein Kind sexuell missbraucht wird, geht es in erster Linie um die Sicherheit des Kindes. Findet der Missbrauch in der Familie statt, werden die Behörden versuchen, die Familie zu erhalten und den Täter zu veranlassen, das Feld zu räumen. Doch dies gelingt nicht immer. Je nach den Umständen muss vielleicht auch die Mutter erst einmal mit den Kindern ins Frauenhaus oder zu Bekannten. Hauptsache ist, dass alle vom Täter getrennt sind. Auf jeden Fall wird dem missbrauchten Kind und den anderen Angehörigen psychologische Hilfe angeboten.

Ob die Polizei bzw. die Staatsanwaltschaft letztlich Klage gegen den Täter erhebt, hängt von den Beweisen und den Aussagen aller Betroffenen ab. Auch das, was deine Mutter, Geschwister oder Großeltern sagen, ist von Bedeutung. Manchmal kann eine Anklage nicht erfolgen, was aber nicht heißt, dass nicht doch ein Verbrechen begangen wurde. Erfolgt aber eine Anklage, musst du vor Gericht gegen den Täter aussagen. Das zerrt an den Nerven, aber es muss sein. Ob er ins Gefängnis muss oder nicht – du hast auf jeden Fall richtig gehandelt, als du die Sache öffentlich gemacht hast. Auch wenn es eine Weile dauern wird, bis alles wieder im Lot ist, so kann dir eine Psychotherapie gut über diese Zeit hinweghelfen.

Hauptsache ist erst einmal, dass die Opfer vom Täter getrennt sind.

Eine Psychotherapie kann dir weiterhelfen. Adressen von Beratungsstellen siehe Anhang, ab S. 242

Was gilt als sexuelle Belästigung?

Unter »sexueller Belästigung« versteht man eine unerwünschte Belästigung mit sexuellen Hintergedanken, die die Würde des Menschen verletzt. Das sind oft nur Worte, aber sie werden gebraucht, um jemanden herabzusetzen. Auch Pfiffe, obszöne Anrufe und voyeuristisches Verhalten gelten als sexuelle Belästigung. Die Betroffenen sind in der Regel Mädchen und Frauen, die Belästiger Männer. Leider haben 93 Prozent aller Frauen schon sexuelle Belästigung irgendeiner Art erlebt. Am häufigsten wird sie am Arbeitsplatz praktiziert, aber auch in der Schule. Doch immer weniger Mädchen und Frauen lassen sich das gefallen, sie wehren sich dagegen.

Sexuelle Belästigung geschieht oft durch Menschen, die eine Machtposition innehaben. Sie nutzen diese aus, weil sie wissen, dass Abhängige wohl kaum etwas dagegen unternehmen werden. Mit anderen Worten: Sie üben auf diese Weise verbale Gewalt aus. Ein Mädchen oder eine Frau muss sich das nicht gefallen lassen

Auch Pfiffe, obszöne Anrufe und voyeuristisches Verhalten gelten als sexuelle Belästigung.

239

Sexuelle Belästigung sollte man sich keinesfalls gefallen lassen.

und kann bei Wiederholung entsprechende Schritte gegen den Übeltäter einleiten. Sie kann auch den Personalchef informieren oder in der Schule den Direktor. Dieses Gefühl der Abwertung und Erniedrigung, das durch so eine Anmache vermittelt wird, tut weh. Im Übrigen handelt es sich auch um eine Belästigung, wenn die anzügliche Bemerkung als Scherz oder Kompliment verpackt ist. Bleibt die Bitte einer Frau auf Unterlassung solcher Sprüche ungehört, kann sie sich an die Polizei wenden. Sexuelle Belästigung ist eine kriminelle Straftat, die verfolgt wird. Leider beschweren sich viel zu wenige Frauen über diese alltäglichen und nur scheinbar »harmlosen« Vorgänge. Im Gesetz ist sogar geregelt, dass ihr keine Nachteile entstehen dürfen, wenn sie sich darüber beklagt.

Ein Flirt ist nur dann einer, wenn das Mädchen sich nicht belästigt fühlt.

Manche Jungen und Männer sind aufgrund dieser Sachlage sehr verunsichert und klagen darüber, dass sie ja gar nicht mehr genau wüssten, was sie diesen empfindlichen Mädchen und Frauen noch sagen dürften und wie man noch flirten soll, um ja nichts falsch zu machen. Ganz einfach: Ein Flirt ist nur dann einer, wenn die Frau mitflirtet. Fühlt sie sich aber belästigt, ist das natürlich keiner. Es spielt auch immer das persönliche Verhältnis eine Rolle, das Frau und Mann miteinander haben. Kennt man sich lange und gut, wiegen solche Bemerkungen nicht so schwer als wenn dies von jemand kommt, der einem im Grunde fremd ist. Und auch auf den Ton und die Art kommt es an.

Nach dem Gesetz gilt als sexuelle Belästigung:

Zumindest bei einigen Dingen schützt das Gesetz vor sexueller Belästigung.

- Wenn du eine Frau wegen ihrer Klamotten blöd anquatschst

- Wenn du sie anstarrst und mit Blicken ausziehst

- Wenn frauenfeindliche und obszöne Witze gerissen werden

- Wenn du ihr zu dicht auf die Pelle rückst oder sie angrapschst

- Wenn sie sich davon genervt fühlt und das einfach nicht haben kann

- Wenn Bilder von nackten Frauen herumgelegt oder -gehängt werden.

Vergewaltigung: Wann ist es eine?

Von Vergewaltigung spricht man, wenn das Opfer mit Gewalt oder unter Gewaltandrohung zu sexuellen Handlungen gezwungen wird oder diese über sich ergehen lassen muss. Meistens handelt es sich um Mädchen, Frauen und Kinder. Die Täter sind fast ausschließlich Männer. Es sind aber auch Fälle bekannt, bei denen Frauen Hilfestellung gaben, Schmiere standen oder das Opfer festhielten. Nach dem deutschen Strafgesetzbuch wird eine Vergewaltigung mit einer Gefängnisstrafe nicht unter zwei Jahren geahndet.

Eine Vergewaltigung ist eine schreckliche Erfahrung. Die Opfer fühlen sich danach schmutzig und oft auch schuldig, obwohl sie nichts Böses getan haben. Deshalb sprechen viele Betroffene nicht über den Vorfall. Auch die Angst vor Fragen unsensibler Polizeibeamter und -beamtinnen hält die Opfer davon ab, den Täter anzuzeigen. Dazu kommt dann noch die Unsicherheit, ob ihnen überhaupt geglaubt wird. Dennoch sollten sich Betroffene möglichst sofort nach der Tat an die Polizei wenden, die angewiesen und bestrebt ist, mit den Opfern besonders einfühlsam umzugehen.

Für den Täter hat die Vergewaltigung oft weniger mit sexueller Befriedigung zu tun als mit Hass, Aggression, Verachtung Frauen gegenüber und dem Triumph, über einen Schwächeren Macht auszuüben. In der Regel haben solche Männer große Minderwertigkeitskomplexe. Christine Steinherr, Frauenbeauftragte im Polizeipräsidium München: »Nur etwa zehn Prozent der Vergewaltiger sind echte Triebtäter. Die anderen 90 Prozent sind rücksichtslose, unkontrollierte Täter, oft mit Vorstrafen. Sie nehmen sich mit Gewalt, was ihnen nicht freiwillig gegeben wird.«

Unter Jugendlichen kommt es manchmal zu Gruppenvergewaltigungen. Das heißt: Ein Junge nach dem anderen vergewaltigt ein Mädchen und die anderen klatschen womöglich noch Beifall. Damit sollen Männlichkeit, Kraft und Stärke demonstriert werden. In Wirklichkeit zeigen diese Jungen, wie schwach, verantwortungslos und gefühllos sie sind. Welche Qualen und Spätschäden das Mädchen dabei davonträgt, interessiert sie nicht. Wenn du in so eine üble Veranstaltung gerätst, solltest du einschreiten. Ist das zu gefährlich für dich selbst, distanziere dich auf jeden Fall und alarmiere so schnell wie möglich die Polizei!

Alarmiere sofort die Polizei, wenn du mitkriegst, dass in deinem Umkreis ein Mädchen vergewaltigt wird!

Eine Vergewaltigung ist für das Opfer eine schreckliche Erfahrung, unter der es ein Leben lang leidet.

Männer, die Mädchen oder Frauen vergewaltigen, sind nichts weiter als kriminelle, rücksichtslose und unkontrollierte Typen.

241

Kleines Sex-Lexikon

AIDS

(engl.) Abkürzung für **A**cquired **I**mmune **D**eficiency **S**yndrome = erworbenes Immunschwäche-Syndrom, weil die tödliche Krankheit nicht vererbt, sondern erworben wird

Analverkehr

(lat., dt.) Einführung des männlichen Gliedes in den After eines Mannes oder einer Frau

Beischlaf

Veralteter Ausdruck für Geschlechtsverkehr

Bisexualität

(lat.) Sexualität mit beiden Geschlechtern

Bordell

Haus, in dem sich Prostituierte gegen Bezahlung für sexuelle Handlungen anbieten. Auch Freudenhaus, Puff, Massagesalon genannt

Coitus

(lat.) Geschlechtsakt, miteinander schlafen

Coitus interruptus

(lat.) Unterbrochener Geschlechtsakt, keine Verhütungsmethode!

Coming out

(engl.) Wenn Homosexuelle sich offen zu ihrer Veranlagung bekennen und sich selbst voll akzeptieren

Cunnilingus

(lat.) Lecken am weiblichen Geschlechtsorgan, insbesondere an der Klitoris

Ejakulation

(lat.) Samenerguss

Embryo

(griech.) So heißt das werdende Kind in den ersten drei Monaten

Erektion

(lat.) Steifwerden des Gliedes

Erotik

(griech., franz.) Sammelbegriff für alle Wahrnehmungen und Gefühle im Bereich Liebe und Sexualität

Glans

So wird die Eichel auch genannt

Fellatio

(lat.) Saugen/Lecken am männlichen Glied mit Mund und Zunge

Ficken

Derb umgangssprachlich für miteinander schlafen

Fötus

(lat.) So nennt man das ungeborene Kind ab dem 4. Monat bis zur Geburt

Geil

Ausdruck für sexuelles Lustempfinden. Heute nennt man viele Dinge so, die Spaß machen: Essen, Filme, Klamotten, Musik usw.

Heterosexualität

(griech., lat.) Sexualität, die auf das andere Geschlecht gerichtet ist

HIV

(engl.) Human Immunodeficiency Virus = menschliches Immunschwäche-Virus, löst AIDS aus

Homosexualität

(griech., lat.) Sexualität, die auf das eigene Geschlecht gerichtet ist

HwG

Abkürzung für »häufig wechselnder Geschlechtsverkehr«

Hymen

(griech., lat.) Jungfernhäutchen

Impotenz

(lat.) Mangelndes Steifwerden des Gliedes

Inzest

(lat.) Sexuelle Beziehungen zwischen Blutsverwandten (Mutter/Sohn, Vater/Tochter, Bruder/Schwester) untereinander, steht unter harter Strafe

IUP

(lat., griech.), Intra-Uterin-Pessar, allgemein als Spirale (Verhütungsmittel) bekannt

Kastration

(lat.) Operativer Eingriff, bei dem Hoden, manchmal auch Penis und Hoden, entfernt werden. Aus strafrechtlichen Gründen verboten

Klitoris

(griech.) Kitzler, Teil der weiblichen Geschlechtsorgane, der ausschließlich sexuelle Reize vermittelt

Lesbisch

Bezieht sich auf Frauen (Lesben), die ausschließlich sexuelle Beziehungen zu Frauen haben

Libido

(lat.) Sexuelles Lustempfinden

Masochismus

Mensch, der nur sexuell erregt und befriedigt ist, wenn er gequält oder bedroht wird (Masochist)

Masturbation

(lat.) Sexuelle Selbstbefriedigung

Menstruation

(lat.) Monatsblutung der Frau. Auch Regel, Periode, Tage, Menses genannt

Ödipus-Komplex

Nach Sigmund Freud eine Phase in der seelischen Entwicklung des heranwachsenden Mannes, in der er unbewusst seine Mutter sexuell begehrt und den Vater als Konkurrenten sieht

Östrogen

(griech., lat.) Weibliches Sexualhormon

Onanie

(eng.) Sexuelle Selbstbefriedigung

Oralverkehr

(lat., dt.) Sexuelle Kontakte mit Mund und Geschlechtsorganen zwischen zwei Partnern

Orgasmus

(griech.) Höhepunkt der sexuellen Erregung

243

Ovulationshemmer

(lat., dt.) Antibaby-Pille = Hormone, die den Eisprung verhindern

Pariser

Andere Bezeichnung für Kondom

Peepshow

(engl.) Laden, in dem sich nackte Mädchen auf einer kleinen Bühne Männern präsentieren. Der Kunde steht in einer Kabine und bekommt nach Geldeinwurf Sicht auf das Mädchen

Perversion

(lat.) Abwertender Begriff für Sexualverhalten, das von der Normalität abweicht

Petting

(engl.) Intensiver Austausch von Zärtlichkeiten ohne Geschlechtsverkehr

Phimose

(griech.) Vorhautverengung

Pollution

Unbewusster, nächtlicher Samenerguss während der Pubertät

Potenz

(lat.) Im engeren Sinn: die Fähigkeit des Mannes, den Geschlechtsverkehr zu vollziehen

Präservativ

(lat.) Anderer Begriff für Kondom

Promiskuität

(lat.) Häufig wechselnder Geschlechtsverkehr mit verschiedenen Partnern

Prostata

(griech., lat.) Medizinischer Begriff für die Vorsteherdrüse im männlichen Unterleib

Prostitution

(lat.) Käuflicher Sex

Pubertät

(lat.) Entwicklungsphase eines Menschen zwischen dem 10. und 18. Lebensjahr

Puff

Andere Bezeichnung für Bordell

Sadismus

Mensch, der nur sexuell erregt und befriedigt wird, wenn er seinem Partner Schmerzen zufügen oder ihn damit bedrohen kann (Sadist)

Sadomasochismus

Abart sexuellen Verhaltens, bei dem sowohl sadistische als auch masochistische Praktiken eine wichtige Rolle für die sexuelle Befriedigung eines Menschen spielen

Scheide

Auch Vagina genannt. Das weibliche Organ, das sich vom Muttermund bis zur Vulva erstreckt

Sodomie

(lat.) Sexueller Verkehr eines Menschen mit einem Tier

Spanner

Umgangssprachlich für Voyeur

Spermien

(griech.) Mikroskopisch kleine Samenfäden, die von der Pubertät an in den Hoden des Mannes produziert werden

244

Sterilisation

(lat.) Operativer Eingriff, der die Fortpflanzungsfähigkeit eines Menschen unterbindet

Strich

Bezeichnung für Straßenprostitution

Transsexualität

(lat.) Menschen, die sich mit ihrem Geschlecht
nicht identifizieren können und sich umoperieren
lassen, vom Mann zur Frau oder umgekehrt. Hat
nichts mit Homosexualität zu tun!

Transvestit

(lat.) Mensch, der das Bedürfnis hat, die Kleidung des anderen Geschlechts zu tragen. Hat
nichts mit Homosexualität zu tun!

Tripper

Die am weitesten verbreitete Geschlechtskrankheit

Uterus

(lat.) Medizinischer Ausdruck für Gebärmutter

Vagina

(lat.) Bezeichnung für die weibliche Scheide

Venushügel

(lat., dt.) Bereich über dem weiblichen Schambein, meist stark behaart

Voyeurismus

(franz.) Mensch, der seine sexuelle Befriedigung
nur dann findet, wenn er andere in erotischen
Situationen beobachten kann (Voyeur), meist
ohne deren Erlaubnis. Steht unter Strafe

Vulva

(lat.) Gesamtbegriff für die äußeren weiblichen
Geschlechtsorgane

Wichsen

Vulgär für Selbstbefriedigung

Wochenbett

Zeit nach der Schwangerschaft

Zuhälter

Mann, der sich von einer oder mehreren Frauen
aushalten lässt, indem er sie zur Prostitution
zwingt. Dafür fungiert er als eine Art Leibwäch-
ter. Meist gewalttätig

Zungenkuss

Variante des Kusses, bei der sich die Zungen der
Partner berühren

Zwitter

Lebewesen, die sowohl männliche als auch weibliche Geschlechtsorgane haben

Zyklus

(griech.) Kreislauf, Reihenfolge. In der Medizin
versteht man darunter den Menstruations-
zyklus der Frau

Nützliche Adressen in Deutschland, Österreich und der Schweiz

Wer hilft mir, wenn ich nicht mehr weiterweiß?

Hier findest du Adressen und Telefonnummern von Stellen, die dir in einer Notsituation weiterhelfen können. Wir haben hier in manchen Fällen aus Platzgründen nur die Landesverbände oder Zentralen angegeben, aber wenn du dich dort hinwendest, wird man dir gerne die für dich am nächsten gelegene Beratungsstelle nennen.

Die *Telefonseelsorge* ist rund um die Uhr in ganz Deutschland zu erreichen und für alle Sorgen und Nöte ein guter Ansprechpartner. Die bundesweiten, kostenlosen Rufnummern sind: *0800/111 0 111* oder *0800/111 0 222*.

Deutschland

Bei Verhütungsfragen, Schwangerschaft und sexuellen Problemen

Durchblick	**Bundeszentrale für**	**Pro Familia**
Informationsservice für	**gesundheitliche Aufklärung**	Deutsche Gesellschaft für
Jugendliche über	51101 Köln	Sexualberatung und
Empfängnisverhütung und	Tel. 0221/89920	Familienplanung e.V.
Sexualität	Broschüren unter:	Bundesverband
Postfach 1272	0221/8992283	Stresemannallee 3
85762 Oberschleißheim		60596 Frankfurt/M.
Tel. 0130/3431 (gebühren-		Tel. 069/63 90 02
frei)		Fax 069/63 98 52

Wenn du seelische Probleme hast

NEUhland
Hilfe für Kinder, Jugendliche
und Eltern bei
Selbstmordgefährdung
Nikolsburger Platz 9
10717 Berlin
Tel. 030/873 01 11 oder
030/426 42 42

Die Arche
Viktoriastr. 9
80803 München
Tel. 089/33 40 41

**Psychologische Beratungs-
stelle für Kinder,
Jugendliche und Eltern
Dortmund**
Tel. 0231/1848-122

**Kinder- und Jugendtelefon
Frankfurt/M.**
Tel. 069/55 08 09

Emotions Anonymous
Kontaktstelle Deutschland
Hohenheimer Str. 75
70184 Stuttgart
Tel. 0711/24 35 33

Bei Vergewaltigung und sexuellem Missbrauch

Kinder- und Jugendtelefon
gebührenfrei
Tel. 0130/81 11 03
(hier kannst du in jeder
Notlage anrufen, nicht nur
bei Missbrauch oder
Vergewaltigung)

Deutscher Kinderschutzbund
Schiffgraben 29
30159 Hannover
Tel. 0511/30 48 50
(Zweigstellen im ganzen
Bundesgebiet)

Zartbitter
Kontakt- und
Informationsstelle gegen
sexuellen Missbrauch an
Mädchen und Jungen
Sachsenring 2-4
50677 Köln
Tel.: 0221/31 20 55
(Zweigstellen im ganzen
Bundesgebiet)

Kindersorgentelefon Hamburg
Tel. 040/43 73 73

Kinder- und Jugendtelefon
Die Nummer gegen Kummer
Tel.: 0800-111-0333
(gebührenfrei)

**Beauftragte der Polizei für
Frauen und Kinder**
Ettstr. 2
80333 München
Tel. 089/2910-4444 oder
Notruf 110

**Mittlerweile gibt es fast überall Selbsthilfegruppen für Jungen und Mädchen in Not. Du kannst dich beim
Jugendamt oder Pro Familia danach erkundigen.**

Bei Ess-Störungen

pathways
Pilotystr. 6
80538 München
Tel. 089/219 97 30

**Aktionskreis Ess- und
Magersucht Cinderella e.V.**
Westendstr. 35
80339 München
Tel. 089/502 12 12

Weight Watchers Deutschland
gebührenfrei
Tel. 0130/4778

Bei Drogen- und Alkoholproblemen

Deutsche Hauptstelle gegen
die Suchtgefahren
Postfach 1369
59003 Hamm
Tel. 02381/90150

Daytop
Beratungszentrum für
Suchtgefährdete und
Abhängige
Tal 19
80331 München
Tel. 089/225052

Verband ambulanter
Beratungs- und
Behandlungsstellen für
Suchtkranke und
Drogenabhängige
Karlstr. 4
79104 Freiburg
Tel. 0761/20 03 63 oder
20 03 69

Al-Anon-Familiengruppen
Interessengemeinschaft e.V.
Emilienstr. 4
45128 Essen
Tel. 0201/77 30 07

Telefon-Notruf für
Suchtgefährdete
Berlin   030/1 92 37
Düsseldorf   0211/32 55 55
Erfurt   0361/566 78 57
Essen   0201/40 38 40
Frankfurt/O. 0335/680 27 35
Köln   0221/31 55 55
München   089/28 28 22

(Die Alateen-Gruppen inner-
halb der Organisation Al
Anon kümmern sich um
Jugendliche, deren Eltern
Alkoholiker sind.)

Bei Fragen zur Homosexualität

Lambda
Schwul-lesbisches
Jugendnetzwerk
Ackerstr. 13
10115 Berlin
Tel. 030/282 79 90
Fax 030/28 59 89 89

Aidshilfe Köln
Beethovenstr. 1
50674 Köln
Tel. 0221/20 20 30

Beratungstelefon der
Aidshilfe Köln
Tel. 0221/19411

Beratungsstelle für homo-
sexuelle Männer
Gerresheimer Str. 20
40211 Düsseldorf
Tel. 0211/35 45 91

Bei Fragen zu AIDS

AIDS-Telefon bundesweit
Tel. 194 11

Bundeszentrale für gesundheitliche Aufklärung
Postfach 91 01 52
51071 Köln
Tel. 0221/8 99 20

Österreich

Verhütung, Schwangerschaft und sexuelle Probleme

Verein für Jugend- und
Familienberatung
Beratungsstelle „Bily"
Weissenwolffstr. 17 a
4020 Linz
Tel. 0732/77 04 97 oder -98

Kindertelefon
0222/319 66 66

Verein „WIFF"
Hauptplatz 2
9100 Völkermarkt
Tel. 04232/47 50

Sexualberatungsstelle
Salzburg
Auerspergstr. 10/30
5020 Salzburg
Tel. 0662/87 08 70

Familien- und
Jugendberatung
Dr. Herbert Nägele
In der Telle 7
6921 Kennelbach
Tel. 05574/7 78 99

Vergewaltigung und sexueller Missbrauch

Notrufe für vergewaltigte
Mädchen und Frauen, auch
Jungen

Linz
Tel. 0732/2129

Salzburg
Tel. 0662/88 11 00

Innsbruck
Tel. 0512/57 44 16

Verein Kassandra
Skribanygasse 1
2340 Mödling
Tel. 02236/4 10 85 oder
4 38 65

Tamar, Beratungsstelle
Wexstr. 22
1200 Wien
Tel. 0222/334 04 37

Krisenstelle für Jugendliche
Werkstättenstr. 4
5020 Salzburg
Tel. 0662/53266

Homosexualität

Rosa Lila Villa
Beratungszentrum für
homosexuelle Frauen und
Männer
Linke Wienzeile 102
1060 Wien
Tel. 0222/586 81 50

Homosexuelle Initiative
Jugendgruppe
Novaragasse 40
1020 Wien
Tel. 0222/216 66 04

Drogen und Alkohol

Club Change
Beratungsstelle für drogen-
gefährdete Jugendliche
Schellhammergasse 3
1170 Wien
Tel. 0222/406 23 02 oder
402 98 06

Dialog
Hilfs- und Beratungsstelle
für Suchtgiftgefährdete und
ihre Angehörigen
Hegelgasse 8/3/11
1010 Wien
Tel. 0222/512 01 81-0 oder
513 46 50-0

Al-Anon Familiengruppen
Geblerstr. 45
1170 Wien
Tel. 0222/408 53 77

AIDS

AIDS-Gesellschaft Wien
Mariahilfer Gürtel 4
1060 Wien
Tel. 0222/59937
Präventionsabteilung
Bestellung von Broschüren
Tel. 0222/5953711

AIDS-Informationszentrum
Austria
Fechtergasse 19
1090 Wien
Tel. 0222/315 42 04

Schweiz

Verhütung, Schwangerschaft und sexuelle Probleme

Dachverband Pro Familia
Laupenstr. 45
3001 Bern
Tel. 031/381 90 30
Fax 031/381 91 31

**Schwangerschaftsberatungs-
stellen über:**
Bundesamt für
Sozialversicherung
Zentralstelle für
Familienfragen
Effingerstr. 33

3003 Bern
Tel. 031/322 91 22
Fax 031/324 06 75

pro juventute, Zentrale
Seehofstr. 15
8022 Zürich
Tel. 01/251 72 44
Fax 01/252 28 24

**Verein Ehe- und
Lebensberatung,
Schwangerschaftsberatung**

und Familienplanung
Hirschmattstr. 30b
6003 Luzern
Tel. 041/210 10 87
Fax 041/210 10 88

**Familien-, Sexual- und
Schwangerschaftsberatung**
Sennensteinstr. 5
7000 Chur
Tel. 081/252 10 01

250

Vergewaltigung und sexueller Missbrauch

Nottelefone für vergewaltigte
Frauen und missbrauchte
Mädchen und Jungen:

Basel
Tel. 061/261 89 89

Schaffhausen
Tel. 052/625 60 00

Winterthur
Tel. 052/213 61 61

Zürich
Tel. 01/291 46 46

Homosexualität

Beratungstelefon für Schwule
Sihlquai 67
8005 Zürich
Tel. 01/273 11 77

HAZ, Homosexuelle
Arbeitsgruppen
Postfach 2563
8006 Zürich
Tel. 01/271 70 11

AIDS

AIDS-Hilfe Schweiz
Konradstr. 20
8031 Zürich
Tel. 01/273 42 42
Fax 01/273 42 62

Drogen und Alkohol

Verein Drogenentzug und
Drogenhilfe
Brinerstr. 1
8003 Zürich
Tel. 01/451 00 25

Bundesamt für das
Gesundheitswesen
Koordinationsstelle für
Drogenfragen
Bollwerkstr. 27
3001 Bern
Tel. 031/322 21 11

Wenn du weiterlesen möchtest

Ausfelder, Trude: Alles, was Mädchen wissen wollen, Ellermann, München 1997

Bossbach, Christel und Raffauf, Elisabeth: Liebe, Sex und noch viel mehr, Südwest, München 1996

Bopp, Annette: Sex ohne Angst, Stiftung Warentest, Berlin 1994

Braun, Joachim und Kunz, Daniel: Weil wir Jungen sind, Rowohlt, Reinbek/H. 1997

Bruckner, Helmut und Rathgeber, Richard: Total verknallt ... und keine Ahnung?, Falken, Niedernhausen 1989

Fenwick, Elizabeth und Walker, Richard: Let's talk about Sex, Mosaik, München 1995

Franz, Sondra: Frau werden – ganz natürlich, Knaur, München 1989

Hüsch, Tim: Reine Jungensache, Loewe, Bindlach 1996

Marx, Vivien: Das Samenbuch, Eichborn, Frankfurt/M. 1997

Pro Familia, Landesverband Niedersachsen: Sex und so ..., Hannover 1995, (Broschüre für Jugendliche, kann dort für DM 1,15 + Porto bestellt werden: Steintorstr. 6, 30159 Hannover, Tel. 0511/36 36 08)

Ring, Gabriele: Sexualität, Schneider, München 1996

Schneider, Sylvia: Das Aufklärungsbuch, Ravensburger, Ravensburg 1990

Schneider, Sylvia: Das Mädchen-Fragebuch, Ueberreuter, Wien 1992

Schneider, Sylvia: Das Jungen-Fragebuch, Ueberreuter, Wien 1993

Schneider, Sylvia: Das neue Frauenlexikon, Beltz Quadriga, Weinheim 1994

Wolfrum, Christine und Süß, Peter: So wild nach deinem Erdbeermund, dtv-junior, München 1996

Register

255